Le niveau de vie des retraités

Sommaire

Isabelle Bridenne, Cnav ;
Mireille Elbaum, Conservatoire national des arts et métiers

Avant-propos

Ce numéro de *Retraite et Société* vise à éclairer la question du niveau de vie des retraités, et de son évolution pour les générations à venir, notamment suite aux réformes des retraites de 1993 et de 2003.

Le niveau de vie des retraités et le risque de pauvreté qu'ils encourent ne peuvent se déduire de l'évolution, présente et projetée, des pensions de retraite, sans que ne soit résolue une série de problèmes statistiques et conceptuels. D'abord parce que, si les pensions sont des droits individuels, le niveau de vie est appréhendé au niveau des ménages et dépend donc de leur composition – vie de couple *versus* divorce ou célibat, différences d'espérance de vie entre les hommes et les femmes et donc « longévité » de la vie à deux – ainsi que de la façon dont les conjoints se sont réparti activité professionnelle et tâches familiales au cours de leur cycle de vie. Le développement des carrières féminines pourrait ainsi compenser en partie la diminution des pensions individuelles induite par les réformes des retraites successives. Cependant, les générations nées après le milieu des années 1950, qu'il s'agisse d'hommes ou de femmes, se sont insérées plus tardivement dans la vie active et ont pu être touchées par des problèmes de chômage ou de précarité susceptibles de peser sur l'acquisition de leurs droits à l'assurance vieillesse[1].

L'évaluation du niveau de vie des retraités dépend aussi des prestations sociales qu'ils reçoivent (notamment les allocations logement), de la prise en compte éventuelle de leur situation vis-à-vis du logement, qui peut se traduire par l'imputation de revenus supplémentaires « fictifs » aux propriétaires, sachant que plus de 70 % des plus de 65 ans jouissent de la propriété de leur logement, et enfin des revenus du patrimoine. Ces derniers, mal connus, ont fait l'objet de nouvelles estimations, qui ont conduit l'Insee à réviser en juillet 2008 les indicateurs issus de l'enquête

---

1 Burricand C., Kohler F., 2005, « Débuts de vie professionnelle et acquisition de droits à la retraite », *Études et Résultats*, n° 401, mai.

« Revenus fiscaux » : ceux-ci montrent que le niveau de vie des retraités est aujourd'hui globalement équivalent à celui des actifs[2]. Les revenus issus du patrimoine sont toutefois, comme d'ailleurs les prestations sociales, très difficiles à prendre en compte en projection.

Par ailleurs, les conventions statistiques qui président au calcul des niveaux de vie et de la pauvreté peuvent être spécifiquement discutées pour les ménages de retraités : est-il judicieux de retenir l'échelle d'équivalence habituelle après un veuvage, alors que le conjoint devenu veuf ne change généralement pas de logement ? Surtout, peut-on s'en tenir à l'observation de la pauvreté à partir d'un seuil unique, établi selon les conventions européennes à 60 % du revenu médian par unité de consommation, alors que certaines évolutions, comme celles du minimum vieillesse, introduisent des « oscillations » qui concernent aussi la zone des bas revenus située entre les seuils de 50 % et 60 % ?

Enfin, le niveau de vie des retraités est très différent selon qu'il s'agit de retraités « jeunes » ou « âgés », avec parmi ces derniers davantage de femmes seules ayant de faibles pensions. Il peut en outre varier sensiblement au cours de la retraite : d'abord lorsque le conjoint non retraité liquide sa propre retraite, avec des conséquences différentes selon qu'il était en emploi ou inactif ; ensuite lorsque le veuvage intervient, avec des incidences variables selon la part qu'occupait la retraite du conjoint décédé dans le revenu du ménage et l'apport des pensions de réversion aux ressources du conjoint survivant.

Les difficultés qui entourent l'appréciation du niveau de vie des retraités dans son ensemble, et plus encore sa projection dans l'avenir, ne doivent pas faire oublier le rôle prédominant de l'évolution des pensions. Celles-ci continuent à représenter près de neuf dixièmes des ressources des ménages retraités, et c'est l'arrivée à maturité du système de retraite créé à la Libération qui a permis le recul progressif de la pauvreté chez les personnes âgées jusqu'au milieu des années 1990. Les réformes intervenues en 1993 et en 2003, au premier rang desquelles figurent la prise en compte des vingt-cinq meilleures années pour le calcul du salaire annuel moyen et l'indexation sur les prix, ne devraient pas empêcher le niveau de vie moyen des retraités de continuer à progresser d'une génération à l'autre avec l'amélioration des carrières. Elles pourraient néanmoins favoriser davantage de disparités chez les retraités, ainsi qu'une éventuelle remontée des taux de pauvreté et le retour du minimum vieillesse à un rôle de « filet de sécurité » élargi.

---

[2] GOUTARD L., PUJOL J., 2008, « Les niveaux de vie en 2006 », *Insee Première*, n° 1203, juillet.

La situation des retraités devrait surtout se dégrader relativement à celle des actifs, en particulier si l'on considère, sans prendre en compte la composition et les autres revenus des ménages, la fonction de « remplacement » qui est celle du système de retraite dans les régimes d'inspiration bismarckienne.

Si l'on revient à la question du niveau de vie global des retraités, les études rassemblées dans ce numéro illustrent, chacune avec un point de vue différent, les lignes de force et les limites qui viennent d'être évoquées.

Nathalie Augris et Catherine Bac soulignent l'incidence majeure qu'ont eue la généralisation et l'extension des régimes de retraite depuis les années 1960 – et en particulier tout au long des années 1970 – d'autant qu'elles se sont accompagnées de revalorisations qui ont jusqu'au milieu des années 1980 globalement suivi l'évolution du salaire moyen. Cela a permis de réduire de 35 % en 1970 à 7,5 % en 1984 la proportion de ménages touchés par la pauvreté chez les plus de 65 ans. Mais ce taux est remonté à 10 % en 2006, et les plus de 75 ou 80 ans demeurent plus touchés par la pauvreté. Le dispositif du minimum vieillesse, composé de plusieurs allocations qui n'ont été unifiées qu'en 2007, a ainsi vu le nombre de ses allocataires chuter régulièrement depuis 1960 : il ne concerne plus aujourd'hui que moins de 5 % des personnes de 65 ans ou plus. Il s'agit essentiellement de femmes très âgées qui ont acquis peu de droits à la retraite, mais aussi d'assurés sujets à des aléas de carrière ou appartenant à des régimes n'ayant pas instauré de pension minimale. Le niveau de ressources garanti par le minimum vieillesse ne permet toutefois pas d'échapper à la pauvreté lorsque l'on se réfère au seuil de pauvreté calculé sur la base de 60 % du revenu médian. En revanche, pour les couples, le niveau du minimum vieillesse est proche du seuil de pauvreté évalué sur la base de 50 % du revenu médian, mais il reste inférieur à ce seuil pour les personnes seules. Le « diagnostic » porté quant au rôle protecteur de ce minimum dépend donc des conventions statistiques retenues, et des revalorisations dont il a été assorti au cours du temps. Se pose alors la question de son évolution, qui devrait à la fois dépendre des répercussions des réformes sur les ménages les plus fragiles et de la revalorisation de 25 % programmée à l'horizon de cinq ans, avec des différences possibles entre les couples et les personnes seules.

Emmanuelle Crenner tente justement d'estimer le niveau de vie qu'auront à la retraite les générations nées à partir de 1950, compte tenu de l'interaction entre les réformes de 1993 et de 2003 et les changements sociodémographiques prévisibles (espérance de vie, nuptialité et divortialité, participation des femmes au marché du travail, qualifications et salaires féminins, temps partiel, etc.). Elle s'appuie sur le modèle

Destinie de l'Insee, qui simule les niveaux de vie sans toutefois prendre en compte les revenus du patrimoine, la fiscalité et la redistribution : c'est donc le seul impact des pensions de retraite, des revenus d'activité et des allocations de chômage qui est ici appréhendé. L'étude montre que les générations nées entre 1957 et 1962 bénéficieront effectivement, lors de la liquidation de leur retraite, d'un niveau de vie supérieur d'environ 20 % à celui des générations nées entre 1945 et 1950. Mais l'évolution n'est désormais pas plus favorable pour les femmes, qui demeurent davantage que les hommes sujettes au chômage et au temps partiel. En outre, le niveau de vie des hommes croît au cours de leur retraite lorsqu'ils ont une conjointe inactive qui liquide ses droits, cette liquidation étant souvent plus tardive, ou lorsqu'ils deviennent veufs (*cf. infra*). L'ensemble des retraités connaissent toutefois, tout au long des années suivant la liquidation, une dégradation de leur situation par rapport au salaire médian, compte tenu d'une indexation des pensions limitée aux prix. En effet, lorsque l'on simule l'effet des réformes de 1993 et de 2003 sur le niveau de vie des retraités, c'est le changement de mode d'indexation qui apparaît le facteur le plus important, et ce dès la liquidation, l'écart s'accroissant ensuite de façon sensible au fil de la retraite. L'étude ne distingue cependant pas, pour ces générations, la revalorisation des « salaires portés au compte » de celle des pensions proprement dites, alors que certains pays pratiquent des modes d'indexation différenciés, et que cette piste a été proposée par la Cnav à l'occasion du « rendez-vous » de 2008. De même, alors que l'hypothèse est faite, de façon d'ailleurs très réaliste, que les retraités liquideront leur pension dès qu'ils auront atteint la durée de cotisation correspondant au taux plein, il serait intéressant d'envisager l'impact de comportements de départ différents, soit plus précoces, soit plus tardifs. Enfin, l'étude se concentre ici sur les niveaux de vie moyens des différentes générations de retraités, alors que les interrogations portent aussi sur la dispersion de leurs revenus, et sur les phénomènes de pauvreté qui peuvent en découler : ne risque-t-il pas d'y avoir à l'avenir de plus en plus d'écart entre des couples de retraités dont les deux conjoints ont effectué des carrières continues et des personnes n'ayant pas ou peu vécu en couple, avec des trajectoires peu qualifiées ou précaires ?

Carole Bonnet et Jean-Michel Hourriez s'intéressent plus spécifiquement à la variation du niveau de vie des retraités en couple suite au décès de leur conjoint, à travers deux points de vue complémentaires : une analyse sur cas types qui s'interroge sur la capacité des différentes formules de réversion à maintenir le niveau de vie des conjoints survivants, et une étude empirique de l'évolution de ce niveau de vie à partir de l'enquête « Revenus fiscaux ». Les dispositifs de réversion sont très disparates selon les régimes : les différences portent à la fois sur le taux de réversion, l'âge minimum de perception de la pension, la prise en compte de la durée de mariage ou le régime prévu en cas de divorce[3]. Ils hésitent en outre entre plusieurs logiques : d'une part, une logique contributive visant à garantir à la personne devenue veuve une partie des droits à pension du conjoint décédé, et donc à contribuer au maintien du niveau de vie « acquis » par le couple retraité même si l'un de ses membres a eu une carrière moins favorable ; d'autre part, une logique « d'assistance » limitant les droits à réversion aux veuf(ve)s ne disposant pas d'un certain montant de ressources, mais les accordant le cas échéant sans condition d'âge[4]. Ces débats ont traversé la réforme de la réversion intervenue en 2003 dans le régime général, qui a abouti à un compromis difficile concernant les conditions d'âge, passées progressivement de 55 à 50 ans en 2009 avant une éventuelle suppression en 2011, et la nature des ressources donnant lieu à plafonnement. Ces dernières ont été limitées aux revenus « personnels » du survivant, à l'exclusion des capitaux hérités et d'une partie des autres pensions de réversion.

Sans revenir directement à ce débat, l'analyse de cas types présentée ici examine dans quelle mesure les systèmes de réversion – avec ou sans condition de ressources – parviennent à maintenir le niveau de vie du conjoint survivant, en fonction de la pension propre qu'il perçoit. L'étude se concentre sur les retraités âgés n'ayant plus d'enfants à charge, laissant ainsi de côté le problème des jeunes veuves avec enfants, et ne prend en compte ni les revenus du patrimoine, ni la fiscalité, ni les prestations sociales, se limitant aux revenus apportés par les pensions de retraite et de réversion. Est d'abord discutée la légitimité à conserver l'échelle d'équivalence « standard »[5] pour calculer le niveau de vie des personnes devenues veuves, dans la mesure où celles-ci conservent le plus souvent le même logement, et bénéficient donc peu « d'économies d'échelle ». Sur la base de l'échelle usuelle, les auteurs montrent que l'évolution du niveau de vie du survivant dépend du rapport entre sa pension propre et celle de son conjoint décédé (qui donne lieu à réversion) : dans un système sans condition de ressources, les pensions de réversion permettent d'aller au-delà du simple maintien du niveau de vie pour les veufs qui ont des droits propres plus élevés que leur ancienne conjointe ; celui-ci n'est en revanche pas assuré pour les veuves dont la retraite personnelle était inférieure de 50 à 80 % (selon le taux de réversion) à celle de leur mari. Un système comprenant, comme le dispositif actuel

3 MONPERRUS-VERONI P., STERDYNIAK H., 2008, « Faut-il réformer les pensions de réversion ? », *Lettre de l'OFCE*, n° 300, mai.

4 APROBERTS L., 2008, « Les pensions de réversion du régime général : entre assurance retraite et assistance veuvage », *Retraite et Société*, n° 54, juin.

5 Cette échelle d'équivalence, dite « échelle OCDE modifiée », attribue au premier adulte 1 unité de consommation (u.c.), les autres adultes et adolescents de 14 ans ou plus comptant pour 0,5 u.c. et les enfants de moins de 14 ans pour 0,3 u.c.

(de base et complémentaire), une pension minimale et une condition de ressources différentielle serait à cet égard plus proche – à 10% près – du maintien du niveau de vie quelles que soient les retraites perçues par les conjoints. Cette analyse projette un éclairage original sur le « calibrage » des dispositifs de réversion : elle apporte des justifications à un ensemble de règles qui semblent *a priori* peu cohérentes, en particulier à l'articulation entre taux de réversion et conditions de ressources, et souligne que le rapprochement entre carrières masculines et féminines n'enlèvera pas dans l'avenir toute légitimité aux pensions de réversion, si l'on s'en tient à un objectif de maintien du niveau de vie. Une limite importante de l'analyse tient néanmoins au fait qu'elle néglige les revenus patrimoniaux et surtout la fiscalité, qui est aussi un « amortisseur » important à la perte de revenus que connaissent les veuves lorsque leurs ressources sont inférieures à celles de leur mari. La priorité à donner au maintien du niveau de vie pour les personnes ayant des droits propres élevés et plus de charges de famille apparaît en outre comme un futur sujet de débat.

Le deuxième article de Carole Bonnet et Jean-Michel Hourriez confirme, sur la base d'une analyse statistique des revenus individuels, les principales conclusions esquissées à partir des cas types. En considérant cette fois l'ensemble des revenus fiscaux déclarés par les personnes âgées de 65 ans ou plus, les auteurs montrent que le niveau de vie des veufs est effectivement supérieur de 9% à celui des couples mariés, tandis que celui des veuves est inférieur de 16%. Si l'on suit plus précisément le revenu des personnes ayant connu le veuvage une année donnée, les résultats sont toutefois partiellement différents : si le niveau de vie des hommes connaît bien une hausse, celui des femmes reste en moyenne proche de la stabilité (-3 %). La probabilité d'avoir à supporter une baisse de niveau de vie est d'autant plus faible que les ressources propres du survivant représentaient une part élevée des revenus du couple, le statut d'activité et la catégorie socioprofessionnelle semblant avoir en eux-mêmes une incidence limitée. Pour expliquer ces différences, l'étude montre que l'écart global observé entre les niveaux de vie des veuves et des femmes mariées reflète non seulement la perte de revenu consécutive au veuvage, mais aussi les différences de mortalité entre milieux sociaux, qui aboutissent à ce que les veuves appartiennent plus souvent à des milieux modestes que l'ensemble des femmes de plus de 65 ans. Ce constat enrichit et nuance les réflexions précédentes. Il pourrait inciter les pouvoirs publics à tenir compte des inégalités sociales liées au veuvage, et donc à préserver la « compensation » accordée à travers les dispositifs de réversion, même si leurs bénéficiaires disposent à l'avenir de carrières plus complètes et de droits propres plus élevés.

En complément du dossier sur le niveau de vie des retraités, la rubrique « Faits et Chiffres » propose deux articles analysant le niveau actuel des pensions versées aux retraités. Corinne Mette présente une évaluation de la contribution du régime général à l'ensemble de la pension perçue par les retraités. Ceux-ci peuvent en effet recevoir des pensions de plusieurs régimes lorsqu'ils sont « polypensionnés », des droits dérivés lorsqu'ils ont connu le veuvage, et ils bénéficient en tout état de cause de retraites complémentaires s'ajoutant à celles versées par les régimes de base. L'auteur souligne que, parmi les cotisants des générations 1950, 1951 et 1958, seuls 34 % sont des « monopensionnés » du régime général, qui perçoivent par ailleurs une pension complémentaire de l'Arrco et éventuellement de l'Agirc, les autres combinant des carrières dans plusieurs régimes, principalement le régime agricole et la Fonction publique. Si l'on examine cette fois les générations beaucoup plus âgées déjà parties à la retraite en 2004, 72 % des retraités disposaient uniquement de droits propres liés à leur carrière personnelle (95 % des hommes contre seulement 53 % des femmes), ces droits propres contribuant à environ 93 % de leur pension totale (80 % pour les femmes). La pension du régime général représentait en moyenne 60 % de ces droits personnels, mais sa part apparaît d'autant plus importante que les pensions perçues par les retraités, et donc leurs salaires antérieurs, sont faibles. Le plafonnement de la pension de base et des salaires donnant lieu à cotisation laisse en effet une place majeure aux retraites complémentaires dans les pensions des salariés les mieux rémunérés, et en particulier des cadres ; les mécanismes redistributifs à l'œuvre au sein du régime général limitent par ailleurs les écarts dans les pensions versées par ce dernier.

La dispersion est au contraire très importante en ce qui concerne les pensions servies par les régimes complémentaires Arrco et Agirc. C'est ce que montre l'analyse développée par Stanislas Bourbon à partir de la nouvelle base individuelle « allocataires » mise en place par ces régimes. Pour une pension moyenne de droit direct de 271 euros par mois en 2007, le montant perçu par les 10 % de retraités Arrco les mieux servis était ainsi 24 fois plus élevé que celui des 10 % de retraités percevant les pensions les plus faibles. Les écarts sont marqués à la fois entre les hommes et les femmes, les cadres et les non-cadres, et les différentes générations. Certains allocataires subissent en effet un abattement sur leur retraite du fait de carrières incomplètes, tandis que les cadres ont plus souvent que les autres salariés cotisé au niveau du plafond de la Sécurité sociale, et bénéficié, avant 1993, du choix d'un taux de cotisation majoré de la part de leurs entreprises. Quant à la pension

Agirc, elle était en moyenne de 750 euros par mois pour les 20%
d'allocataires qui en bénéficient. La différence entre genres y est encore
plus sensible qu'à l'Arrco et, surtout, ne semble guère évoluer. Les écarts
de pensions sont en outre à l'Agirc largement dus aux différences
d'assiette de cotisation : 30% des cadres qui y sont affiliés cotisent à une
« garantie minimale de points » pour des salaires inférieurs au plafond de
la Sécurité sociale, tandis que 0,4% d'entre eux bénéficient de l'assiette
maximale de huit plafonds. Au total, les pensions complémentaires
perçues par les cadres sont près de six fois supérieures à celles des non-
cadres, avec des montants respectifs de 1 270 et 221 euros mensuels en
2007 ; elles représentaient en 2004 53% de leur pension totale, contre
seulement un tiers pour les non-cadres.

Ce numéro de *Retraite et Société* nous éclaire donc de façon très riche
sur la structure de la pension des retraités et la disparité des éléments qui
la composent, ainsi que sur les répercussions de l'évolution des retraites
sur leur niveau de vie présent et futur au regard des modifications du
contexte sociodémographique.

Évolution de la pauvreté des personnes âgées et minimum vieillesse

Nathalie Augris, Drees ; Catherine Bac, Cnav

Longtemps, la prise en charge des personnes âgées a relevé de la solidarité familiale, et celle de la vieillesse pauvre, de la charité privée. Ce n'est qu'au début du xxᵉ siècle que sont apparues les premières lois d'assistance aux personnes âgées. Toutefois, c'est avant tout la création de la Sécurité sociale en 1945, avec la mise en place d'un système d'assurance vieillesse pour tous, qui a permis de réduire massivement et de façon continue la pauvreté des personnes âgées en France.

L'amélioration et la généralisation des systèmes de retraite contribuent en effet à verser à la très grande majorité des personnes âgées des retraites d'un montant convenable. Comme les pensions de retraite constituent la majeure partie des ressources des personnes âgées, en l'espace d'une cinquantaine d'années, leur niveau de vie a rejoint, en moyenne et en tenant compte des revenus du patrimoine, celui des actifs. En outre, depuis le début des années 1980, on trouve proportionnellement plus de personnes pauvres parmi l'ensemble de la population que chez les personnes âgées. De nos jours, 10 % des personnes âgées de 65 ans et plus sont considérés comme pauvres[1] en France, contre 12,4 % pour les moins de 65 ans.

Parallèlement au système de retraite, le minimum vieillesse garantit un montant de ressources minimum aux personnes de 65 ans et plus (60 ans en cas d'inaptitude au travail) qui n'ont pas, ou pas suffisamment, travaillé pour percevoir une retraite leur permettant de subvenir à leurs besoins vitaux. La population actuellement bénéficiaire du minimum vieillesse (4 % des 60 ans et plus), population âgée, féminine, isolée et ayant acquis peu ou pas de droits à retraite, témoigne ainsi de l'histoire du système de retraite en France, des variations démographiques passées et de la place des femmes dans le monde du travail. Le minimum vieillesse apparaît comme un « filet de sécurité » du système d'assurance vieillesse.

---

1 Pauvreté monétaire : un individu (ou un ménage) est considéré comme pauvre lorsque son niveau de vie est inférieur au seuil de pauvreté. Ce seuil est calculé par rapport à la médiane de la distribution nationale des niveaux de vie. C'est le seuil à 60 % du niveau de vie médian qui est privilégié en Europe.

Toutefois, alors que ce dispositif est destiné à assurer des ressources minimales aux personnes âgées, il ne permet pas dans un certain nombre de cas d'échapper à la pauvreté monétaire. En effet, si depuis sa création les revalorisations successives du minimum vieillesse ont permis, notamment jusqu'au début des années 1980, d'améliorer très significativement le barème de la prestation, elles n'ont quasiment jamais permis que le seuil du minimum vieillesse se situe clairement au-dessus du seuil de pauvreté. En outre, depuis plus de vingt ans l'écart entre le barème du minimum vieillesse et le seuil de pauvreté se creuse, plus fortement encore pour les allocataires vivant seuls que pour ceux vivant en couple. L'annonce récente par le président de la République d'une augmentation de 25 % d'ici à 2012 du minimum vieillesse pour les personnes seules permettra de rattraper l'écart entre allocataires « isolés » et allocataires en couple. Pour autant, il n'est pas certain que cette augmentation permette au barème de se situer au-dessus du seuil de pauvreté d'ici à 2012.

L'évolution de la pauvreté des personnes âgées ainsi que le rôle du minimum vieillesse sont examinés dans cet article. Nous rappellerons tout d'abord comment la mise en place de l'assurance vieillesse, au sortir de la Deuxième Guerre mondiale, a permis d'augmenter progressivement les ressources des retraités et, de ce fait, d'enrayer la pauvreté pour la majeure partie des personnes âgées. En dépit de cette efficacité en matière de lutte contre la pauvreté, un certain nombre de personnes âgées sont encore aujourd'hui, faute de ressources suffisantes, prises en charge par le dispositif d'assistance du minimum vieillesse. La partie suivante décrit cette population spécifique. Enfin, nous montrerons en quoi ce dispositif, « filet de sécurité » de l'assurance vieillesse, ne protège pas toujours de la pauvreté.

■ L'instauration du système d'assurance vieillesse a permis d'augmenter les ressources des retraités

■ Généralisation de l'assurance vieillesse et amélioration des carrières

La mise en place des régimes de retraite de la Sécurité sociale, en 1945, constitue la principale raison du recul de la pauvreté des personnes âgées en France au cours de la deuxième partie du XXᵉ siècle. En effet, la généralisation et l'amélioration continue depuis leur création des régimes de retraite permettent, aujourd'hui, de couvrir la totalité des individus ayant exercé une activité professionnelle et de leur verser une retraite. En 2004, un retraité percevait en moyenne 1 246 euros bruts par mois.

Lors de sa mise en place, le système de retraite ne concernait pas l'ensemble des professions. Progressivement, tout en restant fondé sur des catégories socioprofessionnelles, le champ des travailleurs couverts va s'élargir à toute la population active. L'appartenance à un régime complémentaire pour les salariés du privé devient en outre obligatoire en 1972.

Depuis les années 1960, la généralisation du système de retraite s'est aussi accompagnée de la mise en place progressive, dans de nombreux régimes, de minima de pensions[2], améliorant ainsi le niveau des prestations contributives[3]. Certains régimes, parmi les moins « protecteurs » lors de la mise en place du système vieillesse (les artisans, les commerçants, les exploitants agricoles), ont amélioré progressivement les pensions de leurs assurés, ainsi que celles de leurs conjointes, *via* des plans successifs de revalorisation[4].

En outre, depuis la création de la Sécurité sociale, les nouveaux retraités ont, jusqu'à présent, continuellement fait valoir des carrières toujours plus complètes, acquérant par là même davantage de droits à retraite au moment de la liquidation. Les femmes ont été particulièrement concernées. Leur entrée massive dans la vie active à partir du début des années 1960 a en effet contribué à la réduction de la pauvreté des personnes âgées : plus nombreuses à travailler, elles ont aussi cotisé plus longtemps que leurs aînées avec de meilleures carrières salariales. Ces générations de retraités ont aussi profité du contexte économique favorable des Trente Glorieuses avec de faibles taux de chômage et des hausses de rémunérations. Ce phénomène joue encore de nos jours, puisqu'entre 2000 et 2004, le renouvellement de la population des retraités a contribué à hauteur de 75 % à l'augmentation moyenne de l'avantage principal de droit direct[5] pendant cette période (Burricand, Deloffre, 2007).

---

2 « Minimum garanti » pour la Fonction publique depuis 1950, « minimum contributif » pour le régime général et les régimes alignés depuis 1983.

3 Initialement, les cotisations consenties par les catégories concernées étaient faibles, donnant droit en contrepartie à des pensions modestes.

4 Plan quinquennal 1997-2002 de revalorisation des petites retraites à la MSA exploitants agricoles. Mesures d'amélioration du statut de conjointe pour les régimes artisans, commerçants et exploitants agricoles. Voir sur ce point, Burricand et Deloffre, 2006, « Les pensions perçues par les retraités fin 2004 », *Études et Résultats*, Drees, n° 538, novembre.

5 L'avantage principal est la pension acquise en contrepartie de l'activité professionnelle et donc des cotisations qui y sont liées. Il est donc hors minimum vieillesse et hors majorations familiales.

Enfin, en 1945 le régime général instaure la réversion pour les conjoints survivants, dispositif qui existait déjà dans les régimes du secteur public. De nos jours, tous les régimes de base ainsi que les régimes complémentaires obligatoires versent des pensions de réversion, à différents taux et sous des conditions variables. La réversion permet ainsi aux veuves de conserver, après le décès de leur conjoint, une partie des pensions que celui-ci percevait.

◼ Revalorisations et hausses du pouvoir d'achat des pensions de retraite

Si l'augmentation du montant des pensions est imputable en premier lieu à la généralisation et à l'amélioration de la couverture vieillesse, elle s'explique aussi par les fortes revalorisations intervenues jusqu'au début des années 1980, globalement toujours supérieures à l'inflation.

Pour illustrer ce phénomène, le graphique 1 (p. 18) retrace l'évolution depuis 1970 du taux de revalorisation des pensions brutes des régimes de base et complémentaire Arrco des salariés du privé. En 2004, 75 % des retraités perçoivent une pension du régime général et le montant de leurs pensions Cnav représente près de la moitié de leur retraite tous régimes.

Depuis 1970, on distingue trois périodes dans l'évolution des pensions brutes de base et complémentaire des salariés du privé.

Entre 1970 et 1986, les pensions brutes de base et complémentaire Arrco augmentent fortement (11,3 % et 11,4 % en moyenne par an). Sur cette période, l'inflation progresse moins vite (+9,2 % en moyenne par an) permettant ainsi l'augmentation du pouvoir d'achat des retraités. La revalorisation des pensions du régime général suit globalement l'évolution du salaire brut moyen, soit +11,7 % en moyenne par an.

En termes réels, entre le milieu des années 1980 et le milieu des années 1990, les pensions des salariés du privé sont moins revalorisées qu'au cours de la période précédente. En euros courants, les pensions Arrco s'accroissent de 3,5 % en moyenne par an et celles du régime général ne progressent que de 2,8 %, soit à un rythme proche de l'inflation mais inférieur à celui du salaire moyen (4,1 %). Ce ralentissement de l'évolution du pouvoir d'achat des retraités est lié aux nouvelles règles de revalorisation des pensions du régime général. En effet, à partir de 1987, la référence au salaire moyen est abandonnée pour retenir celle de l'inflation, référence qui deviendra légale à partir de 1994.

Graphique 1. Évolution du taux de revalorisation des pensions brutes de base et complémentaires des salariés du privé, du salaire brut moyen et des prix depuis 1970 (en %)

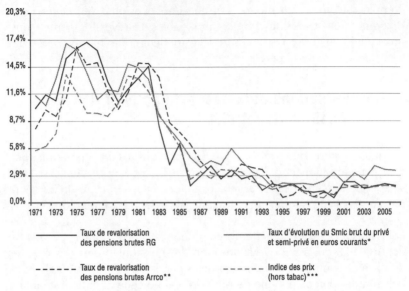

Note de lecture : les pensions de retraite brutes de base des salariés du privé ont été revalorisées de 10,1 %, en unités monétaires courantes, au 1ᵉʳ janvier 1971 par rapport au 1ᵉʳ janvier 1970.

* Salaire moyen par tête : rapport des séries des comptes nationaux (Insee) des salaires versés par les branches marchandes (salaires nets + cotisations salariales, hors cotisations patronales) et de l'emploi, tous secteurs institutionnels y compris les entreprises financières.

** Pour l'Arrco, avant 1999, cet accroissement correspond au taux moyen de revalorisation des allocations, pondéré par rapport au montant d'allocations de chaque institution.

*** L'indice des prix avant 1980 s'entend tabac compris faute de données disponibles. À noter que jusqu'au début des années 1990, l'indice des prix y compris tabac diffère très peu de l'indice des prix hors tabac.

Sources : Cnav, Insee, Arrco.

Depuis le milieu des années 1990, les revalorisations des pensions du privé progressent à des rythmes faibles et le pouvoir d'achat stagne : entre 1993 et 2006, + 1,6 % en moyenne par an pour la Cnav, + 1,4 % pour l'Arrco et + 1,5 % pour les prix (hors tabac). Bien que limitée à cinq ans en 1993, la référence à l'inflation a été prolongée jusqu'en 2003, puis généralisée par la loi de 2003 portant réforme des retraites. En effet, la loi indique qu'à partir de 2004, les revalorisations des pensions sont fixées en fonction de l'évolution des prix hors tabac, et ce, pour la plupart des régimes de base, notamment pour le régime général, les régimes alignés (MSA salariés, RSI-artisans et RSI-commerçants) et les régimes des fonctionnaires[6].

6 Jusqu'en 2003, les pensions des fonctionnaires évoluaient comme le point d'indice. Entre 1997 et 2000, elles ont augmenté plus que celles du régime général (1,6 % contre 0,1 % en euros constants) tandis qu'elles ont baissé de 2 % au cours de la période 2000-2004 (Burricand, Deloffre, 2007).

Les cadres du privé bénéficient en plus d'une pension versée par l'Agirc[7], dont les revalorisations sont globalement inférieures à celles de l'Arrco. Depuis 1993, elles sont en outre inférieures à celles du régime général et à l'inflation (1,1 % en moyenne annuelle entre 1993 et 2006), bien qu'elles s'en rapprochent depuis 2000. L'accord du 13 novembre 2003, conclu pour la période du 1er janvier 2004 au 31 décembre 2008, prévoit l'indexation sur les prix (hors tabac) de la valeur du point servant au calcul des pensions Arrco et Agirc.

Jusqu'au début des années 1990, l'évolution des pensions brutes est quasi identique à celle des pensions nettes. L'introduction de la Contribution au remboursement de la dette sociale (CRDS) en 1996 et une hausse de la Contribution sociale généralisée (CSG) en 1997 font diverger ces évolutions pour les retraités soumis aux prélèvements sociaux. Ces cotisations concernent 59 % des « foyers de retraités », dont 14 % cotisent à taux réduit en 2006 (Deloffre, 2008). Ces dix dernières années, l'introduction de la CRDS en 1996 et une hausse de la CSG en 1997 ont fait diminuer les pensions des retraités de la Cnav soumises aux prélèvements sociaux complets (*cf.* graphique 2).

Graphique 2. Évolutions comparées des taux de revalorisation des pensions brutes et nettes* du régime général depuis 1996

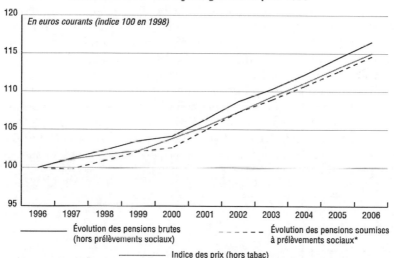

* Nettes des taux de CSG à taux plein et de la CRDS.
En 2006, seuls 45 % des retraités étaient soumis à la fois à la CSG à taux plein et à la CRDS.
Source : calculs Drees.

---

7 D'après l'échantillon interrégimes de retraités (EIR) 2004, 20 % des pensionnés de droit direct de la Cnav âgés de 60 ans et plus et résidant en France qui perçoivent en 2004 une pension de droit direct à l'Arrco bénéficient en plus d'une pension de cadre (Agirc). En moyenne, 53 % de l'avantage principal de droit direct tous régimes d'un non-cadre lui sont versés par la Cnav, 24 % le sont par l'Arrco, le solde provenant d'autres régimes de base et complémentaires. Pour un cadre, l'avantage principal servi par le régime général représente 39 % de son avantage principal tous régimes, celui servi par l'Arrco 22 %, tandis que la part versée par l'Agirc est de 33 %.

Le niveau, mais également les améliorations et revalorisations successives des pensions de vieillesse, jouent un rôle essentiel dans l'évolution du niveau de vie des personnes âgées. En effet, les pensions vieillesse constituent quatre cinquièmes des ressources des ménages dont la personne de référence est retraitée (extrait du Rapport du Conseil d'orientation des retraites, 2007). Le cinquième restant provient pour moitié de revenus d'activité et pour autre moitié de revenus du patrimoine immobilier et financier ainsi que de revenus sociaux autres que les retraites.

■ Le taux de pauvreté des personnes âgées est devenu plus faible que celui de l'ensemble de la population

De nos jours, le niveau de vie moyen[8] des retraités est proche de celui des actifs : 21 540 euros par an en 2006 contre 21 760 euros pour les actifs occupés (Goutard, Pujol, 2008). Alors qu'au sortir de la Deuxième Guerre mondiale, les personnes âgées constituaient une part importante de la population pauvre, à côté des invalides et des inactifs, elles font aujourd'hui partie des catégories de la population parmi les moins concernées par l'indigence. L'évolution du taux de pauvreté permet de mesurer ce phénomène. Le taux de pauvreté correspond à la proportion d'individus dont le niveau de vie est inférieur[9] pour une année donnée au seuil de pauvreté fixé à 60 % du revenu médian (*cf.* encadré 1). Il s'agit ici d'une mesure exclusivement monétaire du niveau de vie, et donc de la pauvreté, qui ne rend pas compte de certaines différences de conditions de vie, en particulier de la situation des individus en matière de logement, variable selon que l'individu est propriétaire ou locataire de son logement[10] (*cf.* Crenner, « Le niveau de vie des retraités », p. 42 de ce numéro, et la p. 36 de cet article).

---

8 Niveau de vie : il est égal au revenu disponible du ménage divisé par le nombre d'unités de consommation. Les unités de consommation (u.c.) ont été calculées selon l'échelle d'équivalence dite de l'OCDE modifiée, qui attribue 1 u.c. au premier adulte du ménage, 0,5 u.c. aux autres.

9 Les premières données sur la pauvreté monétaire par rapport au revenu médian ne sont disponibles qu'à partir de 1970 : données Insee établies à partir des ERF pour les données de 1970 à 2004, Insee-DGFiP-Cnaf-Cnav-CCMSA, ERFS 2005 et 2006.

10 Si les allocations logement perçues par les locataires sont bien prises en compte dans les revenus servant à établir le niveau de vie, en revanche, aucun loyer n'est imputé aux propriétaires.

Encadré 1. Pauvreté et seuils de pauvreté

Les différentes approches de la pauvreté

Il y a plusieurs approches possibles de la pauvreté. Historiquement, la première définition de la pauvreté fut celle de la pauvreté absolue ; était pauvre celui qui vivait avec un revenu inférieur à un montant nécessaire pour satisfaire les besoins « primaires » d'un individu. Dans cette optique, ce montant est identique dans tous les pays et ne varie pas dans le temps. Avec l'augmentation, au cours des Trente Glorieuses, du niveau de vie dans les pays occidentaux, la notion de pauvreté absolue a été abandonnée à la fin des années 1960 au profit de la notion de pauvreté monétaire relative : la pauvreté y est cette fois définie comparativement à la situation des autres ménages vivant dans le même pays, à une période donnée. L'approche relative la plus courante consiste à mesurer la pauvreté par rapport à un budget que l'on considère nécessaire pour couvrir les besoins minimaux (nourriture, logement, habillement, etc.) : il s'agit de l'*approche monétaire de la pauvreté*.

Il existe également des approches autres que monétaires. L'une d'entre elles est notamment l'évaluation directe de la privation de certains biens jugés nécessaires ou de l'accès à certains services : on parle de l'*approche de la pauvreté par les conditions de vie*. Dans une autre, enfin, on s'appuie directement sur l'évaluation par les personnes elles-mêmes de leur situation en leur demandant si elles se sentent pauvres : il s'agit de la *pauvreté subjective*. Dans cet article, nous utiliserons uniquement la notion de pauvreté monétaire des personnes âgées.

Seuils de pauvreté monétaire

Un individu (ou un ménage) est considéré comme pauvre quand son niveau de vie est inférieur au seuil de pauvreté monétaire. Le choix de ce seuil est une question de norme. Il était fixé en France jusque récemment à 50 % du niveau de vie médian*, tandis qu'Eurostat privilégie le seuil de 60 %. Désormais, l'usage en France est de s'aligner sur les pratiques d'Eurostat et de mesurer la pauvreté par rapport au seuil à 60 %.

* *Jusqu'en 2005, la mesure du revenu médian par l'Insee prenait mal en compte les revenus du patrimoine, ce qui minimisait ce revenu médian et par conséquent le niveau de vie et le seuil de pauvreté. Depuis 2005, la nouvelle série de l'enquête « Revenus fiscaux et sociaux » couvre mieux les revenus du patrimoine en intégrant les revenus des produits financiers ainsi que les prestations sociales réelles qui étaient auparavant imputées.*

Entre 1970 et 2006, le nombre de personnes de 65 ans et plus aux revenus inférieurs au seuil monétaire de pauvreté à 60 % a été divisé par 3,5. Le taux de pauvreté correspondant passe ainsi de 35 % en 1970 à 10 % en 2006 (*cf.* graphique 3, p. 22). En 2006, on dénombre 960 000 personnes pauvres de 65 ans et plus, c'est-à-dire qui vivent avec moins de 880 euros par mois.

Il est à noter que la population des 65 ans et plus ne comprend pas l'ensemble des retraités, l'âge légal de la retraite étant 60 ans.

Graphique 3. Évolution du taux de pauvreté à 60% des personnes de 65 ans et plus par rapport à l'ensemble de la population

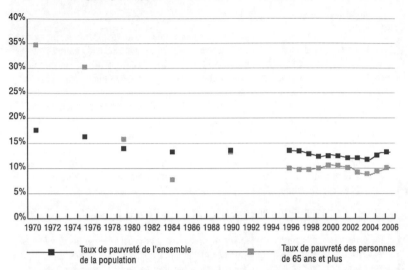

Avant 1996, seules les années 1970, 1975, 1979, 1984 et 1990 sont disponibles. En outre, la série comporte deux ruptures, en 2002 et 2005 : l'enquête «Revenus fiscaux» (ERF) 2002, rétropolée, correspond, avec les enquêtes suivantes, au début d'une nouvelle série de statistiques sur les revenus, s'appuyant sur les résultats de l'enquête «Emploi» en continu ; l'enquête «Revenus fiscaux et sociaux» (ERFS) 2005 correspond au début d'une nouvelle série qui intègre les prestations sociales réelles (elles étaient auparavant imputées) et assure une meilleure couverture des revenus du patrimoine.

Champ : personnes vivant en France métropolitaine dans un ménage dont le revenu déclaré au fisc est positif ou nul et dont la personne de référence n'est pas étudiante.

Sources : Insee-DGI, ERF 1970 à 2005, Insee-DGFiP-Cnaf-Cnav-CCMSA, ERFS 2005 et 2006.

Les évolutions du taux de pauvreté des personnes âgées sont directement liées à la montée en charge des régimes d'assurance vieillesse, à l'amélioration des carrières et à l'évolution de la revalorisation des pensions vieillesse. Jusqu'au milieu des années 1980, le taux de pauvreté des 65 ans et plus baisse fortement, sans discontinuité : les flux successifs de retraités ont en effet davantage de droits à pension que leurs aînés et les revalorisations des pensions sont supérieures au taux de l'inflation. En 1984, le taux de pauvreté des personnes de plus de 65 ans atteint 7,5 %, soit son niveau le plus bas, en lien avec les fortes revalorisations des montants du minimum vieillesse intervenues en 1982. Il augmente par la suite jusqu'au début des années 1990, le seuil de pauvreté progressant bien plus vite que le minimum vieillesse. Depuis, le taux de pauvreté des personnes âgées s'est stabilisé autour de 10 %[11], en lien avec l'indexation des revalorisations des pensions sur l'inflation et non plus sur les salaires.

---

11 Depuis 2005, le taux de pauvreté des ménages français, comme celui des personnes âgées, a enregistré une légère hausse. Le changement de méthode dans la mesure du revenu médian, qui intègre depuis 2005 les prestations sociales réelles (auparavant imputées) et assure une meilleure couverture des revenus du patrimoine, notamment des revenus financiers, conduit en effet à une légère augmentation des taux de pauvreté, traduisant ainsi le fait que les inégalités de revenus du patrimoine (notamment financier) sont plus fortes que les inégalités de revenus.

Le taux de pauvreté des personnes de plus de 65 ans a par ailleurs baissé plus rapidement que celui de l'ensemble de la population. Depuis le début des années 1980, parallèlement à l'amélioration de la situation des personnes âgées, la dégradation de la situation de l'emploi et l'émergence de nouveaux modèles familiaux (familles monoparentales notamment) ont conduit à l'augmentation de la pauvreté parmi les ménages actifs. La pauvreté s'est ainsi progressivement déplacée sur les plus jeunes générations : en 2006, au seuil de 60 %, le taux de pauvreté des hommes de 18 à 24 ans est de 18,9 %, tandis que celui des hommes âgés de 65 à 74 ans est de 7,7 %. Pour les femmes, ces taux sont respectivement de 23,2 % et 8,5 %[12]. La proportion de 65 ans et plus parmi les pauvres traduit également ce phénomène. En 2006, les personnes de 65 ans et plus représentaient 12,2 % des pauvres tandis que l'ensemble des 65 ans et plus représentaient 16,4 % de la population totale. Les comparaisons entre ménages de retraités ou d'actifs sont cependant à prendre avec prudence, en raison de la non prise en compte de loyers fictifs pour les ménages propriétaires de logement, les personnes âgées étant en effet plus fréquemment propriétaires de leur logement que les ménages d'actifs.

■ Le minimum vieillesse : un « filet de sécurité » du système de retraite

■ Un dispositif complexe qui vient d'être réformé

Malgré la mise en place de la Sécurité sociale en 1945, les droits acquis des personnes âgées sont encore faibles dans les années 1950, et le montant des pensions qui en découlent souvent insuffisant pour permettre de vivre décemment. À cette époque, le taux de remplacement garanti est fixé à 40 % du salaire soumis à cotisations. Les services passés ne sont pris en compte qu'à compter de 1930, la durée maximum d'assurance validable étant de 30 ans. Cela signifie qu'en 1945 le régime général ne peut accorder au mieux à un nouveau retraité qu'un taux de remplacement de son salaire de 20 %. La montée en charge du régime ne s'achève qu'entre 1960 et 1975, et seule une partie des salariés a pu faire valider des droits entre 1930 et 1945 (Cor, 2001). Afin de lutter plus efficacement contre la pauvreté des personnes âgées et de compléter le système de protection sociale naissant, la loi de 1956 instaure l'allocation supplémentaire du minimum vieillesse (ASV) permettant d'atteindre un niveau minimal de ressources : le minimum vieillesse.

---

12 Source : site de l'Insee, mise à jour de juillet 2008.

Le minimum vieillesse s'inscrit dans une logique non contributive de lutte contre la pauvreté des personnes âgées : il est ainsi un filet de sécurité contre la pauvreté pour les personnes ayant de faibles montants de pensions, de droit direct ou indirect, ainsi que pour celles n'ayant jamais travaillé[13]. Il pallie également les effets de la montée en charge progressive du système de retraite en France.

Le « minimum vieillesse » constitue historiquement le premier minimum social. Il trouve ses origines en 1941 (Chaput *et al.*, 2007) avec l'instauration de l'AVTS (allocation aux vieux travailleurs salariés), aujourd'hui allocation de premier niveau du minimum vieillesse. En effet, le minimum vieillesse est un dispositif composite constitué de plusieurs allocations organisées en deux niveaux, qui permet d'assurer un niveau de vie minimal aux personnes de 65 ans et plus (60 ans en cas d'inaptitude) (*cf.* encadré 2). L'ASV est souvent assimilée à l'ensemble du « minimum vieillesse », alors qu'elle n'en constitue pourtant que le deuxième étage. Allocation différentielle, elle peut s'élever, en 2006, jusqu'à 359,50 euros par mois pour un allocataire seul et 593 euros pour un couple de deux allocataires. Ajoutée aux ressources propres ou aux allocations de base, elle permet d'atteindre le seuil du minimum vieillesse de 610 euros par mois pour une personne seule et de 1 095 euros par mois pour un couple.

Bien que financées par la solidarité nationale, les allocations du minimum vieillesse sont servies par les caisses de retraite des bénéficiaires. Ces dernières se font ensuite rembourser par le Fonds de solidarité vieillesse (FSV). Les dépenses du FSV pour l'ensemble du minimum vieillesse sont estimées pour 2006 à 1,9 milliard d'euros, dont 1,6 milliard pour l'ASV. À titre de comparaison, 213 milliards d'euros ont été versés cette année-là par les régimes de retraite obligatoire, hors allocations de premier et second étage du minimum vieillesse[14]. En 2006, 598 500 ASV ont été versées par les organismes prestataires. Du fait des règles d'attribution de la prestation[15], la Caisse nationale d'assurance vieillesse des travailleurs salariés (CNAVTS) verse 69 % des ASV et la Mutualité sociale agricole des exploitants (MSA) 11 %. Les ASV versées par les autres caisses de retraite concernent un peu moins de 56 000 personnes, soit 9 % de l'ensemble des allocataires. Enfin, lorsqu'une personne ne bénéficie d'aucune pension de droit direct ou de droit dérivé (pension de réversion), c'est le service allocation spéciale vieillesse (SASV) qui lui verse l'ASV : 67 500 personnes sont concernées en 2006, soit 11 % de l'ensemble des allocataires.

---

13 Il s'agit de personnes qui n'ont pas occupé d'emploi rémunéré au cours de leur vie ou n'ont pas acquis de droits suffisants pour recevoir une rente régulière.

14 Pensions principales de droit direct, dérivé et avantages complémentaires, hors avantages non contributifs. Chiffres provisoires 2006 des comptes de la protection sociale.

15 Lorsqu'un individu est polypensionné et perçoit une pension de la MSA exploitants agricoles, cette dernière est alors désignée comme caisse compétente. S'il ne perçoit pas de pension de la MSA exploitants agricoles et qu'il est polypensionné de la CNAVTS, c'est alors cette dernière qui verse l'allocation.

Encadré 2. Présentation du dispositif du minimum vieillesse

Le «minimum vieillesse» est un dispositif destiné à porter les ressources des personnes âgées au niveau du seuil du minimum vieillesse. De 1956 à la fin 2006[16], le dispositif du minimum vieillesse a été exclusivement un dispositif à deux étages (*cf.* schéma, p. 26), constitué d'allocations pouvant être cumulées. Les allocations sont attribuées à toute personne âgée de 65 ans au moins (ou de 60 ans en cas d'inaptitude au travail) sous conditions de ressources et de résidence, ces conditions étant variables selon l'allocation. Au 1er janvier 2006, le seuil se situait à 610 euros mensuels pour un allocataire seul et à 1 095 euros pour un couple de deux allocataires, soit respectivement 7 323 euros et 13 140 euros par an.

Le premier étage garantit un revenu minimum, égal au montant de l'AVTS (allocation aux vieux travailleurs salariés), soit 251 euros par mois en 2006. Il regroupe les allocations «historiques» (AVTS, AVTNS, secours viager, allocation mère de famille, majoration de pension, allocation spéciale). La plus fréquemment servie (83 % des allocataires du premier étage en 2006) est la majoration de pension (article L.814-2 du Code de la Sécurité sociale) qui complète une pension de droit direct ou de réversion inférieure à l'AVTS. Vient ensuite l'allocation spéciale L.814-1 versée par le SASV à des personnes ne pouvant prétendre à aucune retraite (14 % des allocataires). Enfin, les autres allocataires du premier étage (3 %) perçoivent le secours viager, l'allocation aux mères de famille, l'AVTS ou ses allocations dérivées. Les allocations du premier étage sont soumises à condition de résidence, à l'exception de la majoration L.814-2, principalement servie à des allocataires non-résidents. Toutefois, depuis le 1er janvier 2006, les nouvelles attributions de L.814-2 sont conditionnées à la résidence en France.

Le second étage est constitué de l'ASV (L.815-2) qui permet d'atteindre le montant du minimum vieillesse. Cette allocation est soumise à condition de résidence, contrairement à la principale allocation de premier étage. Son attribution est déterminée selon un plafond de ressources[17], de 7 500 euros pour une personne seule, ou de 13 140 euros pour un couple en 2006. Le barème de l'ASV varie en fonction du nombre de personnes titulaires de l'ASV au sein du couple. En 2000, le montant mensuel maximum de l'ASV est de 359,50 euros pour un allocataire seul. Pour un couple, si un seul des deux conjoints est allocataire (le second étant non éligible parce qu'il est âgé de moins de 65 ans, ou ne réside pas en France, ou encore n'en a pas fait la demande), le montant maximum de l'ASV, fixé au vu des ressources du couple, est alors celui d'une personne seule. Si au sein d'un couple, il y a deux bénéficiaires, le montant maximum est alors de 593 euros pour le couple, soit 296,50 euros pour chacun des deux conjoints.

---

16 Le dispositif du minimum vieillesse a été réformé par l'ordonnance du 24 juin 2006, dont les décrets d'application sont parus le 13 janvier 2007. Les anciennes allocations ont été fusionnées en allocation unique, l'allocation de solidarité aux personnes âgées (Aspa). Les bénéficiaires des anciennes allocations continuent à les percevoir dans des conditions inchangées.

17 L'appréciation des ressources intègre les avantages vieillesse, les revenus professionnels, les biens mobiliers et immobiliers (à l'exception de la résidence principale). Sont en revanche exclues l'allocation de logement et la majoration pour tierce personne.

Encadré 2. Présentation du dispositif du minimum vieillesse *(suite)*

Le schéma suivant présente les effectifs des bénéficiaires des allocations du premier et du deuxième étage à la fin 2006.

Stock des allocataires du premier et deuxième étage au 31 décembre 2006

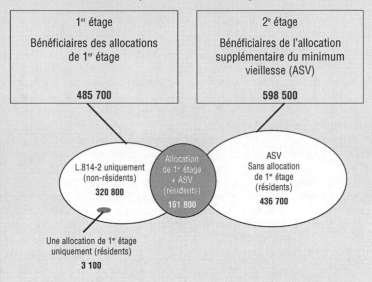

Source : calculs Drees.

Au 31 décembre 2006, on dénombre 598 500 bénéficiaires de l'allocation supplémentaire, nécessairement résidents. Parmi eux, 447 000 perçoivent uniquement cette allocation et 151 500 la cumulent avec une allocation de premier étage. Le premier étage du minimum vieillesse concerne un champ plus large. Ainsi, les bénéficiaires du premier étage, estimés à 485 700 (y compris AVTS et ses allocations dérivées, secours viager et allocation aux mères de famille), sont essentiellement des résidents à l'étranger (320 800) et ne peuvent donc pas, pour cette raison, prétendre à l'allocation supplémentaire.

L'ordonnance n° 2004-605 du 24 juin 2004 a simplifié ce dispositif du minimum vieillesse en instaurant une prestation unique, l'allocation de solidarité aux personnes âgées (Aspa). Cette prestation, qui fusionne les deux étages et se substitue aux anciennes prestations, pour les nouveaux bénéficiaires seulement, est soumise à conditions de ressources. Pour en bénéficier, les retraités doivent résider en France. La réforme du minimum vieillesse supprime ainsi une différence de champ relative à la condition de résidence qui existait entre les bénéficiaires des deux étages. En outre, la notion de couple est élargie aux couples pacsés ou concubins. Le décret d'application de la réforme étant paru le 13 janvier 2007, en 2006 prévaut encore l'ancien mécanisme à deux étages.

■ Une baisse continue du nombre d'allocataires depuis le début des années 1960

Depuis 1960, date des premières données disponibles, le nombre de bénéficiaires de l'allocation supplémentaire du minimum vieillesse a été divisé par quatre, passant de 2 470 000 à 598 500 en 2006 (*cf.* graphique 4). En 2006, 4,0 % des personnes de 60 ans ou plus (4,5 % parmi les 65 ans et plus) sont au minimum vieillesse, alors qu'elles étaient pratiquement une sur deux dans ce cas cinquante ans auparavant.

Graphique 4. Évolution des effectifs d'allocataires de l'ASV en France depuis 1960

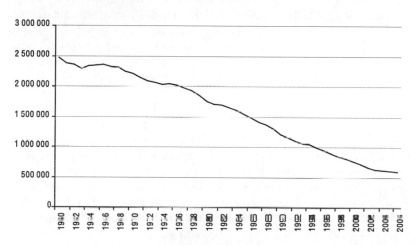

Sources : enquête Drees, Caisse des dépôts et consignations, Fonds de solidarité vieillesse.

Le nombre de titulaires de l'ASV a diminué de 1,7 % en moyenne par an de 1960 jusqu'au début des années 1980. Cette baisse s'est ensuite accélérée jusqu'en 2003, avec un recul annuel moyen de 4,7 % en lien avec l'arrivée à maturité du régime d'assurance vieillesse de la Sécurité sociale.

La contraction des effectifs est également imputable à des facteurs démographiques : le décès des allocataires les plus âgés, nombreux parmi les titulaires, explique cette accélération. Ces derniers appartenaient en effet aux générations d'avant la Première Guerre mondiale, générations moins bien couvertes par l'assurance vieillesse.

Une population âgée, féminine, isolée, ayant acquis peu de droits à retraite

Le minimum vieillesse est perçu par des pensionnés de droit direct ayant acquis peu de droits au cours de leur vie active (carrières courtes ou accidentées), par des veuves qui disposent de pensions de réversion modestes en lien avec la faiblesse de la pension du conjoint décédé, ou encore par des personnes ne percevant aucune pension. Les bénéficiaires présentent donc des caractéristiques particulières qui témoignent des systèmes de retraite en France, des variations démographiques passées, de l'évolution des carrières et de la place des femmes dans le monde du travail.

Les bénéficiaires du minimum vieillesse sont en moyenne plus âgés que les retraités : 75,7 ans en 2006. Plus d'un tiers des allocataires ont 80 ans ou plus (29 % parmi l'ensemble des personnes[18] de 65 ans et plus). L'âge moyen dépasse les 80 ans chez les allocataires relevant des régimes non salariés : les retraités les plus âgés n'ont pas bénéficié de l'amélioration, depuis 1973, de la couverture vieillesse des indépendants.

Les bénéficiaires sont majoritairement des femmes : 59 % en 2006. Jusqu'à 69 ans, les allocataires masculins sont pourtant plus nombreux que les femmes. Au-delà, ces dernières deviennent majoritaires : leur proportion croît de manière continue, en raison d'une espérance de vie plus élevée, pour atteindre 88 % des bénéficiaires de 90 ans ou plus. Les allocataires sont essentiellement des personnes isolées (célibataires, veuves ou divorcées) qui représentent, en 2006, près des trois quarts des bénéficiaires (41 % pour la population des 60 ans et plus). Toutefois, cet écart se réduit avec l'âge. Les femmes sont particulièrement nombreuses parmi les allocataires isolés : celles qui sont « isolées » (veuves ou non mariées) représentent la moitié des allocataires.

On observe ces dernières années de légères modifications des caractéristiques des bénéficiaires du minimum vieillesse : leur âge moyen a baissé de 2,3 ans entre 2000 et 2006 (contre -0,5 an pour la population française des 60 ans et plus). La part des hommes s'accroît légèrement et ce, dès 69 ans, et surtout pour les classes d'âge « intermédiaires ». Entre 2000 et 2006, alors que le nombre d'allocataires femmes s'est contracté de presque 30 %, le nombre d'allocataires hommes baissait seulement de 10 %. L'arrivée à l'âge de la retraite des premières générations ayant eu des aléas de carrière ainsi que le changement dans les règles de calcul des pensions ont pu faire « entrer » davantage d'hommes qu'auparavant dans le dispositif.

---

18 Insee, population totale au 1er janvier 2007, France métropolitaine.

Parmi les bénéficiaires de l'ASV, un cinquième n'a pas occupé d'emploi rémunéré au cours de sa vie ou n'a pas acquis de droits suffisants pour recevoir une rente régulière. Il s'agit, à parts égales, des allocataires relevant du SASV, qui ne perçoivent aucune pension de retraite, ainsi que des personnes bénéficiant exclusivement d'une pension de réversion (cf. tableau 1). Les femmes allocataires sont 29% à n'avoir acquis aucun droit propre, contre 8% des hommes. Pour ces derniers, il s'agit vraisemblablement de personnes handicapées n'ayant jamais travaillé et qui, à 60 ans, passent de l'allocation aux adultes handicapés (AAH) à l'ASV.

Tableau 1. Répartition des allocataires de l'ASV selon le type de pension perçue

	Hommes	Femmes	Ensemble
Allocataires sans droit propre*	8	29	21
– *Pension de droit dérivé uniquement*	*0*	*18*	*11*
– *SASV*	*8*	*11*	*10*
Allocataires ayant acquis un droit propre	92	71	79
– *Carrière incomplète*	*69*	*60*	*64*
– *Carrière complète*	*23*	*11*	*16*
Ensemble des allocataires**	100	100	100

* Allocataire n'ayant jamais travaillé ou n'ayant pas acquis de droits suffisants pour percevoir une rente régulière.

** Champ pour le calcul de la pension moyenne : allocataires percevant une pension, c'est-à-dire hors allocataires relevant du SASV.

Source : EIR, 2004, Drees.

L'ASV, allocation non contributive, est versée dans 79% des cas à des personnes ayant acquis des droits propres au cours de leur vie active. Malgré une amélioration du système de retraite, ces personnes qui ont pourtant travaillé ont des ressources inférieures au minimum vieillesse, en raison de carrières incomplètes : 64% de l'ensemble des allocataires, soit les quatre cinquièmes des allocataires ayant acquis un droit propre, sont dans ce cas.

Parmi les allocataires ayant acquis un droit propre, un cinquième a effectué une carrière complète (soit 16% de l'ensemble des allocataires). Bien qu'ayant validé une carrière complète, ces personnes perçoivent de faibles retraites, inférieures au seuil du minimum vieillesse.

Il s'agit pour les deux tiers d'entre elles de personnes ayant acquis tout ou partie de leurs droits au sein d'au moins un régime n'ayant pas instauré de minimum de pension, essentiellement des retraités issus du monde agricole (salariés et/ou exploitants). Certains régimes, comme la MSA exploitants, n'ont en effet pas encore instauré de pension minimale[19].

L'autre tiers des allocataires à carrière complète est composé de retraités exclusivement pensionnés de régimes pratiquant des minima de pensions. Or, certains ayant déjà liquidé leurs droits au moment de la mise en place du minimum de pension, ils n'ont pu en bénéficier. D'autres sont des femmes ayant validé un nombre important d'années d'assurance vieillesse de parents au foyer (AVPF) pour lesquelles il n'y a pas de cotisation à la retraite complémentaire. De même, certains artisans et commerçants n'ont pas bénéficié de pension complémentaire, et leur pension de base n'atteint pas, de ce fait, le seuil du minimum vieillesse.

Il faut rappeler ici que le niveau de pension ne détermine pas à lui seul l'ouverture du droit à l'ASV. En effet, le minimum vieillesse est versé au titre de la solidarité en fonction des ressources du ménage. Ainsi, une personne peut percevoir une pension supérieure au seuil du minimum vieillesse personne seule, *via* le minimum contributif par exemple, et percevoir l'ASV compte tenu des faibles ressources au sein de son ménage. Ainsi, il n'est pas incompatible de percevoir le minimum contributif et le minimum vieillesse.

■ Les barèmes du minimum vieillesse se situent en dessous des seuils de pauvreté

Le minimum vieillesse a été créé pour assurer un niveau minimal de ressources aux personnes âgées. Pour les pensionnés de droit direct ou indirect, il joue un rôle de filet de sécurité. Or, les nombreuses revalorisations du minimum vieillesse ne lui ont que très rarement permis de se situer au-dessus du seuil de pauvreté à 60 %. En outre, les allocataires vivant seuls sont davantage exposés à la pauvreté monétaire que ceux vivant en couple.

19 Un minimum, soumis à des conditions de durée d'assurance et de montant de pension tous régimes, sera instauré à partir de 2009.

■ Les revalorisations appliquées au minimum vieillesse ont été fortes jusqu'au début des années 1980

Avant la réforme des retraites de 2003, la revalorisation du minimum vieillesse était discrétionnaire : un décret en fixait chaque année le montant au 1ᵉʳ janvier. En 2004, les règles de revalorisation deviennent officiellement semblables à celles applicables aux pensions, même si, dans les faits, les taux de revalorisation étaient les mêmes depuis 1984, à l'exception des « coups de pouce » consentis au minimum vieillesse en 1996, 1999 et 2000 (*cf.* graphique 5).

Graphique 5. Évolutions depuis 1970 du minimum vieillesse, personne seule et couple, des pensions de retraite au régime général et de l'indice des prix

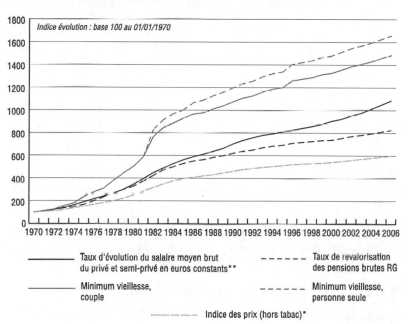

* L'indice des prix avant 1980 comprend le tabac. À noter que jusqu'au début des années 1990, l'indice des prix y compris tabac diffère très peu de l'indice des prix hors tabac.

** Salaire moyen par tête : rapport des séries des comptes nationaux (Insee) des salaires versés par les branches marchandes (salaires nets + cotisations salariales, hors cotisations patronales) et de l'emploi, tous secteurs institutionnels y compris les entreprises financières.

Sources : Drees, Cnav, Insee.

Le graphique 5 (p. 31) montre que les revalorisations du minimum vieillesse sont importantes de 1970 au début des années 1980. Elles ont ainsi permis d'augmenter sensiblement le montant du minimum vieillesse depuis sa mise en place et d'améliorer le niveau de vie des bénéficiaires.

Les hausses des barèmes pour les personnes seules et les couples sont semblables jusqu'en 1981. Les montants des allocations sont en moyenne revalorisés de 17,4 % par an (en euros courants) entre 1970 et 1981, tandis que les pensions du privé augmentent de 12,7 % en moyenne annuelle sur la même période. Pendant cette période, le pouvoir d'achat des allocataires du minimum vieillesse progresse puisque l'inflation est de 10 % en moyenne annuelle.

En 1982, alors que les pensions du régime général s'accroissent de 13,3 %, soit à peine plus que l'inflation (11,9 %), les montants du minimum vieillesse sont pour leur part fortement revalorisés. Il s'agit d'un gain de pouvoir d'achat important pour les allocataires de ce minimum social. La revalorisation pour les personnes seules est plus forte que celle des couples : entre 1981 et 1982, le montant du minimum vieillesse s'accroît de 41,2 % pour les personnes seules et de 30,6 % pour les couples. Le rapport entre le minimum vieillesse des couples et celui des personnes seules, égal jusqu'alors à 2, s'établit désormais à 1,8. Après 1982, les deux barèmes vont pratiquement augmenter dans les mêmes proportions (les hausses sont rigoureusement identiques depuis 1988). Comme le montre le graphique 5 (p. 31), leurs revalorisations se ralentissent fortement par rapport à la période 1970-1981, à l'image de l'évolution des pensions du régime général et en lien avec l'évolution de l'inflation (2,9 % en moyenne annuelle entre 1983 et 2006 pour l'augmentation du minimum vieillesse des personnes seules, 2,8 % pour les couples et pour les pensions des salariés du privé). Les revalorisations sont alors inférieures à la croissance sur la période du salaire brut moyen dans le privé (3,8 % en moyenne par an sur la période).

■ Ces revalorisations n'ont pas toujours permis aux barèmes du minimum vieillesse de se situer au-dessus du seuil de pauvreté monétaire

Malgré ces nombreuses revalorisations, les allocations du minimum vieillesse dépassent rarement les seuils de pauvreté à 60 % au cours de la période (cf. graphique 6).

Les seuils de pauvreté pour une personne seule s'élèvent en 2006 à 733 euros courants mensuels pour le seuil à 50 %, et à 880 euros pour le seuil à 60 %, tandis que le montant du minimum vieillesse est de 610 euros par mois.

Il est important de rappeler ici que la pauvreté monétaire est définie de façon normative. En effet, selon que l'on retienne un seuil de pauvreté à 60 % (norme européenne désormais utilisée par la France) ou à 50 % (jusqu'à très récemment norme utilisée par la France) du revenu médian, le diagnostic diffère, puisque le minimum vieillesse se situe précisément entre les deux seuils.

Graphique 6. Montants du minimum vieillesse, personne seule et couple, par rapport au seuil de pauvreté à 60 %, depuis 1970

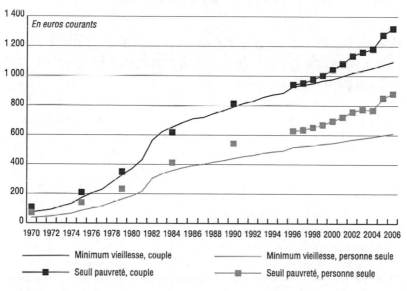

Sources : Drees, Insee.
Avant 1996, seuls les seuils de pauvreté pour les années 1970, 1975, 1979, 1984 et 1990 sont disponibles.

En 2006, le niveau de vie des personnes seules ayant pour unique ressource le minimum vieillesse est donc inférieur de 17 % au seuil de pauvreté à 50 % et de 31 % au seuil de pauvreté à 60 %. Pour les couples, en revanche, la position par rapport au seuil de pauvreté est moins claire, puisque le seuil du minimum vieillesse perçu par un couple est proche du seuil de pauvreté à 50 % (1 095 euros mensuels pour le minimum vieillesse contre 1 100 euros mensuels pour le seuil de pauvreté) tandis qu'il est inférieur de 17 % au seuil à 60 %.

Si l'on retient le seuil de pauvreté à 60 %, le barème du minimum vieillesse pour les personnes seules est systématiquement situé en dessous, depuis 1970. Sur la même période, les montants des seuils du minimum vieillesse et de pauvreté pour les personnes en couple sont

33

quasi identiques jusqu'en 1997; au-delà, le seuil de pauvreté augmente plus vite que le minimum vieillesse, l'écart se creusant d'année en année. Dans une analyse de la pauvreté à 50%, les allocataires seuls sont très proches du seuil de pauvreté, ceux vivant en couple se situent au-dessus.

Quelle que soit la définition normative de la pauvreté retenue (50% ou 60%), l'écart entre le minimum vieillesse et les seuils de pauvreté s'est accru au fil du temps pour l'ensemble des bénéficiaires. En outre, l'écart de niveau de vie des allocataires seuls et de ceux vivant en couple s'est également creusé en la défaveur des personnes seules.

■ Les barèmes du minimum vieillesse plus éloignés du seuil de pauvreté pour les personnes seules que pour les couples

La situation des personnes seules en termes de pauvreté s'améliore tout d'abord, depuis la création de l'allocation supplémentaire jusqu'au milieu des années 1980. En 1984, l'écart relatif entre le montant du minimum vieillesse et celui du seuil de pauvreté n'a jamais été aussi faible (minimum vieillesse pour une personne seule inférieur de 14% au seuil de pauvreté à 60%) (*cf.* graphique 7). Par la suite, cet écart n'a cessé de se creuser régulièrement.

On observe également une dégradation de la situation pour les couples allocataires, mais de façon moins marquée : en 1984, le minimum vieillesse pour un couple est même supérieur de 6% au seuil de pauvreté à 60%. Jusqu'à la fin des années 1990, l'écart est négligeable (le minimum vieillesse est inférieur de 1% en 1997, de 3% en 1998 et de 4% en 1999). Depuis le début des années 2000, le montant couple du minimum vieillesse a évolué moins vite que le seuil de pauvreté. L'allocation destinée aux couples continue pourtant, encore de nos jours, de protéger davantage que celle attribuée aux personnes seules : en 2006, le minimum vieillesse atteint 69% du seuil de pauvreté à 60% pour une personne seule, 83% pour un couple.

Cette situation relativement plus favorable pour les couples dont les deux conjoints sont allocataires du minimum vieillesse s'explique par des barèmes différents du minimum vieillesse selon la situation matrimoniale et le nombre de bénéficiaires de l'allocation dans un ménage. L'échelle d'équivalence utilisée par le législateur pour fixer le montant du minimum vieillesse attribué aux couples est, en effet, plus avantageuse que celle retenue dans le calcul du revenu médian par unité de consommation : l'échelle des niveaux de vie Insee attribue 1,5 unité de consommation à un couple[20] tandis que celle appliquée au minimum vieillesse couple était de 2 jusqu'en 1981. Depuis la revalorisation plus forte du minimum vieillesse pour les allocataires seuls que pour les couples en 1981, le barème pour un couple est actuellement égal à 1,8 fois celui d'une personne seule.

Graphique 7. Évolutions comparées du rapport entre le seuil du minimum vieillesse et le seuil de pauvreté à 60% pour les personnes seules et les couples

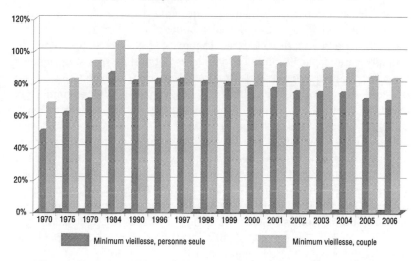

* Note de lecture : en 2006, le minimum vieillesse d'une personne seule s'établit à 69%
(il est inférieur de 31%) du seuil de pauvreté des personnes seules, celui d'un couple à 83%
du seuil de pauvreté des couples.
Source : Drees.

Une revalorisation du montant du minimum vieillesse supplémentaire aux revalorisations légales des retraites a été annoncée au printemps 2008. Cette revalorisation de 25% en termes nominaux sur cinq ans bénéficiera uniquement aux bénéficiaires du minimum vieillesse personnes seules. Le rapport entre le niveau de ce minimum pour un couple et pour une personne seule devrait donc, comme en 1982, diminuer à l'horizon 2012 pour se rapprocher de 1,5. Dès 2009, le minimum vieillesse personnes seules sera porté à 677 euros[21], soit une augmentation de 5% en euros constants. Par ailleurs, l'augmentation du plafond du minimum vieillesse va faire entrer dans le dispositif des retraités jusqu'alors non éligibles en raison de leur niveau de pension supérieur aux conditions de ressources.

---

20 1 unité de consommation pour le premier adulte du ménage, et 0,5 unité pour les
   autres personnes de 14 ans et plus, soit 1,5 pour un couple.

21 Source : projet de loi de financement de la Sécurité sociale 2009.

■ La prise en compte du logement dans la mesure de la pauvreté

Pour estimer la pauvreté des bénéficiaires du minimum vieillesse, nous avons jusqu'ici comparé les barèmes du minimum vieillesse aux seuils de pauvreté monétaire. Toutefois, les ressources des personnes âgées assujetties au minimum vieillesse peuvent ne pas être seulement constituées des seules allocations du minimum vieillesse. La prise en compte du logement est en l'occurrence primordiale dans l'appréhension du niveau de vie et donc de la pauvreté des allocataires du minimum vieillesse. Ces derniers peuvent en effet, quand ils sont locataires, percevoir des aides au logement : celles-ci se rajoutent au montant garanti par le minimum vieillesse ; quand ils sont propriétaires (non accédants), aucune aide au logement n'est versée, mais il est possible de considérer que les ménages concernés bénéficient d'un avantage implicite en termes de niveau de vie, correspondant au loyer qu'ils n'ont pas à verser en tant que propriétaires de leur logement. Par ailleurs, bénéficier du minimum vieillesse permet de bénéficier de « droits connexes » tels que l'exonération de la CSG et de la CRDS, de la taxe d'habitation et de la redevance audiovisuelle, l'aide au paiement d'une complémentaire santé, minima non déclarés pour l'impôt sur le revenu. On comprend alors que la simple comparaison des barèmes du seul minimum vieillesse avec les seuils de pauvreté peut se révéler insuffisante pour apprécier la situation « réelle » vis-à-vis de la pauvreté des personnes au minimum vieillesse.

Actuellement, si les allocations logement sont bien prises en compte par l'Insee pour le calcul des niveaux de vie et des seuils de pauvreté, en revanche aucun loyer fictif n'est imputé pour les propriétaires. Comme les retraités sont plus souvent propriétaires de leur logement que les ménages d'actifs (plus de 70 % pour les plus de 65 ans, contre 60 % pour les actifs en 2003), l'imputation de loyers fictifs dans les niveaux de vie conduirait à l'augmentation de leur niveau de vie par rapport au seuil de pauvreté. On voit bien dès lors qu'en ignorant la question du logement dans le débat sur la pauvreté des personnes âgées, on sous-estime leurs ressources et donc leur niveau de vie (document du Cor n° 5, séance du 12 décembre 2007). Pour s'en approcher, il faudrait alors ajouter aux ressources des titulaires du minimum vieillesse les allocations logement pour les locataires et l'avantage procuré par la propriété du logement pour les propriétaires.

L'Insee a réalisé une variante des niveaux de vie[22] en imputant aux ménages retraités propriétaires de leur résidence principale un loyer fictif selon le montant de leur retraite et leur situation matrimoniale (*cf.* tableau 2). Le pourcentage de propriétaires d'une résidence principale est plus fort pour les pensionnés de retraites élevées (76 %); toutefois, il n'est pas certain que les allocataires du minimum vieillesse soient proportionnellement moins propriétaires. En effet, au vu du tableau, le taux de possession des très petites retraites est de 74 %. Les allocataires des allocations du minimum vieillesse qui se classent dans cette catégorie de « petits retraités » sont de surcroît issus, plus que l'ensemble des retraités, du monde agricole et des professions indépendantes, professions souvent propriétaires de leur logement.

Tableau 2. Part des propriétaires de leur logement et montants moyens de loyers mensuels

Tranche de pension retraite invalidité mensuelle dans laquelle se situe l'individu (en euros 2003)	Part des propriétaires de leur logement	Vivant seul	Vivant en couple	Ensemble	Répartition (%)
Inférieure à 583 euros	74 %	313	350	344	21,1
De 583 à 750 euros	72 %	294	301	301	11,5
De 750 à 916 euros	68 %	307	363	337	9,9
Plus de 916 euros	76 %	407	436	426	57,5
Ensemble		370	394		100,0
Répartition (%)		30,7	64,8	95,5*	

Lecture : loyers mensuels imputés (hors charges) pour les individus vivant dans des ménages propriétaires de leur résidence principale, par tranche de pension retraite-invalidité individuelle et situation maritale.

Source : ERF 2003 Insee-DGI, enquête Logement 2002 et enquête Patrimoine 2004 pour les imputations.

Champ : individus âgés de 65 ans et plus, vivant dans un ménage propriétaire de sa résidence principale et percevant une pension de retraite-invalidité.

* Les 4,5 % restants correspondent aux individus vivant dans un ménage complexe. L'effectif de cette catégorie est trop faible pour être décomposé selon les différentes tranches de pension individuelle.

---

22 Imputation de loyers fictifs au niveau de vie tel qu'il était calculé jusqu'en 2004, c'est-à-dire calculé à partir des éléments disponibles dans les enquêtes « Revenus fiscaux ».

Selon les estimations du niveau de vie comprenant les loyers imputés, pour les personnes de plus de 65 ans propriétaires de leur logement et percevant moins de 583 euros de retraite par mois, le loyer fictif mensuel moyen imputé par l'Insee est ainsi de 313 euros lorsqu'elles vivent seules et 350 euros lorsqu'elles vivent en couple.

En 2003, le seuil du minimum vieillesse s'élevait à 578 euros mensuels pour une personne seule et à 1 040 euros pour un couple. Supposons des personnes âgées sans aucune ressource autre que les allocations du minimum vieillesse : une personne isolée et un couple de deux allocataires. L'imputation de loyers selon les estimations présentées dans le tableau précédent augmenterait les ressources de la personne seule de 313 euros et de 325 euros pour le couple[23], ce qui amènerait leurs revenus à respectivement 888 euros et 1 365 euros. Ces montants permettent d'atteindre, voire de dépasser les seuils de pauvreté recalculés pour chacune des catégories matrimoniales : 865 euros pour une personne seule et 1 297 euros pour un couple.

Ces éléments prouvent la difficulté à mesurer la pauvreté des personnes âgées avec seulement le seuil de pauvreté tel qu'il est actuellement défini. En effet, le seul fait de prendre en compte le statut de propriétaire, *via* l'imputation d'un loyer fictif, conduit à dépasser le seuil de pauvreté pour les ménages au minimum vieillesse propriétaires de leur logement. Par ailleurs, au sein des propriétaires de leur logement, tenir compte des loyers imputés rapproche la situation des personnes seules des personnes en couple. On explique cela par le fait que les personnes âgées qui deviennent veuves conservent bien souvent leur logement : ce phénomène se traduit par le faible écart des loyers imputés. Si le fait d'être propriétaire permet de relativiser la pauvreté des personnes âgées au minimum vieillesse, il est à noter cependant que le loyer imputé ne constitue pas à proprement parler un revenu, puisque les individus ne peuvent pas en disposer au même titre que les autres revenus monétaires.

Ce sont les niveaux de vie et les seuils de pauvreté, hors loyer fictifs, qui ont été retenus dans cet article. Si le taux de pauvreté monétaire présente certaines limites, il n'en reste pas moins la référence et demeure pertinent pour mesurer l'évolution de cette pauvreté.

23 Il s'agit du loyer fictif mensuel moyen imputé aux personnes de plus de 65 ans propriétaires de leur logement et percevant moins de 750 euros de retraite par mois.

■ Conclusion

Depuis la mise en place de l'assurance vieillesse, les mesures prises concernant le calcul des retraites et les revalorisations ont réussi à sortir de la pauvreté un très grand nombre de personnes âgées : le niveau de vie des retraités est, aujourd'hui, en moyenne et en tenant compte des revenus du patrimoine, équivalent à celui des actifs.

La baisse du taux de pauvreté marque cependant le pas ces dernières années, tout comme la baisse du nombre d'allocataires du minimum vieillesse, les barèmes des allocations du minimum vieillesse se situant en effet en dessous du seuil de pauvreté. Depuis 2004, la diminution du nombre d'allocataires s'est ainsi fortement ralentie : -1,8 % entre 2005 et 2006, soit un rythme proche de ceux observés au cours des deux années précédentes. Le mouvement de baisse semble ainsi se tarir en lien avec l'arrivée à maturité du système de retraite, notamment des régimes des indépendants et des agriculteurs exploitants.

Si l'on se projette dans l'avenir, et malgré la hausse de 25 % d'ici à 2012 du minimum vieillesse pour les personnes seules, il est difficile d'établir un diagnostic sur la situation des personnes âgées vis-à-vis de la pauvreté. En effet, le niveau de vie des personnes âgées dépend de l'ensemble des ressources du ménage pendant la durée de la retraite, notamment de la situation vis-à-vis du logement. Plusieurs tendances se conjuguent par ailleurs, ayant des effets opposés sur le niveau de vie des retraités dans le futur. Les réformes de 1993 puis de 2003, dont l'objectif était de garantir l'équilibre financier des systèmes de retraite face au vieillissement de la population, ont rendu le calcul des pensions plus contributif, se traduisant par une baisse progressive des taux de remplacement (Cor, 2001). Par ailleurs, la diminution de l'écart d'espérance de vie entre les hommes et les femmes rend la durée de vie commune des couples plus longue. Parallèlement, la durée de veuvage (avec l'éventuelle baisse de niveau de vie qui lui est associée) est plus courte. De plus, les femmes ont acquis plus de droits durant leur carrière, et leur pension est plus importante au sein du ménage. Il est cependant difficile de dire comment cette tendance évoluera avec l'effet des réformes et des règles d'indexation des pensions qui en résultent. En outre, l'augmentation du nombre de ruptures conjugales peut avoir un effet négatif sur le niveau de vie en augmentant la proportion de personnes âgées isolées.

■ Bibliographie

AUGRIS N., 2008a, « L'allocation supplémentaire du minimum vieillesse, bénéficiaires au 31 décembre 2006 », *Document de travail, Série statistiques*, Drees, n° 121, 69 p.

AUGRIS N., 2008b, « Les allocataires du minimum vieillesse », *Études et Résultats*, n° 631, Drees, 8 p.

BLANCHET D., 2007, « Évolution de la pauvreté et des inégalités parmi les retraités en France », *Santé, société et solidarité*, n° 1, Credes, p. 107-114.

BRIDENNE I., BROSSARD C., 2008, « Les effets de la réforme de 1993 sur les pensions versées par le régime général », *Retraite et Société*, n° 54, Paris, Cnav, p. 121-143.

BURRICAND C., DELOFFRE A., 2007, « L'évolution des retraites versées entre 2000 et 2004 », *Études et Résultats*, n° 556, Drees, 4 p.

BURRICAND C., JEGER F., POUGET J., 2007, « Minimum vieillesse et niveau de vie : enjeux et coûts d'une revalorisation », Drees, document n° 5 de la séance du Cor du 12 décembre 2007, disponible sur le site du Cor.

CHAPUT H., JULIENNE K., LELIÈVRE M., 2007, « L'aide à la vieillesse pauvre : la construction du minimum vieillesse », *Revue française des Affaires sociales*, Drees, La Documentation française, n° 1, p. 57-83.

CONSEIL D'ORIENTATION DES RETRAITES, 2006, « L'égalité entre hommes et femmes dans le domaine des retraites en France : les fondements de quelques dispositifs », document n° 16, séance du Cor du 7 juin 2006, disponible sur le site du Cor.

CONSEIL D'ORIENTATION DES RETRAITES, 2001, *Retraite : renouveler le contrat social entre générations*, premier rapport du Conseil d'orientation des retraites, disponible sur le site du Cor.

CRENNER E., 2008, « Niveau de vie des hommes et des femmes retraités : quelques éléments de prospective », Document n° 6 de la séance du Cor du 25 juin 2008, disponible sur le site du Cor.

DELOFFRE A., 2008, « Les retraites en 2006 », *Études et Résultats*, n° 662, Drees.

GOUTARD L., PUJOL J., 2008, « Les niveaux de vie en 2006 », *Insee Première*, n° 1203, Insee.

Le niveau de vie des retraités

Conséquences des réformes des retraites et influence des modes d'indexation

Emmanuelle CRENNER, Insee

La question de la dispersion des revenus parmi les retraités prend une place de plus en plus importante dans le débat public. Cette question est directement liée à celle, plus générale, de l'adéquation des montants des pensions, c'est-à-dire de l'efficacité des systèmes de retraite à protéger les personnes âgées contre la pauvreté.

Depuis la forte revalorisation des pensions survenue dans le milieu des années 1970, le système de retraite français a relativement bien réussi à les protéger (Blanchet, 2007). Il s'agit donc aujourd'hui de savoir, pour les générations à venir, comment va évoluer le niveau de vie des retraités.

Les générations partant à la retraite actuellement et celles qui partiront au cours des trente-cinq années à venir ont eu ou auront eu des histoires socio-économiques différentes des générations qui les ont précédées.

Non seulement elles perçoivent des salaires plus élevés du fait de la hausse de la productivité, mais elles ont aussi des carrières différentes du fait, entre autres, de la plus forte participation au marché du travail des femmes et de l'augmentation de l'âge de fin d'études. Cela laisse à penser que ces générations pourraient avoir des niveaux de vie plus élevés dans les prochaines décennies.

Ces générations seront également plus souvent concernées par les divorces et les séparations, par conséquent par des histoires familiales différentes, y compris après le départ à la retraite. De plus, les espérances de vie des hommes et des femmes sont susceptibles de se rapprocher au fil des générations. Toutes ces évolutions vont influencer les compositions des ménages de retraités et leurs situations conjugales, et par conséquent modifier leurs niveaux de vie. Alors que pour certaines catégories de retraités ces évolutions peuvent entraîner une augmentation du niveau de vie, pour d'autres elles peuvent avoir des conséquences plutôt négatives.

Les niveaux de vie des générations de retraités à venir vont aussi être modifiés par des règles moins favorables introduites par les réformes des systèmes de retraites intervenues en 1993 et 2003, et par des changements de comportements de départ à la retraite. Vont s'ajouter à cela les réformes des modes d'indexation des pensions, qui font qu'un retraité peut être au-dessus du seuil de pauvreté au début de sa retraite et passer en dessous quelques années plus tard.

L'objectif de cette étude est d'estimer les évolutions du niveau de vie des futurs retraités afin de voir de quelle manière ces changements socio-économiques vont l'influencer. Pour cela, nous avons simulé les évolutions des niveaux de vie des individus nés entre 1945 et 1962. Ces générations sont progressivement soumises aux mêmes réglementations, puisqu'elles sont les premières à liquider leur retraite après la réforme de 2003. Des analyses intra et intergénérationnelles ont été réalisées, avec un intérêt particulier pour les écarts d'évolution du niveau de vie des hommes et des femmes, à la fois entre les générations et au sein des générations. Le modèle de microsimulation Destinie (*cf.* annexe 3, p. 67) a été utilisé pour simuler le niveau de vie des retraités.

Après deux premières parties apportant quelques éléments sur l'évolution du niveau de vie des retraités au fil des générations et au cours de la retraite, une troisième partie présente les effets des réformes des pensions de retraite de 1993 et de 2003 sur ce niveau de vie. Après ces trois parties, qui abordent la question par le biais du niveau de vie moyen, une dernière partie s'intéresse à ceux qui ont les niveaux de vie les plus faibles : les bénéficiaires de l'allocation de solidarité pour les personnes âgées (Aspa, anciennement minimum vieillesse). Elle analyse plus particulièrement l'effet des modes d'indexation des pensions sur le taux de bénéficiaires de l'Aspa.

Précisions méthodologique

Pour analyser le niveau de vie des futures générations de retraités, nous avons utilisé le modèle de microsimulation Destinie. Ce modèle permet de projeter les situations démographiques et économiques d'un échantillon d'individus représentatifs de la population française. Il simule également les liens entre ces individus. Pour simuler les événements démographiques (naissances, décès, mises en couple, séparations), le modèle fait évoluer les individus d'une situation à une autre, selon des probabilités de transition. Ces probabilités sont estimées à partir de données réelles. Ensuite, les résultats sont calés sur les structures de population issues des projections démographiques de l'Institut national de la statistique et des études économiques (Insee) (*cf.* annexe 3, p. 67).

Cette étude porte sur l'ensemble des retraités des différents régimes (régime général, régime des indépendants, Fonction publique). Seule exception, la question de l'effet du veuvage n'est analysée que pour les retraités du régime général et de la Fonction publique, seuls régimes de retraite pour lesquels le modèle Destinie simule correctement les pensions de réversion.

Les ressources prises en compte pour calculer les niveaux de vie des individus sont celles de tous les membres du ménage. On tient ainsi compte de la taille du ménage dans lequel un retraité vit, et des ressources des autres membres du ménage. Mais la population qui nous intéresse ici est celle des retraités. Il s'agit d'une analyse au niveau individu dans laquelle on tient compte des caractéristiques de l'ensemble des membres du ménage.

Précisions méthodologique *(suite)*

Les revenus intégrés dans le calcul du niveau de vie sont les pensions de retraite, les pensions de réversion, le minimum vieillesse, ainsi que les salaires et allocations de chômage pour les conjoints non encore retraités. Par rapport aux méthodes courantes de mesure de niveau de vie, certains revenus comme les revenus du patrimoine et les prestations sociales ne sont pas pris en compte car ils ne sont pas simulés par Destinie[1]. De plus, les revenus sont pris en compte avant imposition. C'est pourquoi les analyses de niveau de vie doivent être surtout regardées en tendances plutôt qu'en niveau. Il s'agit plus précisément d'un niveau de vie avant redistribution, hors minimum vieillesse, mais pour alléger la rédaction de l'article nous l'appelons «niveau de vie».

Pour le calculer, on rapporte les revenus de l'ensemble des individus du ménage au nombre d'unités de consommation. Les unités de consommation sont évaluées selon l'échelle d'équivalence dite «OCDE modifiée», qui attribue un poids de 1 au premier adulte, et de 0,5 à son conjoint pour tenir compte des économies d'échelles apportées par le partage des charges.

Nous avons porté une attention particulière à l'évolution du niveau de vie au cours de la retraite. Afin de bien prendre en compte toute la période des quinze premières années de retraite, nous n'avons gardé dans les graphiques que les retraités qui étaient encore en vie après quinze ans de retraite[2].

Enfin, nous nous limitons à l'étude des niveaux de vie des retraités par le biais de deux indicateurs : les niveaux de vie moyens de l'ensemble des retraités et de certaines catégories d'entre eux, à différents moments de la retraite, et le taux de bénéficiaires de l'Aspa. Pour des raisons méthodologiques, nous avons renoncé à analyser la dispersion du niveau de vie des retraités. En effet, ne disposant pas des revenus du patrimoine dans le modèle Destinie, la composition du haut de la distribution des niveaux de vie est forcément au moins partiellement biaisée.

---

1 Pour une comparaison avec les résultats sur le niveau de vie obtenus par l'enquête «Revenus fiscaux de 2004», *cf.* annexe 1, p. 63.

2 Environ 17% des retraités décèdent avant la quinzième année de retraite. Les tendances des évolutions du niveau de vie moyen présentées dans le graphique 1 sont très proches, que l'on garde uniquement ceux qui survivent après quinze ans de retraite ou tous les retraités de ces générations. C'est seulement en se limitant à ceux qui vivent effectivement cette durée de retraite de quinze ans qu'on peut être certain de comparer des parcours équivalents et de suivre des évolutions de niveau de vie sur quinze ans.

■ Une augmentation plus importante du niveau de vie des retraités masculins à la liquidation au fil des générations

Le graphique 1 représente le niveau de vie moyen à la liquidation pour trois groupes de générations : celles nées entre 1945 et 1950, entre 1951 et 1956, et entre 1957 et 1962, en distinguant les hommes et les femmes.

Chez les hommes, comme chez les femmes, du fait de la hausse des salaires liée à l'augmentation de la productivité, les générations les plus jeunes ont un niveau de vie à la liquidation plus élevé que celui de leurs aînées. Les salaires portés au compte augmentent avec les générations et, par conséquent, les pensions également. La hausse moyenne du niveau de vie entre les générations nées de 1945 à 1950 et celles nées de 1957 à 1962 est d'environ 20 %.

Graphique 1. Niveau de vie des hommes et des femmes à la liquidation

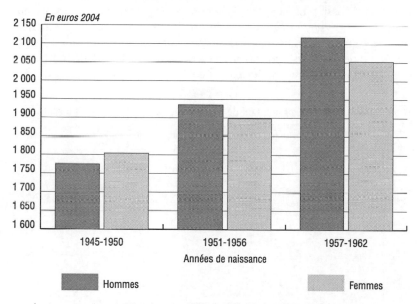

Lecture : pour les retraités nés entre 1945 et 1950, le niveau de vie à la liquidation est de 1 775 euros mensuels pour les hommes, et de 1 804 euros pour les femmes.

Champ : individus à la retraite nés entre 1945 et 1962 encore en vie après quinze années de retraite.

Source : modèle de microsimulation Destinie, scénario après la réforme de 2003.

À la liquidation, le niveau de vie évolue plus vite au fil des générations pour les hommes que pour les femmes. Les hommes des générations nées entre 1957 et 1962 ont un niveau de vie 1,22 fois supérieur à celui des hommes nés entre 1945 et 1950. Chez les femmes, cet écart n'est que de 1,17. Cette différence entre genres est légèrement plus marquée entre les générations nées à la fin des années 1940 et celles nées dans la première moitié des années 1950. Entre les générations 1951-1956 et celles nées de 1957 à 1962, l'évolution est presque de la même ampleur pour les femmes que pour les hommes.

Ce résultat entre en contradiction avec l'augmentation de la participation des femmes au marché du travail, plus forte que pour les hommes pour ces générations, qui a pour conséquence une hausse plus rapide du niveau des retraites des femmes au fil des générations (*cf.* graphique 2). Cette plus forte hausse chez les femmes est cependant limitée. En effet, la durée validée pour les femmes de la génération née en 1962 est supérieure de dix ans à celle validée en moyenne par celles nées en 1945 (*cf.* graphique 3). L'augmentation la plus forte se situe justement entre les générations nées en 1945 et celles nées au début des années 1950. Mais d'un autre côté, tout en travaillant plus longtemps, elles travaillent aussi plus souvent à temps partiel, sont plus souvent au chômage et restent à des niveaux de qualification inférieurs à ceux des hommes (Afsa, Buffeteau, 2007). Par conséquent, les salaires de référence des femmes, qui servent à calculer le montant de leur retraite, n'évoluent pas plus rapidement que ceux des hommes.

Graphique 2. Évolution du montant de la pension de retraite de droit direct à la liquidation avec la génération

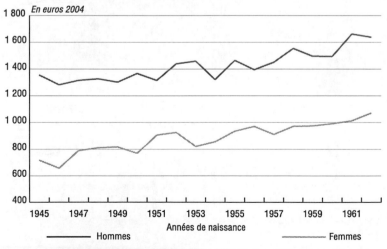

Lecture : à la liquidation, la pension des hommes nés en 1945 est en moyenne de 1 355 euros mensuels, celle des femmes est de 718 euros en moyenne.
Champ : individus à la retraite nés entre 1945 et 1962.
Source : modèle de microsimulation Destinie.

Graphique 3. Évolution du nombre d'années validées pour la retraite avec la génération

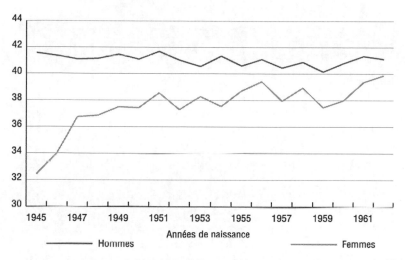

Lecture : les hommes retraités nés en 1945 ont validé en moyenne 41,6 années, contre 32,4 années pour les femmes.
Champ : individus à la retraite nés entre 1945 et 1962.
Source : modèle de microsimulation Destinie.

L'évolution de l'écart de niveau de vie entre les hommes et les femmes au fil des générations peut s'expliquer par des éléments démographiques.

Tout d'abord, d'une génération à l'autre, la situation conjugale à la liquidation évolue différemment pour les hommes et les femmes : la part de retraités n'ayant jamais vécu en couple devrait augmenter avec les générations de liquidants (*cf.* tableau 1, p. 48).

Cette augmentation est plus forte chez les hommes que chez les femmes, surtout entre les générations nées entre 1945 et 1950 et celles nées entre 1951 et 1956 : on passe de 4 % à 6 % de retraités n'ayant jamais vécu en couple pour les hommes, et de 4 % à 5 % pour les femmes. Or, du fait de leurs différences de carrières, les hommes seuls ont un niveau de vie en moyenne 1,2 fois plus élevé que les femmes seules. Cet écart varie très peu selon la génération et l'ancienneté de la retraite, malgré la hausse de la participation des femmes au marché du travail. Par conséquent, alors que l'augmentation de la part de personnes seules a plutôt tendance à diminuer le niveau de vie moyen des femmes, elle tend plutôt à accroître celui des hommes.

Tableau 1. Évolution des situations conjugales des retraités
au fil de la retraite (en %)

Situations	Hommes		Femmes	
	À la liquidation	Après 15 ans de retraite	À la liquidation	Après 15 ans de retraite
Jamais en couple				
1945-1950	4,4	4,4	4,4	4,4
1951-1956	6,9	6,9	5,3	5,3
1957-1962	9,6	9,6	8,8	8,8
En couple				
1945-1950	84,4	77,7	71,9	50,7
1951-1956	82,8	75,6	74,2	52,6
1957-1962	79,4	73,9	71,9	52,4
Conjoint décédé				
1945-1950	2,2	9,0	13,1	34,0
1951-1956	2,1	9,3	9,5	30,3
1957-1962	2,0	7,4	8,5	27,2
Séparé ou divorcé				
1945-1950	9,0	8,8	10,6	10,9
1951-1956	8,3	8,3	11,1	11,8
1957-1962	9,1	9,1	10,9	11,7

Champ : individus à la retraite nés entre 1945 et 1962.
Source : modèle de microsimulation Destinie.

En outre, parmi les couples de retraités, la situation des générations nées entre 1945 et 1950 est particulière par rapport aux générations suivantes : elles comprennent encore un grand nombre de couples dont la femme liquide sa retraite plus tard que son conjoint et qui est inactive au moment où son conjoint liquide sa retraite. Les femmes étant généralement plus jeunes que leur conjoint, elles prennent leur retraite plus tardivement. Par ailleurs, dans ces générations, elles sont plus nombreuses à avoir peu travaillé et à devoir retarder la liquidation tout en restant inactives pour percevoir une pension plus élevée. Lorsque la femme est inactive avant de liquider sa retraite, elle n'apporte aucun revenu personnel au ménage. Lorsqu'elle liquide la retraite, sa pension constitue un apport supplémentaire de revenus pour le couple, ce qui augmente le niveau de vie des deux membres du couple. Le niveau de vie des membres du couple est donc plus élevé lors de la liquidation de la femme que lors de la liquidation de l'homme. Ce phénomène s'estompe avec les générations du fait de la plus forte participation des femmes au marché du travail.

■ Les écarts de niveau de vie entre hommes et femmes augmentent au cours de la retraite

Intéressons-nous maintenant à l'évolution du niveau de vie des retraités au cours de la retraite, plus précisément au cours des quinze premières années.

Le niveau de vie des hommes de l'ensemble des générations nées entre 1945 et 1962 augmente légèrement pendant les dix premières années de retraite, puis se stabilise les cinq années suivantes (*cf.* graphique 4, p. 50). Pour les femmes, en revanche, le niveau de vie demeure relativement stable au cours de la retraite.

Étant donné que les pensions sont indexées sur les prix, les seuls événements susceptibles de faire évoluer le niveau de vie d'un retraité sont le départ à la retraite de son conjoint et le décès.

Près de 15 % des hommes des générations nées entre 1945 et 1950 ont une conjointe inactive non retraitée au moment où ils liquident leur retraite. Au moment où leurs femmes partent à la retraite, alors qu'eux-mêmes sont retraités depuis quelques années, le niveau de vie du couple augmente, comme nous venons de le voir. La part des hommes dont la conjointe est inactive au moment où il liquide sa retraite diminue avec les générations, mais elle est encore de 10 % parmi les hommes nés entre 1957 et 1962.

Les femmes ne sont que 2 % dans la génération 1945-1950 à avoir un conjoint inactif non retraité au moment où elles liquident leur retraite. Elles sont donc très peu concernées par une éventuelle hausse de niveau de vie liée au départ à la retraite de leur conjoint.

En ce qui concerne le veuvage, ses conséquences sur le niveau de vie sont très différentes pour les hommes et pour les femmes.

Graphique 4. Évolution au cours de la retraite du niveau de vie des retraités selon la génération

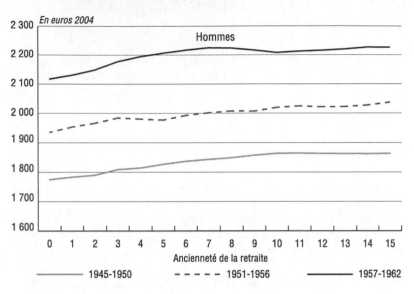

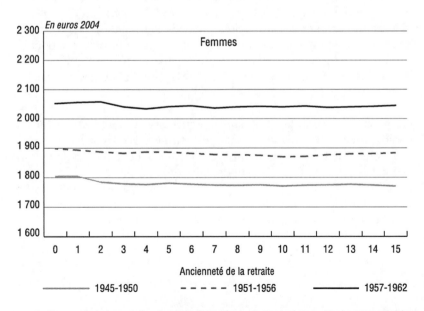

Lecture : après quinze années de retraite, le niveau de vie mensuel moyen des hommes retraités nés entre 1945 et 1950 est de 1 863 euros. Pour les femmes, il est de 1 771 euros.

Champ : individus à la retraite nés entre 1945 et 1962 encore en vie après quinze années de retraite.

Source : modèle de microsimulation Destinie, scénario après la réforme de 2003.

Pour les hommes, compte tenu de l'échelle d'équivalence[3], le veuvage entraîne plus souvent une hausse du revenu par unité de consommation. En effet, le niveau de vie, qui représentait la somme des revenus de la personne et de son conjoint, rapporté à 1,5 en général, n'est plus constitué que du revenu individuel de la personne[4]. Lorsque le revenu individuel du conjoint était très inférieur au sien, ce qui est fréquent pour les hommes, la conséquence est mécaniquement une hausse du niveau de vie après le décès dudit conjoint. Environ 7 % des hommes encore en vie après quinze années de retraite deviennent veufs pendant cette période.

Les femmes, quant à elles, sont plus nombreuses à devenir veuves, mais les conséquences du décès de leur conjoint sont différentes. Elles ont plus souvent des revenus plus faibles que ceux de leur ancien conjoint. En moyenne, leur niveau de vie se maintient après le décès de leur conjoint, en partie grâce à la pension de réversion. Cette prestation est une partie de la pension de retraite du conjoint décédé qui est attribuée au conjoint survivant, entre autres pour précisément éviter une trop forte perte de niveau de vie après le décès. Mais les femmes sont malgré tout beaucoup plus nombreuses que les hommes à subir une diminution de leur niveau de vie après le décès de leur conjoint.

Pour mieux comprendre, observons les conséquences du décès du conjoint sur le niveau de vie pour les générations nées entre 1945 et 1962.

Pour ces générations, le décès devrait avoir en moyenne pour effet une hausse du niveau de vie de 6 % (cf. tableau 2, p. 52). Elle atteindrait 15,9 % pour les hommes, mais elle serait plus faible pour les femmes (+ 3 %) (cf. tableau 1, p. 48). Chez ces dernières, alors que l'évolution moyenne est de 4,7 % pour les générations 1945-1950, elle serait seulement de 1,8 % pour celles nées entre 1957 et 1962. Pour les hommes, le gain de niveau de vie après le décès du conjoint évolue moins avec les générations. L'évolution du niveau de vie après le décès du conjoint est de 14 % pour les retraités nés entre 1945 et 1950, et de 16,2 % pour ceux nés de 1957 à 1962.

Même si le niveau de vie des retraités semble en moyenne au moins se maintenir après le décès du conjoint, pour un tiers d'entre eux le décès du conjoint s'accompagne d'une perte de niveau de vie.

---

3 Pour une réflexion sur l'impact du choix de l'échelle d'équivalence, voir Bonnet et Houriez, « Veuvage, pension de réversion et maintien du niveau de vie suite au décès du conjoint : une analyse sur cas type » dans ce numéro, p. 72.

4 Notons que ces résultats peuvent être assez sensibles au choix de l'échelle d'équivalence. Pour plus de détails voir Conseil d'orientation des retraites, « Le niveau de vie des veuves et des divorcées ».

Tableau 2. Évolution moyenne du niveau de vie des retraités
après le décès de leur conjoint (en %)

Génération	Évolution du niveau de vie		% dont le niveau de vie diminue	
	Hommes	Femmes	Hommes	Femmes
1945-1950	14,0	4,7	17,3	33,4
1951-1956	17,4	2,4	15,5	38,9
1957-1962	16,2	1,8	12,9	37,9
Ensemble	15,9	3,0	15,4	36,8

Champ : retraités de la Fonction publique et du régime général nés entre 1945 et 1962 qui deviennent veufs.
Source : modèle de microsimulation Destinie.

Quelle que soit la génération, la proportion de personnes dont le niveau de vie baisse après le décès de leur conjoint est nettement plus élevée parmi les femmes que parmi les hommes. Sur l'ensemble des générations 1945-1962, elle est plus de deux fois plus élevée. Si les proportions d'hommes et de femmes qui subissent une perte de niveau de vie après le décès de leur conjoint se rapprochent, c'est essentiellement du fait de la plus grande proportion d'hommes qui y perd plutôt que parce que la situation des femmes s'améliore.

La part des retraités qui subissent une perte de niveau de vie après le décès de leur conjoint diminue avec les générations pour les hommes, et augmente pour les femmes. Dès lors que le décès du conjoint a pour conséquence une perte de niveau de vie, la proportion de la perte est de 12,4 % pour les hommes et de 11 % pour les femmes.

Cependant, lorsque le décès n'entraîne pas de perte de niveau de vie, le niveau de vie des hommes après le décès augmente en moyenne davantage que celui des femmes. Pour les hommes qui ne connaissent pas de chute de niveau de vie, l'évolution est de 21 %, contre 11,1 % pour les femmes.

■ Les réformes de 1993 et 2003 : conséquences sur le niveau de vie des retraités

De nombreuses études ont déjà montré que les réformes des systèmes de retraite de 1993 et de 2003[5] ont contribué, pour les générations concernées, à porter les pensions à un niveau inférieur à celui qu'elles auraient atteint en l'absence de réforme[6]. En ce qui concerne le niveau des pensions à la liquidation, les réformes ont entre autres allongé la durée d'assurance nécessaire pour bénéficier du taux plein dans le secteur privé (de 37,5 années à 41 années) et augmenté le nombre d'années de salaires prises en compte pour le calcul du salaire annuel moyen (de 10 à 25 ans). De plus, la revalorisation des salaires portés au compte se fait désormais en fonction de l'indice de l'évolution des prix et non plus des salaires. De même, les réformes ont introduit l'indexation des pensions sur les prix au lieu des salaires[7].

Pour analyser l'effet des réformes sur les niveaux de vie des retraités, nous avons comparé trois scénarios grâce au modèle Destinie.

Le scénario de référence applique la législation actuelle suite aux deux réformes. Afin d'analyser l'effet global des réformes, un deuxième scénario, qui ne tient pas compte des réformes et applique la législation en vigueur avant 1993, a été simulé[8]. En particulier, les pensions de droit direct et de réversion de tous les régimes, le minimum contributif, les salaires portés au compte sont indexés sur les salaires. La durée de proratisation et la durée minimum pour le taux plein sont de 150 trimestres. Il n'y a pas de surcote, aucune décote dans le secteur public, et la période de référence pour le salaire de référence dans le régime général est de dix ans.

---

5 Pour une présentation des réformes, voir annexe 2, p. 65.

6 Voir en particulier Bonnet, Buffeteau, Godefroy (2006) ; Cnav (2008).

7 Les réformes n'ont pas à proprement parler introduit ce mode d'indexation : elles ont officialisé une pratique existant dans le secteur privé depuis la fin des années 1980 et l'ont étendue au secteur public. Avant la réforme de 1993, le niveau d'indexation des pensions du secteur privé était fixé par décret annuel. Il n'y avait donc pas de règle fixe. Pour plus de détails sur le calcul des pensions et les réformes de 1993 et 2003, voir annexe 2, p. 65.

8 L'analyse des coefficients de revalorisation des pensions avant 1993 montre qu'ils correspondaient à l'évolution des salaires avant la fin des années 1980 et qu'ils étaient proches de l'évolution des prix par la suite (voir Bridenne, Brossard, 2008). Afin de bien refléter ce changement intervenu peu de temps avant la réforme de 1993, nous considérons dans le scénario avant 1993 que les pensions étaient indexées sur les salaires.

Enfin, pour étudier l'effet de la seule indexation des pensions sur les prix, un troisième scénario intègre les réformes de 1993 et 2003, excepté l'indexation des pensions sur les prix. Les pensions de droit direct de tous les régimes (de base et complémentaires) et les pensions de réversion, tout comme le minimum contributif, sont donc indexées sur les salaires pour tous les retraités dès le début de la simulation.

Les résultats des différents scénarios peuvent faire apparaître des écarts qui pourraient s'expliquer à la fois par les changements de réglementation, mais aussi par des modifications de comportement des retraités quant au choix du moment de la liquidation de la retraite. En effet, dans le modèle Destinie, le choix du moment du départ à la retraite se fait par l'intermédiaire d'un modèle de comportement inspiré par le modèle de Stock et Wise (1990) (*cf.* annexe 3, p. 67). Schématiquement, d'après ce modèle, un individu choisit de liquider sa retraite au moment où son utilité à liquider est maximale. Cette utilité à liquider dépend de son éventuel intérêt financier à retarder la liquidation, de son aversion pour le risque, de sa préférence pour le loisir et de son espérance de vie. Afin de nous assurer que les effets des réformes mesurés dans cette étude sont essentiellement liés aux changements de réglementation et de limiter l'effet des changements de comportement, nous avons effectué les mêmes simulations, mais en forçant les individus à liquider leur retraite lorsqu'ils atteignent le taux plein.

L'analyse fait apparaître les mêmes évolutions du niveau de vie et les mêmes écarts entre les scénarios avant et après réformes que ceux constatés avec les scénarios appliquant le modèle de comportement. La seule différence est qu'ils font apparaître des niveaux de vie légèrement plus faibles après 2003 dans le scénario avec départ à taux plein, ce qui n'a rien de surprenant. C'est pourquoi nous ne présenterons ici que les résultats des scénarios avec application du modèle de comportement, comme pour tous les résultats précédents.

Pour faciliter la lecture des résultats de ces simulations, les graphiques 5 et 6 (p. 57) se limitent aux générations nées entre 1951 et 1956. Nous avons vérifié que dans tous les scénarios, les évolutions des niveaux de vie des différentes générations au cours de la retraite sont parallèles.

Les réformes de 1993 et 2003 ont pour conséquence de diminuer le niveau de vie des retraités dès la liquidation (*cf.* graphique 5). Du fait de la montée en charge progressive des réformes, les générations les plus jeunes sont plus concernées que les plus anciennes. Pour les générations nées entre 1945 et 1950, l'écart de niveau de vie à la liquidation entre les deux scénarios est d'environ 10 %. Pour les générations nées entre 1951 et 1956, il est d'environ 14 %. Enfin, pour celles nées entre 1957 et 1962, il est proche de 18 %.

Graphique 5. Évolution au cours de la retraite du niveau de vie moyen des hommes et des femmes retraités selon trois scénarios

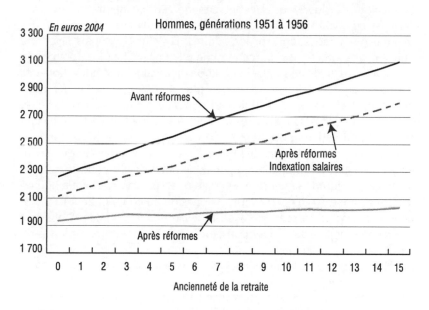

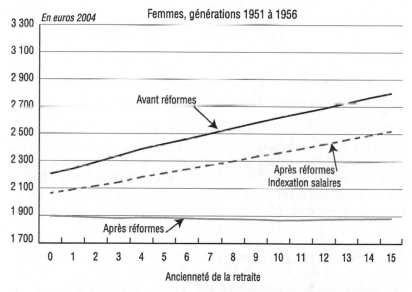

Lecture : parmi les hommes retraités des générations 1951-1956, le niveau de vie moyen après quinze années de retraite est de 2 037 euros mensuels. Il serait de 3 105 euros mensuels si les réformes n'avaient pas eu lieu, et de 2 803 euros si elles n'avaient pas introduit l'indexation des pensions sur les salaires.

Champ : individus à la retraite nés entre 1951 et 1956 encore en vie après quinze années de retraite.

Source : modèle de microsimulation Destinie, scénarios avant 1993 et après 2003.

L'impact de l'indexation des pensions sur les prix plutôt que sur les salaires est visible dès la liquidation. Le niveau de vie des retraités à la liquidation est plus élevé dans le scénario où l'on neutralise les deux réformes comparativement au niveau de vie obtenu avec application des réformes mais indexation sur les salaires. Et celui-ci est plus favorable que le niveau de vie issu du scénario de référence. Chez les hommes, la perte de niveau de vie à la liquidation imputable à l'indexation des pensions sur les salaires est d'un peu plus de 6 % pour les générations nées entre 1945 et 1950, de 9 % pour celles nées entre 1951 et 1956, et de 11 % pour celles de 1957 à 1962. Chez les femmes, la perte de niveau de vie à la liquidation est de 7 %, 8 % et 10 % pour les trois cohortes successives. Il s'agit là d'un effet mécanique, lié aux individus qui vivent dans un couple comprenant une personne qui a déjà liquidé sa retraite. Si un retraité liquide sa pension à la date (*t*) et que son conjoint a liquidé la sienne l'année (*t-3*) par exemple, la pension du conjoint aura subi une perte par rapport au scénario avec indexation sur les salaires pendant trois années déjà. Ceci a pour conséquence directe un niveau de vie du couple moins important que si la pension du conjoint liquidant le premier avait augmenté au même rythme que les salaires.

L'écart entre les deux scénarios avant et après les réformes est plus important après quinze ans de retraite. Il se creuse progressivement au cours de la retraite du fait du changement du mode d'indexation des retraites. Dans le scénario sans réformes, elles sont indexées sur les salaires et continuent donc à augmenter après la liquidation, ce qui n'est pas le cas après les réformes. En conséquence, le niveau de vie des hommes après réformes est plus faible de 34 % à celui qu'ils auraient eu sans les réformes ; celui des femmes est plus faible de 33 %.

Cet effet du mode d'indexation des pensions se vérifie lorsqu'on analyse l'écart entre le niveau de vie avec indexation sur les prix et le niveau de vie avec indexation sur les salaires. Cet écart se creuse avec le temps. Après quinze années de retraite, la perte atteint presque 27 % pour les hommes, et dépasse 25 % pour les femmes, toutes générations confondues. En revanche, il n'augmente pas selon les générations.

Ce résultat est de plus tout à fait en cohérence avec les évolutions du salaire médian. Comme le montre le graphique 6, le salaire médian évolue nettement plus vite que le niveau de vie des retraités. Il augmente en moyenne de 24 points pendant les quinze premières années de la retraite, alors que le niveau de vie des hommes augmente de 5 points, et celui des femmes baisse de 1 point. Ces résultats sont valables quelle que soit la génération.

Graphique 6. Évolution du salaire médian et du niveau de vie des hommes et des femmes au cours de la retraite (base 100 à la liquidation)

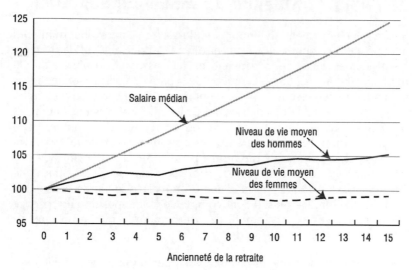

Champ : individus à la retraite nés entre 1951 et 1956 encore en vie après quinze années de retraite.
Source : modèle de microsimulation Destinie, scénarios après 2003.

Finalement, les réformes des retraites ont eu pour conséquence des niveaux de vie des retraités plus faibles que si elles n'avaient pas eu lieu. À la liquidation de la retraite, la perte de niveau de vie est de 14 % pour les hommes et de 20 % pour les femmes. Après quinze ans de retraite, sous l'effet des réformes, le niveau de vie est plus faible de 37 % pour les hommes et de 30 % pour les femmes. Pour les hommes comme pour les femmes, le changement des modes d'indexation des pensions et des salaires portés au compte explique plus de la moitié de la perte de niveau de vie à la liquidation, et 70 % des écarts après quinze ans de retraite.

Ainsi, l'indexation des pensions sur les prix a une forte incidence sur les pensions moyennes des retraités pendant la retraite. Une autre manière d'analyser l'effet des changements de mode d'indexation des pensions est de s'intéresser plus particulièrement à ceux dont les niveaux de vie sont les plus faibles : les bénéficiaires de l'Aspa.

■ Évolution du taux de bénéficiaires de l'Aspa : influence du mode d'indexation

L'Aspa (anciennement minimum vieillesse) est un revenu minimum attribué aux personnes de 65 ans et plus. Il a pour objectif de protéger les personnes âgées de la pauvreté en leur assurant un niveau de vie minimum (*cf.* Augris, Bac, « Évolution de la pauvreté des personnes âgées et minimum vieillesse », p. 14 de ce numéro). Il concerne en particulier les personnes qui ont très peu travaillé, avec des salaires très faibles, et qui perçoivent de ce fait une pension de retraite très limitée, voire aucune pension. Parmi les retraités, les personnes percevant l'Aspa sont celles qui ont les niveaux de vie les plus faibles. Le montant de cette prestation est d'ailleurs assez proche d'un seuil de pauvreté correspondant à 50 % de la médiane des niveaux de vie de l'ensemble de la population. De plus, il tient compte de la composition du ménage et des ressources de l'ensemble de ses membres, comme un taux de pauvreté en termes de niveau de vie.

Il est préférable de s'intéresser aux évolutions du taux de bénéficiaires de l'Aspa avec l'âge plutôt qu'en fonction de l'ancienneté de la retraite. En effet, l'âge de liquidation de la retraite varie dans une même génération. Comme l'attribution de l'Aspa est conditionnée par l'âge (65 ans), cela pourrait introduire artificiellement une distorsion du taux de bénéficiaires.

Les taux de bénéficiaires de l'Aspa simulés par le modèle Destinie sont plus élevés que ceux couramment observés en France. Cela s'explique en partie par le fait que les conditions de ressources incluent différents types de revenus, dont tous ne sont pas simulés par le modèle. En particulier, les revenus du patrimoine financier et immobilier ne sont pas utilisables. La somme des revenus est par conséquent sous-estimée, ce qui entraîne un biais dans l'estimation du taux de bénéficiaires de l'Aspa. En revanche, la population étudiée par le modèle Destinie intégrant les personnes en institution, il est probable que les très bas revenus des personnes âgées soient mieux pris en compte que dans les enquêtes plus classiques, qui se limitent aux individus habitant dans des logements dits « ordinaires ». Pour analyser l'évolution du taux de bénéficiaires de l'Aspa, nous considérons dans cette étude que le biais est le même pour toutes les années de la simulation.

Afin d'analyser les effets du mode d'indexation des pensions et de l'Aspa sur le niveau de vie des retraités, comparons son évolution pendant la retraite selon deux scénarios.

Le scénario de référence est identique à celui utilisé précédemment après application des réformes de 1993 et 2003. Il est représenté sur le graphique 7 (p. 60) par la courbe « scénario prix-salaires » car il indexe les pensions sur les prix et le montant de l'Aspa sur les salaires.

Dans le deuxième scénario, les pensions de retraite et l'Aspa sont tous les deux indexés sur les prix (scénario prix-prix). Ce scénario correspond à la stricte application de la législation française. Mais il correspond malgré tout à un scénario quelque peu irréaliste. En effet, dans le passé, le montant du minimum vieillesse, qui a été remplacé par l'Aspa, a été régulièrement réévalué, précisément pour éviter une dégradation de la situation relative des retraités. À long terme, ces réévaluations ont entraîné une évolution du minimum vieillesse proche de celle des salaires. C'est la raison pour laquelle le scénario de référence du modèle Destinie fait par défaut l'hypothèse que l'Aspa évoluera comme les salaires. Le scénario (prix-prix) est justement intéressant pour illustrer les effets des modes d'indexation. Les deux scénarios d'évolution de l'Aspa n'intègrent pas la revalorisation de 25 % (en euros courants) en cinq ans de l'Aspa pour personne seule mise en place à partir de janvier 2009.

Le graphique 7 (p. 60) montre que dans le scénario de référence, plus ils avancent en âge, plus les retraités sont bénéficiaires de l'Aspa.

En effet, ils sont progressivement rattrapés par le seuil de pauvreté à cause des formes d'indexations différentes des pensions de retraite et de l'Aspa. Dans le scénario de référence, cette prestation augmente plus vite que les pensions individuelles car elle est indexée sur les salaires, alors que les pensions sont indexées sur les prix. L'indexation sur les prix des pensions individuelles n'empêche cependant pas les pensions moyennes d'augmenter comme les salaires à long terme. Au fil du temps, la population des retraités change : certains liquident leur retraite et entrent dans la population des retraités, alors que d'autres décèdent. Ceux qui liquident ont des pensions plus élevées que ceux qui décèdent. Ils font partie de générations plus jeunes qui ont eu des salaires plus élevés du fait de la hausse de la productivité. Mécaniquement, les pensions moyennes augmentent donc au fil du temps. Mais le mode d'indexation des pensions augmente le risque pour un retraité donné qui part à la retraite au-dessus du seuil de pauvreté de passer en dessous de ce seuil au cours de sa retraite.

Comme le montre le graphique 7 (p. 60), si l'Aspa était dans les faits indexée sur les prix comme le prévoit la législation, le taux de bénéficiaires de l'Aspa serait plus faible que dans le scénario central, et cet écart augmenterait avec l'âge et avec les générations. Dans le scénario (prix-prix) le taux de bénéficiaires de l'Aspa diminue, mais cela n'est finalement pas une bonne nouvelle. Cela signifie en fait que cette prestation devient de plus en plus symbolique et déconnectée du niveau de vie de l'ensemble de la population. Elle ne joue plus du tout son rôle de protection des personnes âgées contre la pauvreté.

**Graphique 7. Taux de bénéficiaires de l'Aspa selon l'âge
d'après deux scénarios d'indexation (en %)**

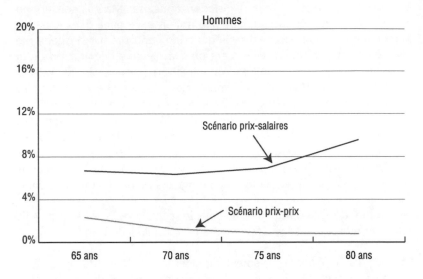

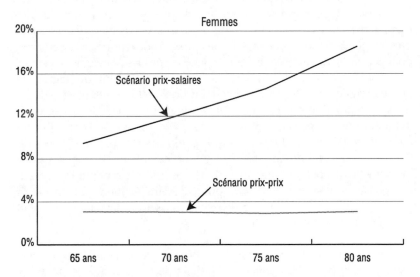

Note : scénario « prix-prix » : les pensions et l'Aspa sont indexées sur les prix. Scénario « prix-salaires » : les pensions sont indexées sur les prix et l'Aspa sur les salaires.

Lecture : 6,7 % des hommes retraités de 65 ans sont bénéficiaires de l'Aspa dans un scénario avec indexation des pensions sur les prix et indexation du montant du minimum vieillesse sur les salaires. Ils ne seraient que 2,3 % si le minimum vieillesse était également indexé sur les prix.

Population : retraités nés entre 1951 et 1956.

Source : modèle de microsimulation Destinie.

De plus, comme nous l'avons vu, une des raisons pour lesquelles les retraités sont susceptibles de subir une baisse de leur niveau de vie est le décès de leur conjoint. Cela explique également en partie pourquoi un retraité peut, alors qu'il a été pendant des années au-dessus du seuil, passer en dessous et avoir droit à l'Aspa. La hausse du taux de bénéficiaires de cette prestation est plus faible pour les hommes que pour les femmes. Elle est distribuée plus tôt pour les femmes car celles-ci perdent leurs conjoints plus jeunes. Au fur et à mesure qu'ils vieillissent, l'écart entre les hommes et les femmes retraités augmente, car ils vivent de plus en plus seuls plutôt qu'en couple (cf. infra). Dans ce scénario, la part des bénéficiaires de l'Aspa, pour les générations nées entre 1945 et 1962[9], est plus élevée chez les femmes que chez les hommes. À partir de 70 ans, elle est en moyenne deux fois plus importante parmi les femmes.

■ Conclusion

Comme nous venons de le voir, d'après le modèle de microsimulation Destinie, l'amélioration au fil des générations de la participation des femmes au marché du travail ne devrait pas empêcher les écarts de niveau de vie entre les hommes et les femmes tout au long de la retraite de perdurer. Les femmes bénéficient comme les hommes de la hausse de la productivité. Mais les situations conjugales des hommes et des femmes devraient avoir une influence négative sur le niveau de vie des femmes. De plus, l'amélioration de la situation des femmes en termes d'emploi devrait stagner à partir des générations nées au début des années 1950.

Par ailleurs, le niveau de vie des retraités devrait être plus faible pour les générations à venir par rapport à une situation sans réformes des pensions de 1993 et 2003, essentiellement du fait de l'indexation sur les salaires des pensions et des salaires portés au compte.

Cette étude a par conséquent permis de mesurer les évolutions des niveaux de vie des futures générations de retraités en prenant en compte, grâce au modèle Destinie, les structures des ménages de retraités, les évolutions estimées du marché du travail, et les effets des réformes des retraites.

---

9 Afin d'améliorer la lisibilité du graphique 7, nous n'avons pas opéré de distinction entre les générations. Les écarts entre générations sont relativement peu significatifs en ce qui concerne le taux de bénéficiaires du minimum vieillesse. La seule chose que l'on peut constater est une augmentation de la part des bénéficiaires du minimum vieillesse au fil des générations, mais seulement parmi les femmes, et essentiellement dans le scénario de référence.

Cependant, l'utilisation de la version actuelle du modèle comporte des limites, du fait de l'absence de certaines informations issues de la simulation. En effet, il serait intéressant de compléter les revenus des individus par les revenus du patrimoine et les prestations sociales. Cela permettrait d'estimer de façon plus réaliste les revenus des retraités et la dispersion des niveaux de vie. Il serait ainsi possible d'étudier la distribution des niveaux de vie parmi les retraités, mais également de comparer leur situation à celle du reste de la population, en particulier à celle des actifs, et de calculer des taux de pauvreté.

Une nouvelle version du modèle en cours de préparation devrait intégrer les revenus du patrimoine et les prestations sociales (prestations familiales et allocations logement) et permettre ces approfondissements de l'étude du niveau de vie des retraités.

■ Annexes

■ Annexe 1 - La simulation des niveaux de vie dans Destinie : comparaison avec les résultats issus des enquêtes « Revenus fiscaux »

L'enquête « Revenus fiscaux » est la source utilisée traditionnellement pour estimer le niveau de vie des ménages et le taux de pauvreté de la population. Elle constitue donc la référence pour juger la qualité des simulations des niveaux de vie réalisées par le modèle Destinie. Le principal défaut du modèle en la matière est l'absence, dans sa version actuelle, d'un certain nombre de revenus qui jouent un rôle essentiel dans la redistribution. Ainsi, la majorité des prestations sociales ne sont pas comptabilisées. Les allocations logement, notamment, contribuent fortement à assurer un niveau de vie décent et permettent à une partie des ménages de passer au-dessus du seuil de pauvreté.

Cela étant, cette limite n'invalide pas l'étude du niveau des retraités, et ce pour deux raisons. D'abord, les revenus des ménages dont la personne de référence est âgée de 65 ans ou plus sont constitués à plus de 90 % des pensions de retraite et des revenus salariaux ou d'activité (Baclet, 2006).

Ensuite, les niveaux de vie et taux de pauvreté ont été recalculés sur l'enquête « Revenus Fiscaux » avec le même concept de revenus que celui utilisé par Destinie. Il s'agit essentiellement des revenus d'activité et des avantages vieillesse (pensions de retraite, minimum vieillesse), avant impôts, ce qui explique que le taux de pauvreté soit supérieur aux valeurs usuelles (voir par exemple Insee, 2005). Cela étant, les résultats sont très proches de ceux issus de Destinie (tableau ci-après). Ceci légitime les calculs faits à partir du modèle Destinie et présentés dans cet article, à condition de s'intéresser davantage aux évolutions qu'aux niveaux absolus des grandeurs.

Niveau de vie mensuel et taux de pauvreté selon le modèle Destinie
et l'enquête «Revenus fiscaux 2004»

	Ensemble de la population		Individus de 65 ans et plus	
	Destinie	ERF 2004	Destinie	ERF 2004
	Niveau de vie avant impôts			
Médiane	1 394	1 338	1 272	1 226
Moyenne	1 609	1 542	1 467	1 411
Taux pauvreté 50 % de la médiane	13,9	14,3	8,2	8,0
Taux pauvreté 60 % de la médiane	20,9	20,4	18,8	17,7
	Niveau de vie après impôts			
Médiane	ND	1 503	ND	1 428
Moyenne	ND	1 314	ND	1 231
Taux pauvreté 50 % de la médiane	ND	6,0	ND	3,0
Taux pauvreté 60 % de la médiane	ND	11,4	ND	8,0

Lecture: le niveau de vie moyen des individus de 65 ans ou plus est estimé à 1 467 euros mensuels (en euros 2004) par le modèle Destinie, et à 1 411 euros mensuels par l'enquête «Revenus fiscaux 2004». Les taux de pauvreté des individus de 65 ans ou plus calculés avec un seuil correspondant à la moitié du revenu médian sont estimés respectivement à 8,2 et 8,0 %.

■ Annexe 2 - Le calcul des retraites dans le système français et les réformes depuis 1993

Le calcul de la retraite

Pour comprendre les effets des réformes sur les pensions et le niveau de vie des retraités, il est nécessaire de rappeler rapidement le mode de calcul des pensions de retraite.

À la liquidation, la retraite de base est calculée comme le produit de trois termes :
- le salaire annuel moyen (Sam), moyenne des salaires bruts plafonnés des *n* meilleures années dans le secteur privé, des six derniers mois hors primes dans le secteur public ;
- le taux de liquidation : 50 % dans le régime général et 75 % dans la Fonction publique (les fonctionnaires ne disposant pas de régime complémentaire, leur taux est supérieur) ;
- un taux de proratisation éventuel, qui vient minorer la pension, là aussi si la durée d'assurance dans le régime considéré est inférieure à la « durée cible » ou « durée de référence ».

Les durées d'assurance tous régimes confondus nécessaires pour liquider au taux plein de 50 % (ou de 75 % pour le secteur public) dépendent de l'année de naissance de l'individu du fait de la montée en charge progressive des réformes de 1993 et 2003.

Formellement, la pension *P* d'un individu peut se simplifier de la manière suivante :

$$P = Taux \times Min\left[\frac{T}{DC}, 1\right] \times Sam$$

où *T* représente le nombre de trimestres validés par l'individu, *DC* représente la durée cible, *Taux* est le taux plein. La quantité *Min[T/DC, 1]* est le taux de proratisation.

La réforme de 1993 pour les salariés du privé

La réforme de 1993 a eu des conséquences importantes, uniquement dans le secteur privé, sur les pensions de droit direct à la liquidation, mais aussi sur leur évolution au cours de la retraite.

65

Elle a principalement introduit :
- l'indexation des pensions sur les prix. Auparavant, les pensions de retraite étaient indexées sur les salaires et augmentaient donc au fil de la retraite ;
- l'indexation des salaires portés au compte sur les prix et non plus sur les salaires ;
- l'augmentation de la période de référence pour le Sam, qui passe de 10 à 25 ans. Ainsi, le salaire de référence est la moyenne des 25 meilleures années et non plus des 10 meilleures années ;
- une hausse de la durée d'assurance pour le taux plein, qui passe de 150 à 160 trimestres.

La réforme de 2003 pour les salariés du privé

Les principales mesures introduites par la réforme de 2003 pour le secteur privé sont moins importantes que celles introduites en 1993 :
- à partir de la génération 1949, la durée d'assurance pour bénéficier du taux plein augmentera progressivement pour atteindre 167 trimestres (hypothèse retenue dans Destinie) ;
- allongement dans les mêmes conditions de la durée intervenant dans le coefficient de proratisation ;
- la décote est progressivement allégée, pour atteindre 5 % par annuité manquante ;
- une surcote est mise en place. La pension est majorée de 0,75 % par trimestre effectué au-delà la durée d'assurance « tous régimes » requise pour liquider sa retraite à taux plein à condition qu'il soit effectué après 60 ans. Le taux de la surcote passera à partir du 1er janvier 2009 à 1,25 % par trimestre.

La réforme de 2003 pour les salariés du secteur public

La réforme de 2003 a surtout eu des conséquences pour les salariés du secteur public, puisqu'elle avait entre autres comme objectif d'aligner les réglementations appliquées dans le secteur public sur celles déjà en vigueur dans le secteur privé.

Ainsi, elle a introduit :
- l'indexation des pensions sur les prix, qui entraîne une stabilisation des pensions au cours de la retraite ;
- l'augmentation de la durée de cotisation cible au rythme de deux trimestres par an ;
- l'instauration d'une décote par trimestre manquant pour obtenir le taux plein ;
- l'instauration d'une surcote par trimestre supplémentaire au-delà du taux plein ;
- des modifications des avantages familiaux.

■ Annexe 3 - Le modèle de microsimulation Destinie

Le modèle Destinie (modèle Démographique Économique et Social de Trajectoires INdividuelles sImuléEs) est construit pour analyser et projeter la situation des retraités. La dimension temporelle de la thématique des retraites nécessite de faire vieillir un échantillon d'individus représentatif de la population française. Dans ce cadre, Destinie simule le parcours socio-économique, jusqu'à l'horizon 2040, d'environ 50 000 individus issus de l'enquête « Patrimoine 1998 » de l'Insee.

Plus précisément, pour chaque individu, Destinie simule année après année des événements démographiques (formation et rupture des couples, naissance d'enfants, décès des personnes, etc.) et économiques (situation sur le marché du travail, revenu annuel, etc.). Schématiquement, cela se passe de la manière suivante. On commence par calculer, pour chaque individu, la probabilité qu'il connaisse un événement donné (mise en couple, sortie d'emploi, etc.), compte tenu de ses caractéristiques observées et connues dans le modèle (son âge, son sexe, son niveau d'éducation, son ancienneté sur le marché du travail, etc.). Cette probabilité est calculée sur la base d'estimations effectuées préalablement sur des données provenant de diverses enquêtes de l'Insee (enquête Emploi, enquête Patrimoine, enquête Histoire familiale, etc.). Ensuite, l'individu se voit affecter un nombre tiré aléatoirement entre 0 et 1. Cet aléa détermine, selon qu'il est inférieur ou supérieur à la probabilité calculée, si l'individu vit ou non l'événement. On réitère l'opération pour tous les événements à simuler, pour tous les individus et pour toutes les années de la simulation (jusqu'en 2040). Cette manière de faire introduit donc de l'hétérogénéité dans le modèle : deux individus ayant les mêmes caractéristiques observées n'auront pas nécessairement le même « destin ».

Seul l'événement « passage à la retraite » ne suit pas ce schéma. L'individu « décide » de partir à la retraite en faisant un calcul économique fondé sur la durée de sa retraite et son niveau de pension. Cet arbitrage est formalisé par un modèle de comportement économique inspiré de Stock et Wise (1990). Les paramètres de ce modèle de comportement ont été estimés sur les données de l'Échantillon Inter-régimes des Retraités (EIR) géré par la Drees. Son apport essentiel est de pouvoir faire réagir les individus à des incitations financières comme celles mises en place par la loi de 2003 sur les retraites (décote et surcote). L'inconvénient est que les résultats de Destinie restent tributaires de ses propriétés.

Finalement, on obtient donc des «histoires de vie», qui sont certes simulées, mais qui le sont sur la base de transitions réellement observées par le biais des enquêtes. Comme tout modèle de microsimulation dynamique, Destinie offre un double intérêt: celui de fournir des éléments de prospective, c'est-à-dire de simuler des situations individuelles futures considérées comme les plus vraisemblables compte tenu des données en entrée du modèle (échantillon de départ, estimations de probabilités de survenance des différents événements, modèle de comportement de départ à la retraite, etc.); celui de simuler de «nouvelles» situations résultant de divers scénarios, consistant par exemple à modifier les règles d'attribution des pensions ou à changer les règles d'indexation, comme ce qui est fait dans cette étude.

■ Bibliographie

Afsa C., Buffeteau S., 2007, « L'activité féminine en France : quelles évolutions récentes, quelles évolutions pour l'avenir », *Économie et Statistique*, n° 398-399, p. 85-97.

Baclet A., 2006, *Les seniors : des revenus plus faibles pour les âgés compensés par un patrimoine plus élevé*, Paris, Insee, 13 p.

Bardaji J., Sedillot B., Walraet E., 2003, « Un outil de prospective des retraites : le modèle de microsimulation Destinie », *Économie et Prévision*, n° 160-161, p. 193-214.

Bonnet C., Buffeteau S., Godefroy P., 2006, "Effects of Pension Reforms on Gender Inequality in France", *Population-E*, n° 61(1-2), p. 51-80.

Blanchet D., 2007, « Évolution de la pauvreté et des inégalités parmi les retraités en France », *Santé, société et solidarité*, n° 1, p. 107.

Bridenne I., Brossard C., 2008, « Les effets de la réforme de 1993 sur les pensions versées par le régime général », *Retraite et Société*, n° 54, Paris, Cnav, p. 122-153.

Buffeteau S., Godefroy P., 2006, « Prospective des départs en retraite pour les générations 1945 à 1975 », *Données sociales. La société française*, Insee, p. 593-601.

Caisse nationale d'assurance vieillesse, 2008, « La réforme des retraites de 2003 : cinq ans après », *Retraite et Société*, n° 54, Paris, Cnav, 253 p.

Conseil d'orientation des retraites, 2007a, « Niveau de vie, réversion et divorce », Groupe de travail, 13 juin, http://www.cor-retraites.fr /article312.html.

Conseil d'orientation des retraites, 2007b, « Le niveau de vie des veuves et des divorcées », Groupe de travail, 13 juin, http://www.cor-retraites.fr/article312.html.

Conseil d'orientation des retraites, 2007c, « La diversité des droits familiaux et conjugaux selon les régimes de retraite », Groupe de travail, 28 mars, http://www.cor-retraites.fr/article306.html.

Division « Redistribution et politiques sociales », 1999, « Le modèle de microsimulation dynamique Destinie », Document de travail Insee/Dese, G 9913.

Insee, 2005, *Les personnes âgées*, collection Insee-Références.

Stock J., Wise D., 1990, "Pensions, the Option Value of Work, and Retirement", *Econometrica*, n° 58(5), p. 1151-1180.

Veuvage, pension de réversion et maintien du niveau de vie suite au décès du conjoint : une analyse sur cas types

Carole Bonnet, Institut national d'études démographiques ;
Jean-Michel Hourriez, Conseil d'orientation des retraites, Crest-Institut
national de la statistique et des études économiques[1]

Après le départ en retraite, l'incertitude sur l'évolution des revenus est réduite. En particulier, dans le système actuel, où les pensions sont revalorisées en fonction des prix, chaque retraité est en théorie assuré de conserver son niveau de vie au moment de la liquidation des droits jusqu'à la fin de ses jours. Toutefois, la sécurité financière peut être compromise par le choc que constitue le décès du conjoint. En effet, cet événement s'accompagne en général d'une baisse des ressources (Hurd, 1989 ; Hurd, Wise, 1989 ; Holden, Brand, 2003 ; Burkhauser *et al.*, 2005 ; Weir, Willis, Sevak, 2002), plus ou moins compensée par les pensions de réversion, qui consistent à reverser au conjoint survivant une partie de la pension de retraite de son conjoint décédé.

Face au vieillissement de la population et aux changements démographiques importants intervenus durant les quatre dernières décennies, des réformes des systèmes de retraite sont en cours dans de nombreux pays, et le dispositif de la pension de réversion fait l'objet d'interrogations (Favreault, Steuerle, 2007 ; Iams, Sandell, 1998 ; Favreault, Sammartino, Steuerle, 2002). Malgré l'importance des masses financières consacrées aux pensions de réversion (environ 14 % des retraites versées par l'ensemble des régimes, soit environ 30 milliards d'euros en 2006), les travaux sont quasi inexistants en France sur la manière dont la réversion compense la perte de ressources.

Mise en œuvre après la Deuxième Guerre mondiale, alors que prédominait le modèle de l'homme « gagne-pain », et que les femmes étaient quasiment dépourvues de pensions de droits propres, la pension de réversion était à l'origine destinée à éviter une entrée dans la pauvreté de veuves suite au décès de leur mari. Mais la participation croissante des femmes au marché du travail et l'ouverture du droit à réversion aux hommes invitent à s'interroger sur l'apport des pensions de réversion dans un contexte où le conjoint survivant a des droits propres

---

1 Cet article est issu de réflexions menées au sein du secrétariat général du Conseil d'orientation des retraites (Cor) dans le cadre de la préparation du 6e rapport du Cor consacré aux droits familiaux et conjugaux (Cor, 2008). Les principaux éléments de cet article ont été repris dans ce rapport. L'ensemble des vues exprimées dans cet article n'engage cependant que les auteurs et en aucune façon le Conseil d'orientation des retraites.

conséquents. En outre, les régimes complémentaires, suivant l'exemple des régimes spéciaux du secteur public, ont développé une vision quasi patrimoniale de la réversion, où celle-ci est regardée comme un droit acquis en contrepartie des cotisations que le défunt a versées, si bien que la pension de réversion est alors versée quelles que soient les ressources du survivant.

Si le système de pension de réversion est peu généreux et les ressources propres du conjoint survivant insuffisantes, le niveau de vie de ce dernier pourrait être plus faible que celui atteint pendant la période de retraite vécue en couple. Inversement, pour les conjoints survivants ayant des droits propres ou un patrimoine importants, le revenu par unité de consommation pourrait être plus élevé durant le veuvage que pendant la période de retraite, surtout si les taux de réversion sont élevés. Cela pourrait concerner les veufs dès aujourd'hui, et à l'avenir un nombre croissant de veuves, en raison de l'augmentation de l'activité féminine au fil des générations. La question se pose donc de savoir si le système français de réversion assure ou non aux générations actuelles et futures de retraités le maintien du niveau de vie suite au décès du conjoint, compte tenu des règles appliquées dans les différents régimes et des montants de retraite masculins et féminins chez les générations actuelles et futures de retraités.

Le maintien du niveau de vie antérieur au décès n'a jamais été un but explicite des dispositifs de réversion (Cor, 2007 ; Cor, 2008), qui relèvent de logiques différentes :

– au régime général et dans les régimes alignés, un objectif de redistribution en faveur des veuves peu pourvues en droits propres, par le biais de règles de cumul avant 2003 ou d'une condition de ressources depuis la loi de 2003 ;
– dans les régimes complémentaires et les régimes spéciaux, un objectif patrimonial.

Le maintien du niveau de vie apparaît néanmoins comme un objectif possible du système de réversion. En effet, si les veuves subissaient une perte de revenus trop importante, il apparaîtrait souhaitable de relever les pensions de réversion, dans un souci d'égalité de niveau de vie entre hommes et femmes au moment de la retraite. Inversement, si le niveau de vie après le décès s'avérait supérieur au niveau de vie antérieur, il apparaîtrait opportun de limiter les montants des réversions, dans le contexte actuel de besoin de financement du système de retraite. Deux autres raisons pourraient militer en faveur de cet objectif. La première consiste à considérer que le système de retraite garantit un taux de remplacement du revenu d'activité, y compris après le décès du conjoint. La deuxième est que des choix d'activité dissymétriques ont pu être faits au sein du couple, et qu'on ne souhaite pas que le conjoint qui a réduit son activité pour élever les enfants soit pénalisé s'il survit au conjoint qui s'est plus investi dans sa vie professionnelle. Cela renvoie à l'idée que la réversion est un dispositif qui soutient et promeut les couples mariés, parce que l'on estime que le couple et le mariage génèrent des externalités positives : le couple protège de la pauvreté et le mariage « protège » la femme en cas de séparation (prestations compensatoires), de sorte que l'État a moins de prestations à verser aux personnes isolées sans ressources lorsque la plupart des personnes choisissent de vivre en couple et de se marier.

Le maintien du niveau de vie n'est pas le seul objectif possible de la réversion, et l'on peut lui préférer, par exemple, un objectif de redistribution en faveur des veuves les plus modestes. Plus précisément, si le couple dispose avant le décès d'un des conjoints d'un niveau de vie élevé (retraites de cadres, patrimoine important, etc.), deux visions peuvent s'affronter :

– soit on privilégie l'objectif de maintien du niveau de vie, le but étant que le conjoint survivant conserve grâce aux dispositifs de réversion un niveau de vie aussi élevé après le décès ;

– soit on privilégie un objectif de redistribution, en considérant que les régimes obligatoires de retraite n'ont pas vocation à garantir le niveau de vie antérieur au décès, et que le maintien du niveau de vie du conjoint passe par des dispositifs de prévoyance volontaire (épargne retraite avec sortie en rente réversible, assurance vie ou décès, etc.).

Cet article retient comme hypothèse de travail que l'objectif assigné à la réversion est le maintien du niveau de vie du conjoint survivant, sans préjuger de l'objectif qu'il convient de privilégier. Il examine sous quelles conditions un système de réversion assure le maintien du niveau de vie du survivant suite au décès de son conjoint. Notre analyse se restreint aux couples mariés de retraités sans enfants à charge, dont l'un des membres décède. Nous n'abordons pas deux questions importantes qui mériteraient à elles seules une étude approfondie : celle du veuvage précoce, lorsque le décès intervient en cours de vie active et/ou que des enfants sont encore à la charge du conjoint survivant ; et celle du divorce, qui va prendre de l'ampleur avec l'arrivée à l'âge de la retraite de générations de baby-boomers concernées par l'augmentation du taux de divorce. Cette situation va sans doute nécessiter un aménagement des règles de la réversion ou la recherche d'alternatives à la réversion comme le partage des droits propres.

Deux questions sont successivement abordées dans cet article. La première est celle de la mesure du niveau de vie. Celui-ci est en principe défini comme le revenu par unité de consommation du ménage. Mais l'échelle d'équivalence standard utilisée pour déterminer le nombre d'unités de consommation n'est pas nécessairement pertinente pour la question du veuvage. La deuxième est celle des règles des dispositifs de réversion. Compte tenu des règles en vigueur en France, dans quels cas le conjoint survivant voit-il son revenu par unité de consommation baisser ou au contraire augmenter ? Existe-t-il un taux de réversion optimal pour atteindre l'objectif de maintien du niveau de vie ? Quel rôle joue la condition de ressources introduite dans le régime général ainsi que dans les régimes alignés ? Peut-on définir un dispositif de réversion qui maintiendrait le niveau de vie dans tous les cas ?

■ Quel niveau de revenu faut-il assurer au conjoint survivant pour maintenir son niveau de vie ?

On se place ici dans le cas standard d'un couple de retraités dont l'un des membres décède. On suppose qu'ils ne cohabitent avec aucune autre personne (par exemple un enfant), ni avant le décès, ni après.

Suite au décès, le revenu du conjoint survivant est en principe inférieur au revenu du couple avant décès. D'une part, le total des pensions de retraite perçues par le ménage diminue, puisque la pension de réversion versée au survivant représente moins de 100 % de la pension du défunt : dans le système de retraite français, la pension de réversion représente au plus 60 % de la pension de droits directs du défunt. D'autre part, le patrimoine du défunt est en général partagé entre le conjoint survivant et les enfants, selon des règles qui dépendent du contrat de mariage et des choix opérés par les héritiers, si bien que les revenus du patrimoine du ménage sont moins élevés après le décès.

Cependant, le décès entraîne également une diminution des besoins de consommation du ménage. Certaines dépenses s'éteignent immédiatement après le décès : c'est le cas des dépenses d'alimentation, d'habillement ou de santé du défunt. Cette baisse de la consommation dans l'année qui suit le décès a été observée dans une étude récente à partir de données de panel américaines[2] (Hurd, Rohwedder, 2008).

---

2 Les données brutes de l'enquête CAMS *(Consumption and Activities Mail Survey)* mettent en évidence une chute des dépenses de 25 % dans l'année qui suit le décès. Cependant, les dépenses baissent aussi légèrement dans le groupe témoin (couples de retraités où aucun décès n'est intervenu) à cause des biais liés à la source, de sorte que les auteurs estiment la chute moyenne de consommation dans l'année qui suit le veuvage à 16 %. Ces observations ne constituent pas une mesure de l'échelle d'équivalence. En effet, l'évolution des dépenses ne reflète l'évolution des besoins que pour des ménages d'épargnants qui ne sont pas contraints budgétairement. Pour des ménages contraints budgétairement, l'évolution des dépenses reflète surtout l'évolution des revenus.

D'autres dépenses ne semblent pas affectées par le décès, du moins dans un premier temps : c'est le cas des dépenses d'habitation et d'automobile. Comme il s'agit souvent de charges revenant à dates régulières et contraintes par les engagements pris par le ménage (assurance, copropriété, abonnements, etc.), le survivant peut avoir l'impression que ses besoins ne diminuent pas après le décès. Néanmoins, au bout d'un certain temps[3], le survivant adapte son mode de vie à sa nouvelle situation, ce qui lui permet de réduire ses dépenses en optimisant sa consommation[4].

Au total, il y a une baisse des besoins de consommation suite au décès. Si l'on veut assurer le maintien du niveau de vie, il ne semble donc pas nécessaire que les pensions de réversion versées au survivant atteignent 100 % des pensions antérieures du défunt, bien qu'il s'agisse *a priori* d'une revendication fréquente[5]. Le conjoint survivant peut maintenir son niveau de vie antérieur au décès malgré une diminution sensible de ses revenus. La question est alors de savoir quelle perte de revenus peut être jugée acceptable : à combien doivent s'élever les revenus du conjoint survivant pour qu'il conserve le niveau de vie antérieur au décès ?

Afin de comparer les niveaux de vie de ménages de taille différente, les statisticiens ont introduit la notion d'échelle d'équivalence. Une échelle d'équivalence évalue le rapport entre les besoins d'un couple et ceux d'une personne seule, ainsi que le coût de l'enfant.

L'échelle d'équivalence standard considère que les besoins d'un couple représentent 1,5 fois ceux d'une personne seule. Ainsi, le conjoint survivant est censé conserver son niveau de vie si ses revenus représentent deux tiers des revenus du couple antérieur. Nous nous référons à cette échelle standard dans la deuxième partie de cet article, ainsi que dans Bonnet et Hourriez, « Quelle variation de niveau de vie suite au décès du conjoint ? » (2009, p. 106 de ce numéro), article consacré aux résultats empiriques. En effet, cette échelle constitue une convention internationale, largement utilisée dans les travaux français et européens.

---

3 Les personnes âgées peuvent éprouver plus de difficultés que les personnes plus jeunes à adapter leur mode de vie à un changement de composition du ménage, car leur comportement de consommation est davantage marqué par le désir de conserver leurs habitudes.

4 Par exemple, en matière de transports, l'automobile est moins rentable pour une personne seule que pour un couple, tandis que les transports en commun deviennent plus attractifs ; le survivant peut donc avoir intérêt à revendre l'automobile du couple ou à choisir une voiture moins onéreuse.

5 Par exemple, dans l'enquête « ERFI » réalisée par l'Insee et l'Ined auprès d'un échantillon de ménages, où une question sur le taux de réversion souhaitable a été introduite, une majorité d'enquêtés s'est prononcée en faveur d'un taux de réversion à 100 %, dans le cas d'une veuve n'ayant jamais travaillé (Bonnet, Destré, 2008).

Néanmoins, il convient de s'interroger sur les limites et la pertinence de l'échelle standard. Nous rappelons d'abord qu'il s'agit avant tout d'une convention consacrée par l'usage. Certes, le paramètre de 1,5 est justifié par des estimations économétriques, mais ces estimations sont affectées par une marge d'incertitude liée à des problèmes conceptuels. Nous nous demandons ensuite si cette échelle, adaptée à l'étude des niveaux de vie dans l'ensemble de la population, demeure adaptée au cas particulier du veuvage des personnes âgées.

■ Justification de l'échelle d'équivalence standard

Les instituts statistiques officiels (Insee et Eurostat) ont adopté au cours des années 1990 une échelle d'équivalence standard, dite « échelle OCDE modifiée ». Elle attribue à chaque ménage un nombre d'unités de consommation en fonction de sa taille : le premier adulte du ménage compte pour 1 unité de consommation (u.c.), les autres adultes ou les adolescents de 14 ans ou plus comptent pour 0,5 u.c., et les enfants de moins de 14 ans pour 0,3 u.c. Selon l'échelle d'équivalence standard, un couple a besoin de dépenser 1,5 fois plus qu'une personne seule pour atteindre un niveau de vie équivalent. Autrement dit, un(e) veuf(ve) est censé conserver le niveau de vie antérieur au décès de son conjoint s'il(elle) perçoit 67 % (soit 2/3) des revenus du couple.

Auparavant, des années 1940 aux années 1990, les statisticiens utilisaient en général l'échelle dite d'Oxford – encore appelée « échelle OCDE » – qui avait été construite à partir de l'évaluation des besoins alimentaires. Cette échelle attribuait davantage d'unités de consommation au deuxième adulte et aux enfants : 0,7 u.c. (au lieu de 0,5) aux personnes de 14 ans et plus, et 0,5 u.c. (au lieu de 0,3) aux enfants de moins de 14 ans. Selon l'échelle d'Oxford, les besoins d'un couple représentaient 1,7 fois ceux d'une personne seule. Un(e) veuf(ve) était ainsi censé conserver le même niveau de vie avec seulement 59 % (soit 1/1,7) des revenus du couple[6].

D'autres formules ont également été utilisées, plus simples (par exemple, l'OCDE utilise aussi la formule $m = \sqrt{N}$, où N est la taille du ménage[7]) ou plus complexes (par exemple, la formule $m = [N_{adultes} + 0,7\,N_{enfants}]^{0,6}$

---

6 Le barème du minimum vieillesse (montant 1,8 fois plus élevé pour le couple que pour la personne seule) est demeuré proche de l'échelle d'Oxford jusqu'en 2008. Cependant, la revalorisation du minimum vieillesse versé aux personnes seules prévue dans la loi de financement de la Sécurité sociale (LFSS) 2009 devrait rapprocher le barème de l'échelle standard, sous réserve des décrets d'application de cette loi. Voir à ce sujet l'article de Augris N. et Bac C., p. 14 de ce numéro.

7 Voir Atkinson *et al.* (OCDE, 1995), ou le rapport « Croissance et inégalités » (OCDE, 2008).

a été proposée par A. Deaton aux États-Unis dans les années 1990 pour redéfinir le seuil de pauvreté officiel). Selon ces échelles d'équivalence alternatives, les besoins d'une personne seule représentent 71 % ou 66 % des besoins d'un couple, valeurs proches de l'échelle standard.

Tableau 1. Différentes échelles d'équivalence

	Échelle standard	Échelle Oxford	Échelle OCDE	Échelle A. Deaton
Poids du 1er adulte	1	1	1	1
Poids du 2e adulte/adolescent	0,5	0,7	0,41	0,52
Poids du 1er enfant dans un couple	0,3	0,5	0,32(*)	0,29(*)
Besoins d'une personne seule relativement aux besoins d'un couple	67%	59%	71%	66%

(*) Dans les échelles OCDE et Deaton, le poids de l'enfant est variable selon son appartenance à une famille monoparentale ou non et selon son rang, la formule de calcul de l'échelle d'équivalence étant non linéaire.

Étant donné qu'il est difficile de mesurer les besoins des ménages en fonction de leur taille et que, plus fondamentalement, le concept de besoins est délicat à définir sur le plan théorique, il existe une certaine incertitude sur la valeur pertinente de l'échelle d'équivalence.

Les valeurs fixées par convention reposent néanmoins sur des modèles de consommation et des estimations empiriques. En France comme à l'étranger, de nombreuses études économétriques ont cherché à estimer des échelles d'équivalence. Deux méthodes principales existent. La première consiste à comparer la consommation des ménages de taille différente. Par exemple, selon un critère couramment utilisé – critère dit de Rothbarth – un adulte vivant seul aurait le même niveau de vie qu'un adulte vivant en couple s'il dépense autant pour s'habiller[8]. Le montant des dépenses vestimentaires par adulte est alors considéré comme un indicateur de niveau de vie. La seconde méthode consiste à exploiter des questions d'opinion sur la situation financière ou sur le niveau de revenu jugé nécessaire pour vivre[9]. Les résultats de ces estimations peuvent

---

8 Si l'on observe dans les enquêtes qu'une personne vivant seule avec un budget de 1 000 euros par mois dépense autant pour ses vêtements qu'une personne vivant dans un couple sans enfant dont le budget est de 1 500 euros, alors l'échelle d'équivalence est estimée à 1,5.

9 Si, au vu des déclarations des ménages, une personne vivant seule avec un budget de 1 000 euros par mois se déclare aussi à l'aise financièrement qu'une autre personne vivant dans un couple sans enfant dont le budget est de 1 500 euros, alors l'échelle d'équivalence est estimée à 1,5.

varier sensiblement selon la méthode utilisée et selon les pays, de sorte que la convention retenue apparaît comme une valeur médiane des différentes estimations proposées dans la littérature[10]. Pour la France, les deux méthodes donnent des résultats proches de l'échelle standard, ce qui renforce la pertinence de cette dernière (Hourriez, Olier, 1998).

L'échelle d'équivalence évalue l'importance des économies d'échelle que les membres d'un couple réalisent en partageant des dépenses communes. Parmi les biens consommés par les ménages, on peut en effet opposer biens individuels et biens collectifs[11]. Un bien individuel n'est utilisé que par une seule personne du ménage : vêtements, médicaments, places de cinéma, etc. Au contraire, un bien collectif est utilisé par tous les membres du ménage : salle de bain, télévision, et plus généralement une grande partie des dépenses d'habitation. Il peut donc être partagé et conduire à des économies d'échelles. Le ratio entre les besoins d'un couple et ceux d'une personne seule est ainsi compris, en théorie, entre cas où tous les biens seraient collectifs et cas où tous les biens seraient individuels. Plus les biens collectifs représentent une part importante de la consommation des ménages, plus les économies d'échelle sont importantes, et plus ce ratio diminue. Ainsi, l'abandon de l'échelle d'Oxford (couple = 1,7 u.c.) au profit de l'échelle standard actuelle (couple = 1,5 u.c.) peut se justifier par l'importance croissante des dépenses d'habitation dans la consommation des ménages européens, tandis que la part des dépenses alimentaires décline[12].

Au total, la valeur retenue conventionnellement pour l'échelle standard s'appuie sur des considérations théoriques et empiriques. Cependant, cette valeur a été fixée globalement pour l'ensemble de la population. Elle pourrait donc ne pas être adaptée au cas particulier du veuvage des personnes âgées[13], pour plusieurs raisons. La première est que les personnes âgées ont des structures de consommation différentes des ménages plus jeunes. La deuxième est que les personnes veuves tendent à conserver le logement qu'elles occupaient avant le décès, de sorte que les dépenses d'habitation ne diminuent pas suite au décès du conjoint.

---

10 Voir Atkinson *et al.* (OCDE, 1995).

11 Le terme de bien collectif est employé par analogie avec l'économie publique. Mais ici, il s'agit de biens collectifs à l'intérieur du ménage.

12 Les paramètres de l'échelle d'Oxford avaient été calculés dans les années 1940 à partir des besoins nutritionnels, en supposant que ceux de la femme représentaient 70 % de ceux de l'homme. À cette époque, l'alimentation représentait plus de la moitié des budgets ouvriers.

13 On pourrait vouloir estimer des échelles d'équivalence sur des sous-populations. Les tentatives faites dans la littérature mettent cependant en évidence l'instabilité des résultats.

Les deux parties qui suivent fournissent un éclairage sur ces deux aspects. Bien sûr, cela n'épuise pas les critiques que l'on pourrait adresser à l'échelle standard. On pourrait objecter, par exemple, qu'elle n'opère pas de distinction entre les besoins spécifiques des femmes et des hommes alors que le survivant est le plus souvent la femme[14], et surtout qu'elle ne prend pas en compte les besoins spécifiques engendrés par la dépendance[15].

■ L'échelle standard demeure adaptée aux personnes âgées

Comme nous l'avons souligné, la valeur de l'échelle d'équivalence dépend de la part des biens collectifs dans la consommation des ménages. Or, la structure de la consommation des personnes âgées diffère de celle du reste de la population : les dépenses des personnes âgées sont moins tournées vers l'extérieur (moins de dépenses de transports, de loisirs, de vacances, d'habillement, etc.) et plus centrées sur la vie domestique et la santé (électricité et chauffage, soins médicaux, services domestiques, etc.). Nous avons alors calculé une échelle d'équivalence adaptée à la structure de la consommation des personnes âgées.

Nous avons utilisé pour cela le modèle de Prais-Houthakker, qui permet de modéliser comment l'échelle d'équivalence varie en fonction de la structure de la consommation. Le modèle suppose qu'il existe une échelle d'équivalence spécifique $m_k[N]$ pour chaque bien de consommation, reflétant l'augmentation des dépenses du bien considéré k en fonction de la taille du ménage N, à niveau de vie fixé. En effet, la plupart des consommations sont intermédiaires entre le bien individuel et le bien collectif. L'automobile, par exemple, est tantôt un bien privatif, tantôt un équipement servant à toute la famille. Selon leur usage, les différentes consommations peuvent s'ordonner sur un axe allant du bien collectif pur $m_k[N] = 1$ au bien individuel pur $m_k[N] = N$. Le modèle permet de calculer l'échelle d'équivalence globale $m[N]$, qui exprime comment la consommation totale du ménage varie en fonction de sa taille à niveau de vie fixé, comme une combinaison linéaire des échelles spécifiques pondérées par la structure de la consommation (*cf.* formule (I)).

---

14 Les femmes consomment plus de soins médicaux (hors maternité) que les hommes.

15 Les situations de dépendance ne concernent qu'une minorité de personnes âgées, et sont extrêmement variables. Si la personne veuve souffre de handicap ou de dépendance et qu'elle était assistée par son conjoint défunt, elle devra recourir à des services marchands, et elle risque ainsi d'avoir des besoins plus importants après le décès qu'avant. Inversement, si c'était le défunt qui était dépendant, son décès entraîne une baisse importante des dépenses du ménage.

Une estimation du modèle de Prais-Houthakker a été proposée par Hourriez et Olier (1998) à partir des données des enquêtes « Budget de famille » 1984, 1989 et 1994. Dans cette étude, les échelles ont été spécifiées sous la forme $m_k[N] = N^{\alpha k}$ et $m[N] = N^{\alpha}$. Le paramètre α de l'échelle globale s'obtient alors en calculant la moyenne des paramètres α_k, pondérée par la moyenne des parts budgétaires ϖ_k de chaque bien de consommation :

$$\sum_{k=1}^{K} \varpi_k . \alpha_k = \alpha \qquad \text{(I)}$$

Le tableau 1 (p. 78) indique les valeurs estimées pour les échelles spécifiques à partir des trois enquêtes « Budget de famille » 1984, 1989 et 1994. Les valeurs sont assez stables d'une enquête à l'autre et confirment des résultats intuitifs. La valeur du paramètre α_k de chaque fonction de consommation k se situe entre 0 (bien collectif pur) et 1 (bien individuel pur). Parmi les huit grandes fonctions de consommation, l'habillement est par hypothèse un bien parfaitement individuel, puisque le modèle est estimé en utilisant le critère de Rothbarth. Les paramètres α_k associés aux autres fonctions s'échelonnent entre 0,4 et 0,9. La fonction qui permet le plus d'économies d'échelle (valeur de α_k la plus faible) est le logement (loyers et charges). À niveau de vie égal, un couple dépense $2^{0,41} = 1,33$ fois plus pour l'occupation et le chauffage de son logement qu'une personne seule. Avec un coefficient de 0,6 environ, la fonction « transports-télécommunications », constituée pour l'essentiel de l'automobile, figure également parmi les dépenses engendrant le plus d'économies d'échelle. Il en est de même pour l'équipement du logement (meubles, électroménager, articles ménagers, services domestiques). À l'opposé, la consommation de loisirs semble quasiment individuelle (coefficient de 0,9), comme celle de biens et services divers (restaurants, coiffeurs, services financiers, bijouterie, etc.). L'alimentation est également une consommation plutôt individuelle, mais elle autorise davantage d'économies d'échelle par l'achat de produits alimentaires en plus grande quantité par les familles nombreuses (coefficient de 0,7).

Tableau 2. Estimation d'un modèle de Prais-Houthakker

Valeur des paramètres α_k associés aux échelles spécifiques
à chaque bien $m_k[N] = N\alpha_k$

	1984	1989	1994	Moyenne 3 enquêtes	Dépense du couple relativement à celle d'une personne seule
Alimentation	0,74	0,67	0,72	0,71	1,64
Habillement	1,03	0,95	0,99	0,99	1,99
Logement	0,46	0,38	0,39	0,41	1,33
Équipement du logement	0,60	0,55	0,71	0,62	1,54
Santé	0,56	0,40	0,80	0,59	1,51
Transports-Télécommunications	0,73	0,49	0,57	0,60	1,52
Loisirs	0,92	0,90	0,94	0,92	1,89
Biens et services divers	0,90	0,72	0,97	0,86	1,82

Source : estimations à partir des enquêtes Insee « Budget de famille » 1984, 1979, et 1994.
Voir Hourriez, Olier, 1998.

Précisions méthodologiques

Pour estimer le modèle de Prais-Houthakker, il est nécessaire de postuler une hypothèse identifiante. L'hypothèse retenue découle du critère de Rothbarth, selon lequel la dépense vestimentaire par adulte est un indicateur de niveau de vie. Le postulat est que les vêtements constituent un bien individuel pur : à niveau de vie fixé, la dépense vestimentaire d'un ménage (hors vêtements enfants) est proportionnelle au nombre d'adultes de ce ménage. La valeur estimée pour la fonction « habillement » dans le tableau 1 (p. 78) est légèrement différente de 1, car la fonction « habillement » de la nomenclature de consommation de l'enquête « Budget de famille » inclut d'autres dépenses que les vêtements adultes *stricto sensu*.

Pour estimer le paramètre α_k du logement, on a pris en compte, dans la consommation de logement, à la fois les loyers réels et fictifs, en imputant des loyers fictifs aux ménages propriétaires occupants. En effet, il s'agit ici d'estimer comment les besoins en matière de logement (surface et autres caractéristiques du logement occupé) varient en fonction de la taille du ménage. Si l'on n'avait pris en compte que les loyers réels dans cette estimation, les résultats auraient été biaisés par les corrélations existant entre la taille du ménage et le fait d'être propriétaire. Par exemple, supposons que les ménages de grande taille soient plus souvent propriétaires – ils versent ainsi peu de loyers réels – les dépenses de loyers réels diminueraient en fonction de la taille du ménage ; la valeur de α_k estimée à partir des loyers réels serait alors négative.

Une fois les paramètres α_k du modèle de Prais-Houthakker estimés, il devient possible de calculer l'échelle d'équivalence adaptée à une structure de consommation donnée, en appliquant la formule (I). Le tableau 3 (p. 84) compare la structure de la consommation (parts budgétaires moyennes ϖ_k) pour les personnes âgées et pour l'ensemble de la population[16]. L'échelle globale adaptée à la structure de consommation des personnes âgées est estimée à $N^{0,69}$, contre $N^{0,70}$ pour l'ensemble de la population[17]. L'écart est négligeable. Ainsi, l'échelle d'équivalence standard convient aussi bien aux personnes âgées qu'au reste de la population. En effet, les couples âgés réalisent un peu plus d'économies d'échelle sur le logement que les couples plus jeunes, car les dépenses d'habitation représentent une part plus importante de leur budget (elles conservent souvent un logement surdimensionné après le départ de leurs enfants[18]). Cependant, en dehors de l'habitation, les couples âgés réalisent un peu moins d'économies d'échelle que les couples plus jeunes, à cause du poids plus réduit des dépenses de transport et du poids plus important des dépenses de santé.

---

16 La structure de consommation présentée dans le tableau 3 (p. 84) ne prend pas en compte les loyers fictifs. En effet, le niveau de vie – ou revenu par unité de consommation – étudié dans cet article prend en compte une définition du revenu qui n'intègre pas les loyers fictifs (il s'agit, pour l'essentiel, des retraites par unité de consommation). Puisque le revenu ne prend pas en compte les loyers fictifs, il est logique que l'échelle d'équivalence soit également basée sur une structure de consommation hors loyers fictifs. En toute rigueur, si l'on intégrait les loyers fictifs dans le revenu, il faudrait déterminer une échelle d'équivalence adaptée à une structure de consommation y compris loyers fictifs (le poids du logement serait plus important, donc le paramètre α serait un peu plus faible). Cependant, l'écart entre les deux échelles avec ou sans loyers fictifs est négligeable : $\alpha = 0{,}65$ avec loyers fictifs contre $\alpha = 0{,}69$ sans loyers fictifs).

17 Avec une spécification en N^α, les besoins d'un couple sont évalués à 2^α, ce qui donne ici un paramètre plus proche de 1,6 que du 1,5 de l'échelle standard. Hourriez et Olier (1998) ont testé d'autres spécifications et ont montré qu'une spécification linéaire (sous forme d'unités de consommation) convenait mieux aux données qu'une spécification concave en N^α et donnait bien une valeur proche de 0,5 pour l'adulte et 0,3 pour l'enfant. La spécification en N^α est utilisée ici parce qu'elle rend les calculs plus simples avec un modèle de Prais-Houthakker : après passage en log, le modèle devient linéaire, d'où la formule (I).

18 Les dépenses de loyers sont relativement faibles, puisque les personnes âgées sont plus souvent propriétaires, mais le poste « énergie pour le logement » est particulièrement lourd.

**Tableau 3. Structure de la consommation des personnes âgées comparée
à celle de la population totale (en %)**

	Ensemble de la population	Ménages de 65 ans et plus
Alimentation	17,6	21,4
Habillement	7,7	5,0
Logement	15,7	17,6
Équipement du logement	7,1	8,0
Santé	3,5	5,1
Transports-Télécommunications	18,9	13,6
Loisirs	11,9	11,4
Biens et services divers	17,5	17,9
Total	100,0	100,0

Source : Insee, enquête « Budget de famille » 2006.

▨ L'échelle standard peut être remise en cause dans le cas du veuvage en l'absence de déménagement

L'échelle d'équivalence standard intègre le fait qu'un couple a besoin d'un logement plus grand qu'une personne seule[19]. Dans l'ensemble de la population, les personnes seules habitent des logements plus petits que les couples et ont effectivement des dépenses d'habitation plus réduites. Mais cela ne se vérifie pas nécessairement pour les personnes veuves.

Pour que les dépenses varient conformément à l'échelle standard suite au veuvage, il faut que le survivant déménage après le décès pour occuper un logement plus petit. Le même raisonnement s'appliquerait à une personne qui se retrouve seule après un divorce ou une séparation. Cependant, les personnes âgées sont peu mobiles et les déménagements peu fréquents : 13 % des personnes veuves changent de logement au plus tard dans les quatre ans suivant le décès du conjoint (Bonnet, Gobillon, Laferrère, 2007).

D'où l'intérêt de calculer une échelle d'équivalence adaptée à une personne veuve qui conserve son logement après le décès. Pour effectuer ce calcul, nous reprenons le modèle de Prais-Houthakker, et nous

---

[19] D'après le modèle de Prais-Houthakker cité précédemment, l'échelle spécifique au logement estime que les besoins de logement d'un couple représentent 1,33 fois ($2^{0,41}$) ceux d'une personne seule.

recalculons le paramètre α au moyen de l'expression (I), en neutralisant (α_k mis à zéro) l'échelle spécifique du logement ainsi que l'échelle spécifique de l'équipement du logement[20]. Avec la structure de la consommation des plus de 65 ans, l'échelle globale adaptée à l'absence de déménagement est ainsi estimée à $N^{0,57}$. Elle est donc sensiblement plus plate que l'échelle globale estimée précédemment à $N^{0,69}$. Ainsi, par rapport à une personne veuve qui déménage après le décès, les besoins d'une personne veuve qui conserve son logement antérieur apparaissent $2^{0,12} = 1,08$ fois plus élevés[21].

En somme, une personne veuve qui déménage suite au décès aurait besoin, conformément à l'échelle standard, de 2/3 = 67 % des revenus antérieurs du couple pour maintenir son niveau de vie. En revanche, une personne veuve qui conserve le logement antérieur au décès aurait besoin, pour maintenir son niveau de vie, de revenus sensiblement plus élevés. Selon l'estimation qui précède, ces besoins seraient de 8 % plus élevés qu'avec l'échelle standard. Ils représenteraient donc 1,08 x 2/3 = 72 % des revenus antérieurs du couple.

Dans la partie qui suit, nous effectuons malgré tout nos calculs avec l'échelle standard étant donné son caractère simple et conventionnel, tout en gardant à l'esprit que les résultats se transposent à toute échelle alternative par une simple règle de trois. Ainsi, le maintien du niveau de vie avec l'échelle standard correspond à une légère détérioration du niveau de vie (estimée ici à - 8 %) si l'on utilise l'échelle « sans déménagement », c'est-à-dire si l'on considère qu'il est normal qu'une personne veuve conserve son logement antérieur.

---

20 En mettant à zéro la valeur de α_k pour les dépenses d'habitation, nous simulons ce que serait l'échelle d'équivalence globale si le logement devenait un bien public pur, c'est-à-dire si les besoins de logement d'un ménage étaient indépendants du nombre de personnes habitant dans le logement. Cela reflète l'attitude des personnes qui désirent conserver le même logement après le décès de leur conjoint, puisque leurs besoins en matière de dépenses d'habitation leur apparaissent identiques avant et après le décès.

21 Ce calcul est réalisé sans prendre en compte les loyers fictifs dans la structure de la consommation. Si on les prenait en compte, on obtiendrait $\alpha = 0,49$ pour l'échelle sans déménagement, contre $\alpha = 0,65$ pour l'échelle avec déménagement, soit un supplément de consommation lié à l'absence de déménagement estimé à $2^{0,16} = 1,12$. Le fait d'inclure les loyers imputés alourdit le poids de l'habitation dans la structure de la consommation, de sorte que le surcoût lié à l'absence de mobilité vers un logement plus petit apparaît plus important. Les besoins du survivant en l'absence de déménagement représenteraient alors 2/3 x 1,12 = 75 % des revenus du couple. Cependant, si l'on utilise cette échelle, il convient de prendre en compte les loyers fictifs dans le revenu ; la baisse des revenus après le décès est alors moins prononcée, puisque le survivant propriétaire ou usufruitier conserve 100 % du loyer fictif antérieur.

■ Analyse sur cas types de la variation du niveau de vie suite au décès du conjoint

Afin d'identifier les principaux paramètres intervenant dans la variation du niveau de vie suite au décès du conjoint, nous nous plaçons dans le cas simple d'un couple marié de retraités qui vivent à deux avant le décès et dont les seules ressources sont leurs pensions de droits directs. Nous examinons les conséquences du décès sur le niveau de vie du survivant, en supposant que celui-ci vit seul après le décès.

Notre approche laisse donc de côté deux questions importantes. D'une part celle du divorce, qui peut conduire à un partage des pensions de réversion entre plusieurs ex-conjoints, et qui rend caduque la notion de maintien de niveau de vie dès lors que le défunt ne vivait plus en couple au moment du décès. Cette question concerne toutefois assez peu les générations nées avant 1945 et donc les personnes veuves actuelles.

D'autre part celle du patrimoine, dont on sait qu'il représente pour les retraités une source de revenus importante en moyenne mais très hétérogène. L'impact du patrimoine sur le maintien du niveau de vie est indéterminé. En effet, étant donné la législation en vigueur sur les successions, la fraction du patrimoine du couple dont le conjoint survivant dispose dépend d'une multitude de facteurs : régime matrimonial et dispositions complémentaires (donation au dernier survivant, etc.) ; existence de biens propres appartenant au défunt ou au survivant ; nombre d'enfants du couple et enfants nés d'une précédente union ; existence d'un testament ; assurances-vie et décès ; enfin, choix opérés par les héritiers lors de la succession. Le revenu du patrimoine par unité de consommation peut donc augmenter (si le conjoint survivant dispose, en pleine propriété ou en usufruit, d'au moins deux tiers du patrimoine du couple) ou diminuer[22].

Outre les revenus du patrimoine, nous ignorons les autres revenus qu'un ménage de retraités est susceptible de percevoir, notamment les prestations sociales comme le minimum vieillesse ou les allocations

---

[22] Dans une succession standard (régime matrimonial légal, pas de biens propres à l'un des époux, ni donation entre époux, ni testament, ni assurance vie, ni enfants nés d'une précédente union), le conjoint survivant récupère sa part, correspondant à la moitié du patrimoine du couple, et hérite du défunt une fraction correspondant, au choix, à un quart de la succession en pleine propriété ou à la totalité de la succession en usufruit. Il peut donc posséder soit 5/8 du patrimoine du couple en pleine propriété, soit posséder la moitié du patrimoine du couple en pleine propriété et l'autre moitié en usufruit.

logement. Nous ignorons symétriquement la fiscalité. Les variations de niveau de vie que nous mettons en évidence devraient donc être amorties par les transferts fiscaux et sociaux, surtout pour les retraités les plus modestes. Ceci est souligné par Bonnet et Hourriez (2009), dans leur analyse empirique des conséquences économiques du décès du conjoint.

Tous les régimes de retraite français mettent en œuvre un dispositif de réversion, mais ils présentent de profondes disparités dans leurs règles respectives. De façon schématique, on peut distinguer deux systèmes de réversion : pour les assurés du régime général et des régimes alignés, la pension de réversion du régime de base est attribuée sous une condition de ressources différentielle[23] qui a remplacé en 2003 les anciennes règles de cumul. Le plafond de ressources s'élève à 1 463 euros par mois en 2008 si la personne veuve vit seule[24]. Les ressources propres du survivant prises en compte dans la condition de ressources sont constituées pour l'essentiel de ses retraites de droit direct : elles n'incluent ni les ressources provenant de la succession du conjoint, ni les revenus du patrimoine commun du couple, ni les réversions des régimes complémentaires. Le taux de réversion est actuellement de 54 % et il a été annoncé qu'il serait bientôt porté à 60 %, sous conditions[25]. Ces règles restrictives dans les régimes de base sont tempérées par les régimes complémentaires, qui n'appliquent pas de conditions de ressources ni de conditions de cumul, et où les taux de réversion sont déjà de 60 %.

Dans les régimes du secteur public (Fonction publique et régimes spéciaux), la réversion est ouverte sans conditions de ressources ou de cumul, mais le taux de réversion n'est que de 50 %.

Nous analysons successivement le maintien du niveau de vie dans un système de réversion sans condition de ressources, puis avec conditions de ressources.

---

23 (Ressources propres du survivant + pension de réversion du régime de base) < plafond.

24 Le plafond pour une personne seule représente 2 080 fois le Smic horaire.

25 Dans le cadre du rendez-vous 2008 sur les retraites, le document d'orientation du 28 avril 2008 précisait que le taux de réversion pour le régime général et les régimes alignés, qui était de 54 % depuis le 1er janvier 1995, serait augmenté en trois étapes : 56 % au 1er janvier 2009, 58 % au 1er janvier 2010 et 60 % au 1er janvier 2011. Dans la LFSS 2009 (loi de financement de la Sécurité sociale), il est instauré une majoration de la pension de réversion, qui devrait porter le taux de réversion de 54 % à 60 %. Sous réserve des décrets d'application, cette majoration serait soumise à une condition d'âge (plus de 65 ans) et une condition de ressources plus restrictive (somme des retraites du survivant de droit direct ou de droit dérivé inférieure à environ 800 euros par mois).

■ Analyse d'un système de réversion sans condition de ressources

Notons respectivement P_D et P_S, la pension de droit direct du défunt et du survivant, N_1 et N_2 les niveaux de vie du ménage avant et après veuvage, x le ratio (P_D/P_S), *taux* le taux de réversion, et *u.c.* (pour unité de consommation) la part de revenu nécessaire pour maintenir le niveau de vie quand un deuxième adulte est présent dans le ménage (*u.c.* = 0,5 pour l'échelle standard, ou *u.c.* = 0,39 pour l'échelle sans déménagement).

Les niveaux de vie du ménage avant et après veuvage ont pour expression :

$$N_1 = \frac{\left(P_D + P_S\right)}{\left(1 + uc\right)} \quad \text{et} \quad N_2 = \left(taux \times P_D + P_S\right)$$

La variation de niveau de vie, soit (N_2/N_1), est égale à :

$$\left(1 + uc\right) \times \frac{\left(x + taux\right)}{\left(x + 1\right)} \qquad \textbf{(II)}$$

D'après (II), pour un taux de réversion donné, la variation du niveau de vie suite au décès est une fonction croissante d'un seul paramètre, à savoir le ratio x entre les retraites P_S du survivant et P_D du défunt. Parmi les couples de retraités actuels, mariés, et de plus de 65 ans, le ratio entre retraites féminines et masculines est de 1/3 environ[26]. Ce ratio devrait se rapprocher lentement de 1 pour les générations futures[27], sans que l'on puisse espérer rejoindre la parité à l'horizon des projections actuelles (Bonnet, Buffeteau, Godefroy, 2007).

La formule (II) permet de décrire ce qui se passerait en l'absence de réversion (taux = 0). Avec l'échelle standard, le maintien du niveau de vie serait assuré dès lors que le survivant aurait une retraite double de celle du défunt (*cf.* graphique 1).

---

26 D'après les enquêtes «Revenus fiscaux» 1999-2001 (Insee). Le ratio entre retraite moyenne féminine et retraite moyenne masculine est voisin de ½ dans l'ensemble de la population des retraités, mais les femmes mariées ont des retraites inférieures aux femmes célibataires ou divorcées. On observe le contraire pour les hommes.

27 Entre la génération 1915-1919 et la génération 1930-1934, le ratio est passé de 0,28 à 0,38.

Graphique 1. Absence totale de réversion

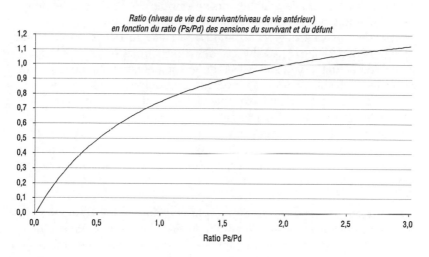

Ratio (niveau de vie du survivant/niveau de vie antérieur)
en fonction du ratio (Ps/Pd) des pensions du survivant et du défunt

Ratio Ps/Pd

Ce cas est rare pour une veuve, mais très courant pour les veufs aujourd'hui. Même en l'absence de réversion, les veufs seraient nombreux à voir leur niveau de vie s'accroître suite au décès de leur conjointe. En effet, un veuf dont l'épouse n'avait pas ou peu acquis de droits directs conserve sa retraite de droit direct mais n'a plus de conjoint à charge. L'extension progressive du droit à réversion aux veufs, voulue dans un cadre européen afin de respecter le principe d'égalité de traitement entre hommes et femmes, apparaît ainsi superflue pour les générations actuelles de veufs. Elle deviendra cependant utile pour les veufs des générations futures, qui seront de moins en moins nombreux à disposer d'une retraite supérieure au double de celle de leur épouse. Les veuves, en revanche, subiraient en l'absence de réversion une perte considérable de niveau de vie : - 62 % dans la situation médiane actuelle, un peu moins à l'avenir. Il est intéressant de noter que, pour un couple où l'homme et la femme ont le même niveau de retraite ($x = 1$), le décès du conjoint s'accompagnerait d'une perte de niveau de vie de 25 % en l'absence de réversion. Ainsi, même si la société évolue à terme vers la parité hommes-femmes en matière de pensions de droits directs, les dispositifs de réversion demeureront utiles pour maintenir le niveau de vie suite au décès, pour les veufs comme pour les veuves (Crenner, 2008).

La formule (II) s'applique au système de réversion de la Fonction publique et de la plupart des régimes spéciaux, puisqu'il s'agit d'une pension de réversion unique versée au taux de 50 % sans condition de ressources. Le maintien du niveau de vie est alors assuré dès que la pension de droit direct du survivant est égale à la moitié de la pension de droit direct du décédé. Au-delà, c'est-à-dire si la pension du survivant est supérieure à la moitié de celle du décédé, la réversion conduit à aller au-delà du simple maintien du niveau de vie. Par exemple, si les deux conjoints percevaient la même pension de droit direct, le niveau de vie du survivant augmente de 12,5 % suite au décès du conjoint (*cf.* graphique 2). Et si le survivant a des droits directs élevés par rapport à ceux du défunt, il voit son niveau de vie augmenter nettement lors du décès (+ 25 % si la pension du survivant est double de celle du défunt). Ce dernier cas est fréquent lorsque le survivant est le mari, mais pendant longtemps il a été limité par le fait que la réversion était réservée aux femmes[28] ou attribuée de façon plus restrictive aux hommes. *A contrario*, si le survivant ne dispose pas de droits propres, la baisse du niveau de vie est de 25 %, du moins en l'absence de minimum vieillesse ou d'allocation logement.

Un taux de réversion plus élevé, par exemple 60 %, conduirait à limiter davantage les baisses de niveau de vie suite au décès du conjoint. Ainsi, le survivant sans droits propres connaîtrait une diminution de niveau de vie de 10 % et, dès que les droits propres du survivant seraient supérieurs à 20 % de ceux du défunt, le niveau de vie augmenterait suite au décès du conjoint (*cf.* graphique 2). Le gain deviendrait important lorsque les deux conjoints ont la même retraite (+ 20 %) et *a fortiori* lorsque le survivant a une retraite supérieure au défunt.

Graphique 2. Réversion sans condition de ressources

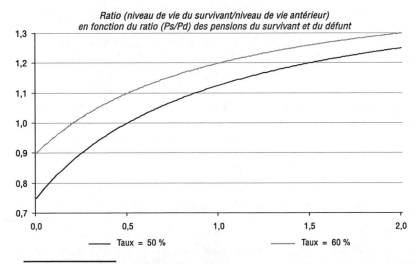

Ratio (niveau de vie du survivant/niveau de vie antérieur) en fonction du ratio (Ps/Pd) des pensions du survivant et du défunt

―――― Taux = 50 %   .... Taux = 60 %

28 À l'origine, les pensions de réversion étaient réservées aux veuves : en droit dans la Fonction publique où, jusqu'en 1973, les veufs ne pouvaient y prétendre qu'en cas d'invalidité. Ensuite, de 1973 à 2004, ils ne pouvaient en bénéficier qu'à partir de 60 ans, sauf invalidité ; ou en fait dans le régime général, puisque la pension de réversion n'était par le passé cumulable ni avec une activité professionnelle ni avec une retraite personnelle, ce qui excluait *de facto* les hommes (Cor, 2008).

À partir de la formule (II), il est possible de déterminer le taux de réversion qui permettrait de maintenir le niveau de vie dans un système sans condition de ressources. Il est égal à :

$$taux = \frac{2}{3} - \left(\frac{1}{3} \times \frac{P_S}{P_D} \right)$$

Pour une femme n'ayant pas acquis de droits propres, le maintien de son niveau de vie au décès du conjoint serait assuré par un taux de réversion de deux tiers avec l'échelle standard (ou 72 % avec l'échelle « sans déménagement »). Pour le cas polaire d'un survivant qui percevrait une pension deux fois supérieure à celle du décédé, le taux devrait être nul. Pour les couples de retraités actuels (médiane de $P_S/P_D = 1/3$), le taux de réversion qui permettrait de maintenir le niveau de vie pour la situation médiane serait ainsi voisin de 55 % dans un système sans condition de ressources[29]. Avec l'augmentation de l'activité féminine, ce taux diminuera au fil des générations.

Bien qu'il ait le mérite de la simplicité, un dispositif de réversion sans condition de ressources ne permet pas d'assurer le maintien de niveau de vie à chaque veuve ou veuf. Avec un taux de réversion optimisé pour la situation moyenne, il existe toujours des situations individuelles où le décès s'accompagne d'une perte de niveau de vie – cas des veuves n'ayant jamais travaillé – ou au contraire d'un gain – cas de nombreux veufs – cette perte ou ce gain dépassant souvent 20 % en valeur absolue. L'introduction d'une condition de ressources permet de limiter les éventuels gains de niveau de vie à la suite du décès du conjoint lorsque la pension de droit direct du survivant est relativement élevée.

▨ Analyse d'un système de réversion avec une condition de ressources différentielle

Considérons, pour commencer, un régime théorique unique où la pension de réversion est versée sous une condition de ressources analogue à celle du régime général : lorsque la somme de la pension de droit direct du survivant P_S et de la pension de réversion théorique $taux.P_d$ est supérieure au plafond de ressources, la pension de réversion servie devient différentielle, jusqu'à s'éteindre lorsque la pension de droit direct du survivant P_S dépasse le plafond.

---

[29] Le taux de réversion de 50 % en vigueur dans les régimes spéciaux semblerait ainsi légèrement insuffisant pour les générations de veuves actuelles. Cependant, le ratio P_S/P_d pourrait s'écarter de la valeur médiane d'un tiers pour les affiliés des régimes spéciaux.

La variation de niveau de vie n'est alors plus une simple fonction du ratio des pensions *Ps/Pd*. Elle dépend à la fois des niveaux de *Ps* et de *Pd*. Trois situations peuvent se présenter, correspondant aux trois portions des courbes présentées sur le graphique 3 :

– tant que la pension de droit direct du survivant ajoutée à la pension de réversion reste en deçà du plafond, la condition de ressources ne joue pas, si bien qu'on retrouve la courbe du graphique 2 (p. 90) correspondant au dispositif sans condition de ressources ;

– lorsque la pension de droit direct du survivant ajoutée à la pension de réversion excède le plafond de ressources, la pension de réversion devient différentielle, si bien que la variation de niveau de vie est une fonction décroissante de la pension de droit direct du survivant ;

– lorsque la pension de droit direct du survivant excède le plafond de la condition de ressources, la pension de réversion n'est plus versée, si bien que l'on retrouve la courbe du graphique 1 (p. 89) correspondant à l'absence de réversion.

Graphique 3. Réversion sous condition de ressources différentielle

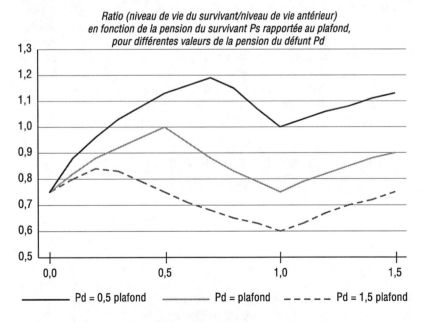

Régime théorique unique avec un taux de réversion de 50 %.

Lecture : le premier point de retournement correspond à l'entrée en jeu de la condition de ressources ; le deuxième à une pension du survivant *(Ps)* égale au plafond de ressources.

Dans la réalité, le dispositif de réversion actuellement en vigueur pour les salariés du secteur privé est plus complexe, en raison de deux éléments :

- l'existence d'une pension de réversion minimum : celle du régime général ne peut être inférieure à un montant égal à 261 euros mensuels au 1er janvier 2008 ;
- l'existence des régimes complémentaires, qui n'appliquent pas de condition de ressources.

La pension de réversion d'un défunt qui était salarié du privé comporte ainsi deux éléments : une pension de réversion versée par le régime général, calculée au taux de 54 % et sous condition de ressources[30] ; une pension de réversion versée par les régimes complémentaires au taux de 60 %.

L'analyse de ce système de réversion nécessite la construction de cas types (voir ci-après) ou bien l'utilisation d'outils de microsimulation (Crenner, 2008). Dans la suite de cet article, nous nous référons à des cas types correspondant à des veuves dont le mari défunt a effectué une carrière complète continue de salarié (homme de 60 ans ou plus, monopensionné du régime général). La législation appliquée en matière de réversion est celle en vigueur depuis la réforme de 2003, avec les barèmes de 2008[31]. Deux cas types sont présentés : la veuve de non-cadre, et la veuve de cadre. Le cas type du cadre correspond au profil moyen des salariés du secteur privé ayant cotisé à l'Agirc pendant une partie au moins de leur carrière. Le non-cadre correspond au profil moyen des salariés du secteur privé n'ayant jamais cotisé à l'Agirc[32]. La retraite totale du défunt non-cadre s'élève à 1 400 euros, celle du cadre à 2 800 euros.

---

30 La condition de ressources déterminant la réversion du régime de base Rdb s'écrit $Ps + Rdb \leq Plafond$, où Ps inclut la retraite totale du survivant (y compris les complémentaires) ainsi que les autres ressources propres du survivant (supposées nulles ici).

31 La loi de 2003 a instauré la condition de ressources différentielle à la place des conditions de cumul antérieures. Depuis, le plafond (2 080 fois le Smic horaire) est revalorisé comme le Smic.

32 Pour construire les cas types, nous avons repris et actualisé pour l'année 2008 deux cas types construits à l'occasion du troisième rapport du Cor. La retraite totale (1 500 euros pour le non-cadre, 2 800 euros pour le cadre) correspond à la moyenne observée dans l'échantillon interrégimes 2001 de la Drees (Coëffic, 2002), les données ayant été actualisées à janvier 2008 au rythme de l'évolution moyenne des retraites masculines (inflation + effet « noria »). La part de la retraite complémentaire dans la retraite totale (33 % pour le non-cadre, 58 % pour le cadre) correspond également aux moyennes observées à partir de l'échantillon interrégimes. Ainsi, le non-cadre et le cadre perçoivent respectivement 1 000 euros et 1 180 euros de retraite de base ainsi que 500 euros et 1 620 euros de retraite complémentaire.

Graphique 4. Réversion sous condition de ressources différentielle

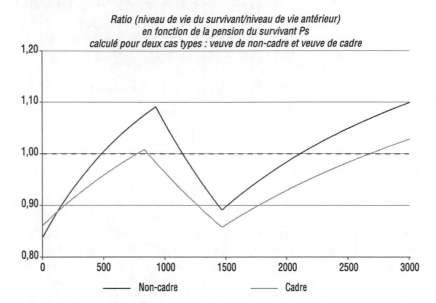

Dispositif actuel dans le secteur privé

Lecture : le ratio « niveau de vie après décès »/« niveau de vie avant décès » (en ordonnée) est égal à 1 en cas de maintien du niveau de vie. Ce ratio est représenté en fonction de la retraite propre Ps du survivant, exprimée en euros par mois (en abscisse).

La courbe représentant la variation de niveau de vie suite au décès en fonction de la retraite de droit direct de la veuve (*cf.* graphique 4) comporte à nouveau trois portions selon que la réversion du régime de base est versée entière, réduite par l'application différentielle de la condition de ressources, ou non versée. Avec l'échelle standard, le maintien du niveau de vie est assuré à plus ou moins 10% près quasiment tout le long de la courbe, les veuves étant légèrement perdantes lorsqu'elles n'ont pas de retraite propre (sauf si cela est compensé par le minimum vieillesse) ou bien lorsque le montant de leur retraite est égal au plafond, tandis qu'elles sont légèrement gagnantes avec des retraites proches de la moitié du plafond ou bien avec des retraites élevées. Avec l'échelle « sans déménagement », on aurait une perte de niveau de vie allant de 0 à 20% tout au long de la courbe. Les résultats diffèrent peu selon que le mari était cadre ou non. Par rapport aux veuves de non-cadres, les veuves de cadres sont davantage pénalisées par la condition de ressources du régime de base, mais cela est compensé par la part plus importante des retraites complémentaires dans la retraite du défunt.

Au vu de l'analyse sur cas types, les paramètres du système de réversion du secteur privé semblent bien calibrés pour assurer à peu près le maintien du niveau de vie quels que soient les niveaux de retraite de la veuve et du défunt. Comparé à un système de réversion sans condition de ressources, un système de réversion avec une condition de ressources différentielle dans le régime de base semble mieux atteindre l'objectif de maintien du niveau de vie quelle que soit la situation de l'assuré. Il n'y parvient toutefois pas parfaitement. D'une part, on reste en deçà ou bien on va au-delà du maintien du niveau de vie dans certaines situations. En particulier, les veuves sans droits propres restent en deçà de ce seuil, tandis que les veufs vont souvent nettement au-delà. D'autre part, les résultats des cas types présentés ne sont plus valables si le mari défunt avait une retraite complémentaire anormalement faible ou anormalement élevée par rapport à sa retraite de base, suite à une carrière heurtée ou atypique[33]. Les imperfections du dispositif actuel de réversion nous amènent à réfléchir sur des améliorations qui permettraient de mieux remplir l'objectif de maintien du niveau de vie dans chaque situation.

■ Une condition de ressources dégressive permettrait d'atteindre l'objectif de maintien du niveau de vie

Si l'on veut assurer rigoureusement le maintien du niveau de vie avec l'échelle d'équivalence standard[34], la solution théorique consiste à verser au survivant une pension de réversion égale à :

$$R = 2/3.Pd - 1/3.Ps \qquad \textbf{(III)}$$

Cette formule correspondrait à un dispositif de réversion avec condition de ressources dégressive :

– le taux de réversion serait fixé à 2/3 (il serait donc relevé) ;
– seuls les survivants dépourvus de retraite propre *(Ps = 0)* percevraient une réversion complète (égale aux 2/3 de la retraite du défunt) ;

---

[33] Dans la mesure où les régimes complémentaires n'appliquent pas de condition de ressources, le maintien du niveau de vie du survivant est d'autant mieux assuré que la part de la retraite complémentaire dans la retraite totale du défunt est élevée. Dans les cas types présentés où le mari a effectué une carrière complète continue, la part de la retraite complémentaire croît en principe en fonction du niveau de retraite totale, d'où les résultats obtenus sur le graphique 4. Cependant, si la part de la retraite complémentaire du défunt est anormalement faible (ou élevée) par rapport au cas type du salarié ayant effectué une carrière complète continue, alors le maintien du niveau de vie est moins bien (ou mieux) assuré que dans les cas types présentés dans cet article.

[34] Pour l'échelle «sans déménagement», la formule (III) deviendrait :
$R = 0,72.Pd - 0,28.Ps$.

– pour les autres *(Ps>0)*, la réversion serait réduite par une condition de ressources dégressive avec un taux de dégressivité de 1/3 (pour chaque euro supplémentaire de retraite propre du survivant, on réduirait de 33 centimes la pension de réversion versée) ;

– la pension de réversion s'éteindrait lorsque *Ps* atteindrait le double de *Pd*, c'est-à-dire lorsque la retraite propre du survivant serait suffisamment élevée pour que le survivant puisse conserver son niveau de vie antérieur au décès sans réversion.

Avec ce dispositif, le maintien du niveau de vie serait parfaitement assuré dans tous les cas, excepté lorsque *Ps > 2Pd*. Dans ce dernier cas, rare parmi les veuves mais fréquent parmi les veufs actuels, le survivant ne percevrait pas de réversion mais il aurait un niveau de vie supérieur au niveau de vie antérieur au décès grâce à sa seule retraite propre. Ce dispositif serait proche de celui évoqué récemment par Monperrus-Veroni et Sterdyniak (2008)[35].

La mise en œuvre d'un tel dispositif de réversion serait facile dans le cadre d'un régime unique, mais délicate dans le cadre du système français, car elle nécessiterait beaucoup d'échanges d'information entre régimes[36]. À défaut, un autre dispositif plus proche du système actuel des salariés du secteur privé pourrait être envisagé. Ce système consisterait à appliquer un taux de réversion de 2/3 et à appliquer une condition de ressources dégressive au taux de 1/3, mais uniquement dans le(s) régime(s) de base, tandis que les régimes complémentaires pourraient conserver leurs règles actuelles (60% sans condition de ressources). Autrement dit, la pension de réversion versée par le(s) régime(s) de base du défunt[37] correspondrait à la formule : $R = 2/3.Pdb - 1/3.Ps$ où *Ps* est la

---

35 Monperrus-Veroni et Sterdyniak (2008) proposent de laisser le taux de réversion à 60% en plafonnant la réversion de sorte que les ressources du survivant ne dépassent pas 2/3 des revenus du couple antérieur. Ce dispositif s'avère équivalent à celui que nous proposons dès que *Ps>0,2Pd*, c'est-à-dire dans la plupart des cas. La seule différence est que les veuves sans droits propres n'auraient, dans ce dispositif proposé, que 60% au lieu des 2/3 des revenus du défunt.

36 Chaque régime dont relevait le défunt aurait besoin de connaître à la fois la valeur de *Ps* et celle de la retraite totale tous régimes du défunt *Pd*, afin de déterminer la réversion totale tous régimes *R* du défunt selon la formule (III). Le versement de *R* serait ensuite réparti entre les différents régimes au prorata des pensions de droit direct versées au défunt avant le décès. Actuellement, le régime général et les régimes alignés collectent la valeur de *Ps* (déclaration de ressources du survivant, permettant de tester la condition de ressources) mais pas celle de *Pd*. Tout au plus existe-t-il, afin d'appliquer la condition de ressources aux polypensionnés régime général + régimes alignés, un échange d'informations entre le régime général et les régimes alignés sur les pensions du défunt versées par ces régimes avant le décès.

37 Pour les polypensionnés régime général + régime alignés, il s'agit de la somme des réversions versées par les régimes de base. Pour appliquer la condition de ressources, chaque régime de base a besoin de connaître *Ps* et *Pdb*, ce qui est déjà le cas actuellement pour le régime général et les régimes alignés.

retraite totale du survivant (base + complémentaire)[38] et *Pdb* la pension de base du défunt.

Rien ne changerait par rapport au système actuel du secteur privé, excepté la forme que prendrait la condition de ressources comme fonction de *Ps*. Le graphique 5 (p. 98) compare le montant de la réversion de base versée avec une condition de ressources dégressive au système actuel avec une condition de ressources différentielle au-delà du plafond de ressources. Selon les situations individuelles, le dispositif dégressif apparaît tantôt plus généreux, tantôt moins généreux[39].

Avec le dispositif dégressif ainsi décrit, la réversion de base s'éteindrait dès que la retraite propre du survivant atteindrait le double de la pension de base *Pdb* du défunt. Pour une veuve, cette limite serait de l'ordre de 1 900 euros à 2 400 euros par mois pour un conjoint décédé ayant effectué une carrière complète continue[40], soit une limite élevée par rapport aux retraites féminines. Pour les veufs en revanche, cette limite serait basse et presque toujours dépassée, de sorte que les veufs cumuleraient – comme aujourd'hui – leur retraite de droit direct plus la réversion complémentaire issue de leur épouse, ce qui leur permettrait souvent de dépasser le niveau de vie antérieur au décès.

Tant que cette limite ne serait pas atteinte *(Ps < 2.Pdb)*, le maintien du niveau de vie avec l'échelle standard serait quasiment assuré[41], quelle que soit la retraite du survivant et du défunt[42] (*cf.* graphique 6, p. 99). C'est là l'avantage d'une condition de ressources dégressive par rapport à la condition de ressources actuelle, avec laquelle il y a tantôt perte tantôt gain de niveau de vie (*cf.* graphique 4, p. 94).

---

38 Dans la législation actuelle, *Ps* désigne en réalité l'ensemble des ressources propres du survivant, c'est-à-dire non seulement la retraite totale du survivant de droit propre (base et complémentaires), mais aussi ses autres revenus propres éventuels : revenus d'activité, pensions alimentaires, revenus du patrimoine propres (non issus du patrimoine commun du couple). Dans les cas types présentés ici, ces autres revenus propres sont supposés nuls.

39 L'impact sur les dépenses globales du régime général est donc indéterminé.

40 Cette limite dépendrait de la valeur de *Pdb*, contrairement au plafond de la condition de ressources actuelle, qui est fixe (1 463 euros en 2008).

41 Sur le graphique 5 (p. 98), on se situe un peu en deçà du maintien du niveau de vie, car les régimes complémentaires sont censés conserver leur taux de réversion à 60 %. Pour obtenir le strict maintien du niveau de vie avec l'échelle standard, il faudrait un taux de réversion de deux tiers dans les régimes complémentaires.

42 Ce résultat pourrait toutefois être remis en cause dans l'hypothèse où les ressources du couple ne sont pas constituées exclusivement de pensions de retraite. Si le survivant a des ressources propres autres que sa pension (revenus d'activité, revenus d'un patrimoine propre, etc.), ces résultats sont conservés, *Ps* désignant alors la somme des ressources propres du survivant. En revanche, la présence de revenus du patrimoine commun au couple, en partie hérités par le conjoint survivant, peut remettre en cause ces résultats.

Graphique 5. Réversion versée par le régime général en fonction de la retraite totale du survivant *Ps*

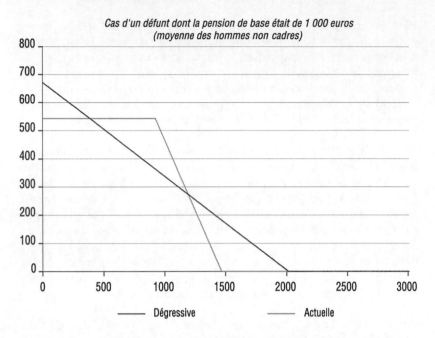

Cas d'un défunt dont la pension de base était de 1 000 euros (moyenne des hommes non cadres)

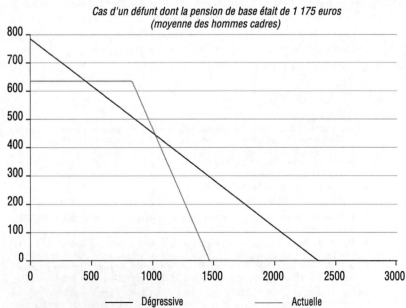

Cas d'un défunt dont la pension de base était de 1 175 euros (moyenne des hommes cadres)

Réversion dégressive comparée à la réversion différentielle actuelle.

Lecture : le montant de la réversion servie par le régime général, en euros par mois (en ordonnée) est représenté en fonction de la retraite propre *Ps* du survivant, en euros par mois (en abscisse).

Graphique 6. Réversion sous condition de ressources dégressive

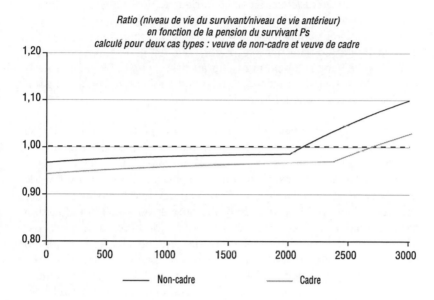

Ratio (niveau de vie du survivant/niveau de vie antérieur)
en fonction de la pension du survivant Ps
calculé pour deux cas types : veuve de non-cadre et veuve de cadre

——— Non-cadre   ·········· Cadre

Dispositif où la réversion de base serait versée au taux de 2/3 sous une condition de ressources dégressive au taux de 1/3, avec une réversion complémentaire à 60 % sans condition de ressources.

Lecture : le ratio « niveau de vie après décès »/« niveau de vie avant décès » (en ordonnée) est égal à 1 en cas de maintien du niveau de vie. Ce ratio est représenté en fonction de la retraite totale propre Ps du survivant, exprimée en euros par mois (en abscisse).

■ Conclusion

De façon très schématique, il existe en France deux systèmes de pensions de réversion, l'un applicable lorsque le défunt est un assuré du secteur public, l'autre lorsqu'il appartient au secteur privé. Dans le premier cas, une pension de réversion unique est versée au taux de 50 % sans condition de ressources. Dans le second cas, la pension de réversion du régime de base est complétée par celle du ou des régimes complémentaires ; les taux de réversion sont plus élevés (54 % dans le régime de base, 60 % en général dans les régimes complémentaires), mais une condition de ressources différentielle s'applique à la réversion de base.

Nos calculs sur cas types effectués à partir de l'échelle d'équivalence standard montrent que, pour les générations de retraités actuellement concernées par le veuvage, les deux systèmes permettent à la majorité des veuves de maintenir à peu près le niveau de vie antérieur au décès de leur conjoint – plus précisément, elles risquent de subir une légère baisse de niveau de vie – tandis que la plupart des veufs disposent d'un niveau de vie supérieur à celui antérieur au décès de leur conjointe. Les paramètres du système français de réversion semblent ainsi à peu près bien calibrés pour assurer en moyenne le maintien du niveau de vie, dans le public comme dans le privé. Pour les générations futures, à législation inchangée, on pourrait aller au-delà du maintien du niveau de vie pour les veuves, surtout dans le système public, tandis que les gains de niveau de vie s'amoindriraient pour les veufs.

Selon les situations individuelles, il peut y avoir perte ou gain de niveau de vie suite au décès du conjoint. Le paramètre le plus déterminant est le ratio entre la retraite propre du survivant et celle du défunt. La perte de niveau de vie est maximale pour les veuves n'ayant pas ou peu de droits propres, tandis que le gain de niveau de vie est maximal pour les veufs dont l'épouse avait peu de droits propres. Grâce à l'introduction d'une condition de ressources dans le régime de base, compensée par des taux de réversion plus généreux, le système en deux étages du secteur privé limite l'importance des pertes ou des gains individuels. En aménageant cette condition de ressources (condition de ressources dégressive et non plus différentielle au-delà d'un plafond) et en relevant le taux de réversion à deux tiers, il serait même possible d'assurer exactement le maintien du niveau de vie des veuves quel que soit le montant de la retraite du survivant et du conjoint. La plupart des veufs actuels, en revanche, voient inévitablement leur niveau de vie s'accroître après le décès dès lors que les régimes complémentaires leur versent des réversions sans condition de ressources.

Notre analyse rappelle que, pour les générations actuellement concernées par le veuvage, dans lesquelles les retraites de droits directs des femmes représentent moins de la moitié de celles des hommes, les pensions de réversion paraissent indispensables pour les veuves mais superflues pour les veufs : même en l'absence totale de réversion, la majorité des veufs verraient leur niveau de vie augmenter suite au décès. Le versement de pensions de réversion aux veufs ne se justifie aujourd'hui que par l'application du principe d'égalité des droits entre hommes et femmes. Il semblerait judicieux que des conditions de ressources ou des plafonnements limitent le gain de niveau de vie lorsque la retraite du survivant excède celle du défunt.

Pour les générations futures, dans lesquelles les montants des retraites des femmes et des hommes devraient se rapprocher, les pensions de réversion deviendraient utiles aux veufs comme aux veuves. La réversion serait alors moins destinée à compenser la faiblesse des retraites féminines dans un modèle traditionnel où l'homme est le principal pourvoyeur de ressources, qu'à compenser la perte de niveau de vie induite par la fin des économies d'échelle permises par la vie en couple.

Tous ces résultats se réfèrent à l'échelle d'équivalence standard, qui considère que le maintien du niveau de vie est assuré si le survivant dispose de deux tiers des revenus du couple antérieur. Cependant, si la personne veuve ne déménage pas pour habiter un logement plus petit après le décès – ce qui est généralement le cas – l'échelle d'équivalence pertinente est un peu plus plate que l'échelle standard : le maintien du niveau de vie correspond alors à des revenus de l'ordre de 72 % de ceux du couple. Et l'on se situe alors, pour la plupart des veuves des générations actuelles, en deçà du maintien du niveau de vie. La question se pose alors de savoir quel est le comportement que l'on juge normal et souhaitable pour une personne âgée veuve : conserver son logement antérieur ; ou bien déménager pour un logement plus petit, qui pourrait aussi être mieux adapté. Cette question relève de considérations normatives et politiques. Dans le premier cas, le système de réversion français apparaît insuffisamment généreux pour les veuves. Dans le second cas, l'amélioration de la situation des veuves pourrait passer par la politique du logement plutôt que par une générosité accrue du système de réversion.

Notre analyse omet deux aspects importants. D'une part, nous avons laissé de côté l'effet du patrimoine, qui est extrêmement variable selon le niveau de richesse des ménages et selon les choix successoraux. D'autre part, il est possible que le veuvage engendre une hausse de la demande de services domestiques marchands, en particulier pour les personnes handicapées ou dépendantes qui se retrouvent seules. Ces deux aspects sont laissés à de futures recherches.

Enfin, l'analyse par cas types, si elle permet d'identifier les mécanismes et les effets de la législation, ne peut être représentative de l'ensemble des situations. Elle doit être complétée par une analyse empirique permettant de saisir la diversité des situations dans la population, en tenant compte de la fiscalité, des prestations sociales (minimum vieillesse et allocations logement), et si possible des revenus du patrimoine. C'est ce qui est proposé par Bonnet et Hourriez « Quelle variation de niveau de vie suite au décès du conjoint ? » (2009, p. 106 de ce numéro).

■ Bibliographie

ATKINSON A.B., RAINWATER L., SMEEDING T., 1995, « La distribution des revenus dans les pays de l'OCDE », *Recueil de politique sociale*, n° 18, Paris, OCDE, 173 p.

BONNET C., BUFFETEAU S., GODEFROY P., 2007, « Disparités de retraite entre hommes et femmes : quelles évolutions au fil des générations ? », *Économie et Statistique*, n° 398-399, Paris, Insee, p. 131-148.

BONNET C., DESTRÉ G., 2008, « Les attentes des assurés en matière de droits familiaux et conjugaux », document n° 9 de la séance du 28 mai 2008 du Cor.

BONNET C., GOBILLON L., LAFERRÈRE A., 2007, « Un changement de logement suite au décès du conjoint ? », *Gérontologie et Société*, n° 121, p. 195-210.

BONNET C., HOURRIEZ J.-M., 2009, « Quelle variation du niveau de vie suite au décès du conjoint ? », *Retraite et Société*, n° 56, Paris, Cnav, p. 106-137.

BURKHAUSER R., BUTLER J., HOLDEN K., 1991, "How the Death of a Spouse Affects Economic Well-being after Retirement: a Hazard Model Approach", *Social Science Quaterly*, p. 504-519.

BURKHAUSER R., GILES P., LILLARD D. SCHWARZE J., 2005, "Until Death do us Part: An Analysis of the Economic Well-being of Widows in Four Countries", *The Journals of Gerontology Series B: Psychological Sciences and Social Sciences*, n° 60, S238-S246.

COËFFIC N., 2002, « Les montants des retraites perçues en 2001 : en moyenne 1 126 euros bruts par mois pour les 60 ans et plus », *Études et Résultats*, n° 183, Paris, Drees.

CONSEIL D'ORIENTATION DES RETRAITES, 2008, « Retraites : droits familiaux et conjugaux dans le système de retraite », 6e rapport du Cor, décembre.

CONSEIL D'ORIENTATION DES RETRAITES, 2007, « Niveau de vie, réversion et divorce », réunion du Conseil du 27 juin 2007, http://www.cor-retraites.fr/article312.html.

CRENNER E., 2008, « Décès du conjoint, pensions de réversion et niveaux de vie des retraités », note Insee, n° 02/DG75-G210, 19 juin.

FAVREAULT M., STEUERLE E., 2007, "Social Security Spouse and Survivor Benefits for the Modern Family", *Center for Retirement Research, Working Paper*, n° 7, 31 p.

FAVREAULT M., SAMMARTINO F., STEUERLE E., 2002, "Social Security Benefits for Spouses and Survivors: Options for Change", chapter 6, *in* Favreault M., Sammartino F., Steuerle C. (eds.), *Social Security and the Family*, The Urban Institute Press, p. 177-225.

HOLDEN K., BRAND J., 2003, "Income Change and Distribution Upon Widowhood: Comparison of Britain, U.S., and Germany", *in* Overbye E., Kemp P. (eds.), *Pensions: Challenges and Reform*, Aldershot, Ashgate, p.211-225.

HOURRIEZ J.M., OLIER L., 1998, « Niveau de vie et taille du ménage : estimations d'une échelle d'équivalence », *Économie et Statistique*, Paris, Insee, n° 308-309-310, p. 65-94.

HURD M., 1989, "The Poverty of Widows: Future Prospects", *in* Wise D. (ed.), *The Economics of Aging*, University of Chicago Press, p. 201-230.

HURD M., ROHWEDDER S., 2008, "Adequacy of Economic Resources in Retirement and Returns-to-scale in Consumption", University of Michigan, Working Paper, n° 174, 33 p.

HURD M., WISE D., 1989, "The Wealth and Poverty of Widows: Assets Before and After Husband's Death", *in* Wise D. (ed.), *The Economics of Aging*, University of Chicago Press, p. 177-200.

MONPERRUS-VERONI P., STERDYNIAK H., 2008, « Faut-il réformer les pensions de réversion ? », *Lettre de l'OFCE*, n° 300.

OCDE, 2008, *Croissance et inégalités : distribution des revenus et pauvreté dans les pays de l'OCDE*, Paris, OCDE, 341 p.

WEIR D., WILLIS R., SEVAK P., 2002, "The Economic Consequences of a Husband's Death: Evidence from the HRS and AHEAD", *Working Paper*, Michigan Retirement Research Center, n° 23, 33 p.

Quelle variation du niveau de vie suite au décès du conjoint ?

Carole Bonnet, Institut national d'études démographiques ;
Jean-Michel Hourriez, Conseil d'orientation des retraites, Crest-Institut
national de la statistique et des études économiques

Dans les années 1960 et 1970, le taux de pauvreté des personnes âgées était élevé en France, particulièrement au sein de la population des femmes seules âgées, veuves pour la plupart[1]. Il était alors clair que le système de réversion n'était pas suffisant et que le décès du conjoint se traduisait souvent par une situation matérielle difficile pour les veuves (Brocas, 2004). Ce constat émis à plusieurs reprises depuis la publication du rapport de la Commission d'étude sur les problèmes de la vieillesse en 1962 a conduit à un assouplissement, au régime général, des règles d'attribution de la réversion, et à des hausses successives du taux de réversion : ce taux est passé de 50 à 52 % en 1982, et de 52 à 54 % en 1995. Le mouvement se poursuit, puisqu'il a été décidé de relever ce taux pour le porter à 60 % à compter du 1er janvier 2010[2]. Parallèlement, les régimes complémentaires se sont développés, et ces derniers versent généralement des réversions au taux de 60 % sans conditions de ressources.

Aujourd'hui, la pauvreté a fortement reculé chez les personnes âgées, et notamment chez les veuves. Néanmoins, le niveau de vie moyen de ces dernières demeure un peu en deçà de celui du reste de la population, et leur taux de pauvreté reste sensiblement plus élevé. On peut alors se demander si cette faiblesse relative du niveau de vie des veuves résulte d'une insuffisance des dispositifs de réversion, qui ne leur permettraient pas de conserver leur niveau de vie antérieur au décès du mari, ou bien si elle relève d'effets de structure, par exemple l'appartenance des veuves à des générations anciennes, plus pauvres.

---

1 En 1970, le taux de pauvreté des personnes âgées de 70 ans et plus, population composée aux deux tiers de femmes (et parmi elles, de 62 % de veuves) était le double de celui de l'ensemble de la population (soit 37 % avec un seuil de pauvreté à 50 % de la médiane) (Insee, 2001).

2 L'article 74 de la loi de financement de la Sécurité sociale pour 2009 prévoit de porter, dans le régime général et les régimes alignés, les pensions de réversion servies aux veuves et aux veufs disposant de faibles pensions de retraite à 60 % de la retraite du conjoint décédé, grâce à la création d'une majoration de ces pensions de réversion. Cette majoration sera attribuée aux titulaires de pensions de réversion âgés d'au moins 65 ans et dont les droits propres et les droits dérivés sont inférieurs à un seuil qui sera fixé par décret à 800 euros.

Si les travaux empiriques sur la variation de ressources suite au décès du conjoint sont nombreux dans la littérature étrangère (Hurd, 1989 ; Hurd, Wise, 1989 ; Holden, Kim, 2001 ; Holden, Brand, 2003 ; Burkhauser *et al.*, 2005 ; Sevak, Weir, Willis, 2003), ils sont rares en France, à l'exception de ceux de Delbès et Gaymu (2002). Une analyse sur cas types de la variation de niveau de vie suite au décès du conjoint a cependant été menée récemment par Bonnet et Hourriez (2009, voir p. 72 de ce numéro). Ils mettent en évidence que pour les générations de femmes à la retraite actuellement concernées par le veuvage, le niveau de vie suite au décès du conjoint devrait être en moyenne peu différent de celui qui prévalait avant le décès. Il peut cependant y avoir une perte ou un gain par rapport au niveau de vie antérieur au décès selon les situations individuelles. Le paramètre le plus déterminant est le ratio entre la retraite propre du survivant et celle du défunt. La perte de niveau de vie est ainsi maximale pour les veuves n'ayant pas ou peu de droits propres. La plupart des veufs actuels, en revanche, auraient un niveau de vie supérieur après le décès dès lors que leurs droits propres sont souvent plus élevés que ceux de leur conjointe et que la diminution de la taille des ménages est à leur avantage.

Cet article complète l'approche par cas types de Bonnet et Hourriez (2009) en apportant des éléments empiriques de deux ordres. Il s'agit tout d'abord de déterminer si, lors d'un passé récent, les personnes veuves âgées de 65 ans et plus ont vu ou non leur niveau de vie diminuer en moyenne lors du décès de leur conjoint. On s'interroge aussi sur les facteurs socio-économiques pouvant jouer un rôle, et sur l'existence de catégories connaissant des gains ou des pertes de niveau de vie importants. Il s'agit ensuite de quantifier le rôle de cette variation de ressources suite au décès du conjoint dans les écarts de niveau de vie entre personnes veuves et mariées, ce qui permettra d'en déduire l'importance des effets de structure. Ce travail s'appuie sur les enquêtes « Revenus fiscaux » (ERF) 1996-2001. Il est important de souligner qu'on laisse de côté dans le cadre de cet article la question du veuvage précoce. Cette problématique mérite une étude à part entière, les situations de pauvreté étant particulièrement fréquentes parmi les jeunes veuves et veufs, bien plus que parmi les veuves et veufs âgés[3].

---

3 Le taux de pauvreté des veuves de moins de 55 ans s'élève ainsi à 28 % entre 2002 et 2005 (contre 12 % en population générale). En outre, la pauvreté liée au veuvage précoce n'est pas l'apanage des femmes, puisque le taux de pauvreté des veufs de moins de 55 ans est de 20 % (Cor, 2008a). Le seuil de pauvreté retenu est de 60 % du niveau de vie médian (source : moyenne des enquêtes Insee-DGI, Revenus fiscaux 2002 à 2005).

■ Données utilisées et champ de l'étude

Une des difficultés pour étudier les conséquences économiques du veuvage réside dans la disponibilité des données. Il faut en effet disposer de données de panel permettant de suivre les individus, et de données sur les revenus suffisamment détaillées. Par ailleurs, le veuvage étant un événement « rare »[4], l'échantillon de population doit être suffisamment grand. Il n'existe en France que peu de données de ce type, à l'exception de celles du panel européen (partie française de *l'European Community Household Panel, ECHP*). Pour des raisons liées à la taille de l'échantillon des décès observés dans le panel européen et aux erreurs sur les revenus lors des déclarations dans les enquêtes auprès des ménages pouvant perturber l'exploitation des données en longitudinal[5], nous avons mobilisé une autre source : les ERF (*cf.* encadré). Ces dernières présentent l'avantage important d'enregistrer des données administratives de revenus, *a priori* moins bruitées que les déclarations dans les enquêtes (Burkhauser, Holden, Myers, 1986). Les données fiscales peuvent être affectées de biais liés à la législation (omission d'éléments de revenus non imposables, tels que les majorations de montants de pension pour trois enfants, ou les pensions d'anciens combattants, etc.) ou à l'évasion fiscale, mais ces erreurs sont systématiques et ne perturbent pas trop l'exploitation en longitudinal, contrairement au bruit qui affecte les déclarations dans les enquêtes auprès des ménages. Par ailleurs, reposant sur les enquêtes « Emploi », l'échantillon est de taille importante et peut être suivi sur trois ans, l'enquête « Emploi » étant renouvelée par tiers chaque année. Enfin, les ERF prennent en compte l'ensemble des ressources du ménage, même si les revenus du patrimoine financier sont sous-estimés (Legendre, 2004).

---

4 D'après les données de l'état civil en 2003, le risque de perdre son conjoint dans l'année s'élève pour les femmes (resp. pour les hommes) à 1,2 % (resp. 0,3 %) à 60 ans, à 2,8 % (resp. 0,8 %) à 70 ans et à 8,1 % (resp. 2 %) à 80 ans.

5 On renvoie le lecteur à l'annexe 1, p. 124, pour une explication plus détaillée des limites de cette enquête dans le cadre de ce travail.

Les enquêtes « Revenus fiscaux » de l'Insee

Les ERF résultent depuis 1996 d'un appariement des fichiers des enquêtes « Emploi » de l'Insee avec les fichiers de la Direction générale des Impôts (DGI) relatifs à l'impôt sur le revenu (c'est-à-dire correspondant aux déclarations 2042 à l'impôt sur le revenu) et à la taxe d'habitation. Le principe de l'appariement consiste à essayer de retrouver les déclarations fiscales de tous les individus des ménages enquêtés dans l'enquête « Emploi ». Pour cela, l'appariement est effectué au niveau individuel sur des données anonymes (c'est-à-dire sans utilisation du patronyme). Les critères utilisés sont la commune et le département, le prénom, le mois et l'année de naissance, le numéro de la voie, deux mots directeurs extraits du libellé de la voie à partir de l'adresse (département, commune). Il s'agit d'un appariement statistique, car les fichiers d'enquête et les fichiers de la DGI ne comportent pas d'identifiants communs (Insee, 2003). Nous utilisons ici les ERF 1997 à 2001. Après 2002, l'enquête « Emploi » en continu remplace les traditionnelles enquêtes « Emploi » de mars. Les ERF suivantes ont dû être adaptées, et se prêtent moins bien aux exploitations que nous proposons ici. Pour les revenus de 1996, l'appariement avec les données fiscales a été fait sur le tiers médian de l'enquête « Emploi » de mars 1997, soit environ 25 000 ménages. Pour les revenus de 1997 ont été appariés les tiers médian et sortant de l'enquête « Emploi » de mars 1998 (soit environ 50 000 ménages). L'enquête sur les « Revenus fiscaux » 1998 et les enquêtes suivantes (jusqu'à ERF 2001) portent quant à elles sur l'ensemble de l'échantillon de l'enquête « Emploi », soit 75 000 ménages.

On peut, à l'aide des ERF, calculer plusieurs types de revenus :
– le revenu déclaré correspond à la somme des revenus déclarés au fisc avant abattements (revenus d'activité salariée ou indépendante, indemnités de chômage, pensions alimentaires, d'invalidité ou de retraite, et revenus du patrimoine). Ces revenus sont nets de cotisations sociales et de contribution sociale généralisée (CSG) déductible ;
– le revenu disponible correspond au revenu déclaré auquel on ajoute les prestations non imposables (imputées) et auquel on soustrait les impôts directs (impôt sur le revenu net d'avoir fiscal ou de crédit d'impôt, taxe d'habitation, CSG non déductible et contribution au remboursement de la dette sociale (CRDS)).

En divisant le revenu disponible par le nombre « d'unités de consommation » du ménage, on peut calculer le niveau de vie de ce dernier. On retient dans ce travail l'échelle d'équivalence « OCDE modifiée », habituellement utilisée. Elle suppose que le premier adulte du ménage compte pour 1 unité de consommation (u.c.), les autres adultes ou les adolescents de 14 ans ou plus comptent pour 0,5 u.c., et les enfants de moins de 14 ans pour 0,3 u.c. La pertinence de cette échelle d'équivalence dans le cadre de travaux sur le niveau de vie des retraités en général et du veuvage en particulier est discutée dans Bonnet et Hourriez (2009), p. 42 de ce numéro.

Une des principales limites[6] des ERF tient à l'absence d'information sur certains revenus du patrimoine non déclarés (revenus du patrimoine exonérés d'impôt sur le revenu ou imposés au prélèvement libératoire[7]), car, par définition, ils n'apparaissent pas sur la déclaration fiscale. L'ERF 2001 ne collecterait ainsi que 12 % à 23 % des revenus des valeurs mobilières enregistrés par la comptabilité nationale, et à peu près 50 % des revenus des patrimoines immobiliers (Legendre, 2004). La dernière ERF 2006 pallie cette absence d'information en ajoutant désormais au revenu des ménages les revenus générés par différents produits financiers non recensés par la source fiscale et estimés (Goutard, Pujol, 2008).

---

6 D'autres limites de l'enquête apparaissent lors de son utilisation spécifique dans le cadre de cet article. Elles sont recensées dans l'annexe 1, p. 124.

7 Ces derniers ne sont recueillis sur la déclaration fiscale qu'à compter des revenus 1999, mais n'ont pas été exploités dans les enquêtes 1996 à 2001 en raison de leur manque de fiabilité.

On ne considère dans cet article que les individus en couple mariés sans enfant[8] dans le ménage et les veufs et veuves vivant seuls, âgés de 65 ans et plus[9]. Pour simplifier la lecture du texte, on les qualifiera respectivement de couples et de personnes veuves. On laisse en particulier de côté la question du veuvage précoce, lorsque le décès intervient en cours de vie active et/ou que des enfants sont encore à la charge du conjoint survivant. C'est une question à part entière, qui ne relève pas uniquement de la problématique de la pension de réversion[10]. Par ailleurs, les décès étudiés dans le cadre de cet article sont intervenus entre 1997 et 2001, soit sous la législation des pensions de réversion en vigueur avant la réforme de 2003. Cette dernière a assoupli un certain nombre de conditions pour l'attribution de la réversion et a en particulier supprimé la condition de cumul entre droits propres et pension de réversion (Albert, Bridenne, 2006 ; apRoberts, 2008). Sans s'étendre sur les conséquences de ces modifications, on peut dire que la législation avant la réforme de 2003 était sensiblement plus contraignante pour la population étudiée dans le cadre de cet article (couples de retraités et veufs/veuves vivant seul(e)s, âgés de 65 ans et plus). Les baisses de niveau de vie suite au décès du conjoint potentiellement observées auraient ainsi été un peu moins prononcées avec la législation post-2003.

■ Un niveau de vie des veuves actuellement en dessous de la moyenne de la population

On observe aujourd'hui que, contrairement au passé, les veuves ne constituent plus en moyenne une population globalement défavorisée, bien que leur niveau de vie demeure légèrement en dessous de la moyenne. Beaucoup moins nombreux[11], les veufs ont un niveau de vie un peu au-dessus de la moyenne. Ainsi, si l'on prend comme référence

---

8 En 2003-2004, seuls 2 % des retraités ont encore des enfants à charge (Girardot, Tomasini, 2008).

9 Se restreindre à la population des 65 ans et plus conduit à ne considérer qu'environ 75 % des événements de veuvage (données 2003). Considérer les 65 ans et plus est induit par la volonté de travailler sur le système de retraite.

10 On se reportera aux travaux du Conseil d'orientation des retraites pour des éléments sur le veuvage précoce (Cor, 2008b) ainsi qu'à Delaunay-Berdaï (2005).

11 En 2001, d'après les données de l'état civil, les hommes représentent 15 % de l'ensemble de la population veuve. En revanche, toujours en 2001, ils représentent 28 % des effectifs devenus veufs dans l'année. La différence entre les données en stock et en flux s'explique par une surmortalité des hommes veufs (Thierry, 1999) et des probabilités de remariage plus élevées que pour les veuves (Delbès, Gaymu, 1997).

le niveau de vie médian des couples mariés de personnes âgées (65 ans ou plus), le niveau de vie médian des veuves âgées vivant seules est inférieur de 14 % tandis que celui des veufs vivant seuls est supérieur de 5 % (*cf.* tableau 1). Il est bien évident que ces résultats moyens masquent la diversité des situations et d'éventuels cas de précarité. Ainsi, en 2004, le taux de pauvreté des veuves de plus de 75 ans vivant seules demeure un peu supérieur à la moyenne de la population : 6,3 % contre 5,3 % avec le seuil de pauvreté à 50 % de la médiane, ou bien 14 % contre 10 % avec le seuil de pauvreté à 60 % de la médiane[12] (Cor, 2007a).

Tableau 1. Niveau de vie moyen et médian des plus de 65 ans, selon la situation matrimoniale

Situation matrimoniale		Niveau de vie moyen		Niveau de vie médian	
		En €/uc par an	En indice	En €/uc par an	En indice
Femmes et hommes de plus de 65 ans, vivant en couple marié, sans enfant dans le ménage		15 962	*(réf.)* 100	13 864	*(réf.)* 100
Femmes de plus de 65 ans, vivant seules	Veuves	13 340	84	11 966	86
	Divorcées	13 084	82	11 862	86
	Célibataires	14 425	90	13 087	94
Hommes de plus de 65 ans, vivant seuls	Veufs	17 229	108	14 534	105
	Divorcés	15 823	99	13 619	98
	Célibataires	11 952	75	10 699	77

Source. empilement des ERF 1999 à 2001, Insée-DGI.

Note : individus appartenant à un ménage dont le revenu déclaré est positif ou nul. Le niveau de vie est calculé avec l'échelle d'équivalence standard de l'Insee.

NB : le revenu est mesuré en euros 2000.

Le niveau de vie moyen des veufs est supérieur de 8 % à celui des couples mariés. Celui des veuves est inférieur de 16 % en moyenne à celui des femmes mariées de 65 ans et plus.

Si on ne reviendra pas sur cette question par la suite, il faut cependant noter, comme il est rappelé et détaillé dans Cor (2008b), que « l'écart entre le niveau de vie moyen des veuves et celui des couples âgés apparaîtrait sans doute plus important si l'on prenait en compte l'intégralité des revenus du patrimoine, et non plus seulement les revenus

---

12 Le taux de pauvreté des veuves âgées apparaîtrait plus faible si l'on intégrait l'ensemble des revenus du patrimoine et si des loyers fictifs étaient imputés aux propriétaires (Cor, 2007b).

du patrimoine mentionnés sur la déclaration fiscale (*cf.* encadré, p. 109). Les veuves âgées de 65 ans ou plus possèdent en effet 2,5 fois moins de patrimoine (en moyenne ou en médiane) que les couples de 65 ans ou plus[13]. Le patrimoine immobilier possédé au titre de la résidence principale est deux fois moins élevé en moyenne. En effet, seulement 50 % d'entre elles possèdent leur résidence principale, contre 75 % des couples, leur logement est de moindre valeur, et elles n'en possèdent parfois qu'une partie s'il y a démembrement du patrimoine lors de la succession. Ceci est en partie compensé par le fait qu'elles sont souvent usufruitières de tout ou partie de leur résidence principale[14]. Ainsi, si le patrimoine possédé en pleine propriété est fortement réduit, le loyer fictif dont jouissent les veuves est plus conséquent. Au total, les écarts de revenus par unité de consommation entre veuves et couples ne semblent pas plus importants pour les loyers fictifs que pour les retraites[15]. En revanche, la prise en compte du patrimoine de rapport devrait accentuer l'écart entre le niveau de vie moyen des veuves et celui des couples âgés. En effet, le patrimoine de rapport des veuves (placements financiers, autres biens immobiliers ou fonciers) étant trois fois moins élevé en moyenne que celui des couples, les revenus tirés de ce patrimoine seraient environ trois fois moins importants pour les veuves, et les revenus par unité de consommation environ deux fois plus faibles.

Une des raisons à l'écart de niveau de vie observé entre les veuves et les couples âgés est que les veuves sont en moyenne plus âgées que les femmes mariées. Cependant, les écarts de niveau de vie se retrouvent à tous les âges dans des proportions comparables (*cf.* tableau 2).

---

13 Insee, enquête « Patrimoine 2004 ».

14 13 % des veuves sont usufruitières de leur résidence principale, soit un total de 63 % de veuves propriétaires ou usufruitières.

15 Si l'on imputait un loyer fictif aux propriétaires et aux usufruitiers, sur la base de 3 % de la valeur moyenne des logements possédés par les veuves ou par les couples âgés (calculs Cor sur la base de l'enquête « Patrimoine 2004 »), ce loyer imputé s'élèverait en moyenne à environ 2 200 € pour les veuves, contre 3 800 € pour les couples (soit 2 500 € par unité de consommation). Le loyer imputé par unité de consommation apparaît ainsi inférieur de 13 % à celui des couples. Pour mémoire, l'écart moyen de niveau de vie entre veuves et couples âgés est également de 13 %, sur la base des revenus hors loyers imputés et hors revenus du patrimoine non soumis à l'impôt sur le revenu (source : moyenne des enquêtes Insee-DGI, Revenus fiscaux 2000-2004). La prise en compte des loyers imputés n'affecterait donc pas l'écart de niveau de vie entre veuves et couples âgés.

**Tableau 2. Niveau de vie moyen des femmes de plus de 65 ans,
selon la situation matrimoniale et l'âge**

	65-69 ans	70-74 ans	75-79 ans	80-84 ans	85-89 ans	Ensemble (65 ans et plus)
Veuves vivant seules (1)	13 736	13 714	13 368	13 267	13 120	13 340
Femmes en couple mariées (2)	16 412	15 778	15 534	15 956	15 658	15 962
Ratio (1)/(2)	84	87	86	83	84	84
Part de veuves dans la population considérée	24 %	36 %	52 %	69 %	83 %	48 %

Source : empilement des ERF 1999 à 2001, Insee-DGI.
Note : individus appartenant à un ménage dont le revenu déclaré est positif ou nul. Le niveau de vie est calculé avec l'échelle d'équivalence standard.
NB : le revenu est mesuré en euros 2000.

En contrôlant non seulement l'âge mais aussi d'autres variables socio-démographiques de la femme, telles que la catégorie socio-professionnelle (CSP), celle du père[16] et le diplôme, l'écart entre le niveau de vie des veuves et celui des femmes mariées de mêmes caractéristiques est encore de 12,5 % (régression du log du niveau de vie par les MCO). Deux raisons pourraient être avancées pour expliquer cet écart persistant :
– la variation des ressources liée au décès du conjoint ;
– l'hétérogénéité inobservée, qui résulte notamment de la mortalité différentielle selon le statut social. L'espérance de vie à 35 ans d'un cadre est supérieure de 6 ans à celle d'un ouvrier pour les hommes, mais de 2 ans seulement pour les femmes (Cambois *et al.*, 2008). Par conséquent, on s'attend à ce que les femmes des milieux ouvriers soient veuves plus tôt et plus longtemps que les femmes des milieux cadres. D'où une surreprésentation probable des femmes d'ouvriers parmi les veuves, et des cadres parmi les retraités en couple. Les veuves appartiendraient en moyenne à des milieux moins favorisés. Dans les données transversales, il s'agit d'une caractéristique inobservée, car nous ne connaissons pas la CSP du mari décédé. Cette question de la sélection des veuves liée à la mortalité différentielle est souvent évoquée dans les travaux sur le veuvage (McGarry, Schoeni, 2005 ; Sevak, Weir, Willis, 2003). Une autre forme probable d'hétérogénéité inobservée pouvant expliquer la faiblesse du niveau de vie des veuves résulterait du veuvage précoce. En effet, ce type de décès concerne

---

16 On ne dispose pas pour les veuves, en coupe transversale, de la CSP du conjoint décédé. La CSP du père donne cependant une information sur le milieu social dans lequel la femme évolue (Vanderschelden, 2006).

113

surtout les hommes peu qualifiés[17] et les pensions de réversion sont alors calculées sur la base d'une carrière inachevée. La date de décès du conjoint n'est pas connue dans les données transversales.

Le premier aspect concernant la variation des ressources suite au décès du conjoint est l'aspect qui nous intéresse plus particulièrement dans le cadre de cet article, en lien avec la problématique du niveau de la pension de réversion. Afin de mesurer la variation des ressources d'un couple marié de personnes âgées lors du décès du conjoint, nous proposons deux approches concurrentes. Une première approche, dite longitudinale, consiste à exploiter le panel de l'ERF sur trois ans, pour comparer directement avant et après décès le revenu des ménages qui ont connu le veuvage. Une deuxième approche, dite en pseudo-panel, consiste à comparer le revenu moyen de couples dans lesquels on sait qu'un des deux conjoints va décéder l'année qui suit à celui des personnes devenues veuves la même année. Enfin, on analyse quelle part de l'écart constaté en coupe transversale entre le niveau de vie moyen des veuves et des couples âgés est imputable à la variation de ressources suite au décès du conjoint. Le reste est attribué à de l'hétérogénéité, qu'elle soit observée ou non.

■ Évaluation en panel sur trois ans de la variation de niveau de vie suite au décès du conjoint

En s'appuyant sur le renouvellement par tiers de l'enquête « Emploi », il est possible de suivre les revenus des ménages pendant trois ans. Les données disponibles permettent de le faire sur deux échantillons de 25 000 ménages, respectivement sur la période 1998-2000 et 1999-2001 (*cf.* encadré, p. 109). Pour les couples mariés qui ont connu un décès lors de l'année centrale, on va ainsi comparer les revenus du couple l'année civile qui précède le décès aux revenus du conjoint survivant l'année civile qui suit le veuvage. Disposer de trois ans permet de considérer les revenus de la personne veuve sur une année complète[18].

---

17 Ainsi, d'après Bouhia (2008), 6,7 % des hommes nés entre 1940 et 1946 et cadres dans le secteur privé à 36 ans sont décédés avant 60 ans, contre 14,3 % de ceux employés ou ouvriers non qualifiés.

18 Les données sur le revenu de la veuve l'année du décès sont difficilement exploitables. En effet, une partie porte sur la période de vie en couple et une partie sur la période de vie isolée.

Même si la taille de l'échantillon incite à la prudence, les femmes qui connaissent un décès au cours de la période 1997-2001 voient leur niveau de vie baisser en moyenne de 3 % suite au veuvage. Les hommes connaissent un niveau de vie supérieur de 17 % en moyenne après le décès de leur conjointe[19] (*cf.* tableau 3, p. 116). Ils disposent presque toujours d'un niveau de vie supérieur après le décès, la diminution de la taille des ménages étant à leur avantage. Leur niveau de vie peut ainsi connaître une hausse dans de nombreux cas, sans qu'ils bénéficient de la pension de réversion. Il est important de rappeler que les variations de niveau de vie calculées sont dépendantes de l'échelle d'équivalence retenue. Avec l'échelle d'équivalence standard utilisée dans cet article, le niveau de vie est maintenu suite au décès si les revenus de la veuve ou du veuf représentent deux tiers des revenus du couple antérieur. Si l'échelle était différente, par exemple si on adoptait celle calculée par Bonnet et Hourriez (2009), qui apparaît plus adéquate dans le cas du veuvage, la baisse moyenne de niveau de vie serait plus importante, de 10 % environ.

Si le niveau de vie des veuves connaît une légère baisse en moyenne (environ 3 %), cette baisse est de plus de 8 % pour un quart d'entre elles (*cf.* tableau 3, p. 116).

Ces résultats sur la variation de niveau de vie suite au décès du conjoint sont cohérents avec ceux que l'on peut obtenir à partir de l'EIR (*cf.* annexe 2, p. 128). Cette comparaison permet de mettre par ailleurs en évidence le fait que la prise en compte des transferts et de la fiscalité[20] dans l'ERF amortit les variations de niveau de vie par rapport à un calcul dans lequel on ne tiendrait compte que des revenus de retraite ajustés de la taille du ménage (*cf.* annexe 2, p. 128).

---

19 La comparaison avec les études menées sur d'autres pays reste difficile. La variation de niveau de vie dépend du champ des configurations familiales retenues, du dispositif de réversion et des distributions jointes de pension de retraite de l'homme et de la femme au sein du couple. Burkhauser *et al.* (2005) mettent cependant en évidence une baisse du niveau de vie pour les femmes dont le conjoint est décédé au-delà de 70 ans d'environ 7 % aux États-Unis, 4 % au Canada et 20 % au Royaume-Uni. En Allemagne, le revenu ajusté par l'échelle d'équivalence reste sensiblement le même qu'avant le décès du conjoint. L'échelle d'équivalence retenue dans ces travaux est cependant un peu plus basse (elle est égale à $\sqrt{N}$, N étant la taille du ménage). Ces baisses de niveau de vie seraient moins prononcées si les calculs avaient été réalisés avec l'échelle d'équivalence standard retenue dans cet article.

20 La fiscalité est par exemple plus avantageuse pour les personnes veuves puisqu'elles disposent d'une demi-part supplémentaire dès lors qu'elles ont élevé au moins un enfant.

**Tableau 3. Variation du revenu disponible et du niveau de vie,
avant *(t-1)* et après veuvage *(t+1)***

	Variation	Hommes	Femmes
	Q1	0,69	0,61
Revenu disponible *(t+1)*	Q2	0,79	0,65
Revenu disponible *(t-1)*	Q3	0,87	0,71
	Moyenne	0,77 (0,04)	0,65 (0,02)
	Q1	1,04	0,92
Niveau de vie *(t+1)*	Q2	1,18	0,98
Niveau de vie *(t-1)*	Q3	1,31	1,06
	Moyenne	1,17 (0,05)	0,97 (0,03)
Nombre d'observations		45	102

Source : ERF 1998-2001 (exploitation des deux panels de trois ans : 1998-2000 et 1999-2001).
Note : *t* est la date où le veuvage se produit.
Champ : couples mariés sans enfant à la date *(t-1)*, la femme (resp. l'homme) du couple est âgée de 63 ans et plus. À la date *(t+1)*, la veuve (resp. le veuf) vit seule.
Remarque 1 : entre parenthèses figure l'écart-type de la moyenne. Il est calculé en supposant une valeur de l'effet de sondage *(design effect)* de 2 (compte tenu du plan de sondage de l'enquête « Emploi »). On observe ainsi que, malgré la taille réduite de l'échantillon, la précision reste correcte.
Remarque 2 : comme nous n'avons considéré que des couples mariés sans enfant dans le ménage devenant veufs et vivant seuls, la variation de niveau de vie est égale à la variation de revenu disponible multipliée par 1,5 (échelle d'équivalence standard).
Note de lecture : Q1, Q2 et Q3 sont les quartiles de la distribution de la variation de niveau de vie. Ainsi, parmi les femmes connaissant le veuvage, 25 % connaissent une hausse de leur niveau de vie de plus de 6 %.

Conformément aux analyses sur cas types (Bonnet, Hourriez, 2009), avoir des ressources propres (essentiellement une pension de retraite) qui représentaient une part élevée du revenu du ménage avant le veuvage diminue la probabilité de connaître une baisse du niveau de vie (*cf.* tableau 4). En revanche, alors qu'on pourrait s'attendre à un effet du statut du conjoint décédé (secteur public ou secteur privé) compte tenu des règles de la réversion, cette variable n'a pas d'effet significatif. Les taux de réversion sont plus généreux pour les salariés du privé que pour le secteur public, mais il existe une condition de ressources dans le régime de base[21]. Il faut cependant noter que la variable indique le fait d'avoir travaillé dans le secteur public, l'administration et/ou les collectivités locales mais ne renseigne pas sur l'appartenance à la

---

21 Les taux de réversion sont de 50 % dans les régimes de la Fonction publique, et de respectivement 54 % pour le régime de base et 60 % pour les régimes complémentaires, pour les salariés du secteur privé. Pour une description détaillée de la législation des pensions de réversion, on renvoie le lecteur à Cor (2008b).

Fonction publique[22]. Enfin, parmi les autres variables de niveau social susceptibles d'expliquer la variation de niveau de vie suite au décès, le revenu avant décès, la CSP du conjoint et celle du survivant n'ont pas d'effet. Le maintien du niveau de vie semble ainsi assuré en moyenne pour l'ensemble de la population des veuves, à l'exception de celles dont les revenus propres représentaient une faible part des revenus totaux du couple.

Tableau 4. Probabilité de connaître une baisse du niveau de vie suite au décès du conjoint

Variables	Paramètres
Constante	1,279***
	(0,446)
Statut du conjoint décédé	
Salarié du public (État et collectivités locales)	-0,0149
	(0,505)
Salarié du privé	Réf.
Travaillait à son compte	-0,862*
	(0,521)
Part des revenus de la femme dans les revenus du ménage (t-1)[a]	-2,837**
	(1,296)
Nombre d'observations	102

Source : ERF 1998-2001.
Champ : veuves, âgées de 65 ans et plus, ayant perdu leur conjoint sur la période 1998-2001 et vivant seules.
[a] Le calcul de la part ne tient compte que des revenus individualisés des deux conjoints
Modèle logit ***significatif à 1 %, **significatif à 5 %, *significatif à 10 %.

■ Évaluation en pseudo-panel de la variation de niveau de vie suite au décès du conjoint

L'exploitation longitudinale sur trois ans présentée précédemment conduit à un échantillon limité de 147 événements de veuvage. Afin de conforter les résultats obtenus, nous retenons une deuxième approche permettant d'évaluer la variation moyenne ou médiane du niveau de vie suite au décès du conjoint. On compare le revenu de couples dans lesquels on sait qu'un des deux conjoints, âgés de 63 ans et plus, va

---

22 En effectuant la même analyse à partir des données de l'EIR, on constate cette fois une influence du statut du conjoint décédé, les veuves de fonctionnaires connaissant moins souvent une baisse de leurs revenus de retraite ajustés suite au décès du conjoint (*cf.* annexe 2, p. 128).

connaître le veuvage l'année qui suit, au revenu de veufs (veuves) âgé(e)s de 65 ans et plus qui viennent de connaître le décès de leur conjoint l'année qui précède. On construit ainsi un pseudo-panel en suivant plusieurs cohortes correspondant à plusieurs années de décès. Concrètement, pour une année *n* donnée, on observe dans l'ERF de l'année *(n-1)* les couples pour lesquels on sait que l'homme (la femme) va décéder entre mars de l'année *(n)* et mars de l'année *(n+1)*[23]. Puis on observe dans l'ERF de l'année *(n+1)* les veuves récentes dont on sait qu'elles viennent de perdre leur mari entre mars de l'année *(n)* et décembre de l'année *(n)*[24]. La comparaison des statistiques relatives à ces deux sous-populations permet de déterminer si la population de femmes retraitées devenant veuves connaît ou non une dégradation de son niveau de vie moyen ou médian suite au décès. Une analyse symétrique est menée pour les hommes devenant veufs.

Les résultats sur la variation de niveau de vie suite au décès du conjoint (*cf.* tableau 5) sont proches de ceux obtenus sur le panel de trois ans (*cf.* tableau 3, p. 116). Le niveau de vie des femmes devenues veuves sur la période connaît une baisse moyenne de 3 % alors que les hommes devenus veufs voient leur niveau de vie augmenter de 14 % en moyenne (*cf.* tableau 5).

Tableau 5. Variation du revenu disponible et du niveau de vie, avant *(t-1)* et après veuvage *(t+1)* – pseudo-panel

	Variation	Hommes	Femmes
Revenu disponible *(t+1)*	Moyenne	0,76	0,64
Revenu disponible *(t-1)*	Médiane	0,81	0,66
Niveau de vie *(t+1)*	Moyenne	1,14	0,97
Niveau de vie *(t-1)*	Médiane	1,22	0,99

Source : ERF 1998-2001.

Note : le pseudo-panel de femmes est constitué à partir de 464 observations de couples dans lesquels la femme est âgée de 63 ans et plus et l'homme va décéder dans l'année, auxquels on compare 171 veuves récentes âgées de 65 ans et plus qui viennent de connaître le veuvage. Pour les hommes, la taille de l'échantillon est de respectivement 165 et 77.

---

23 On rappelle que l'ERF de l'année *(n-1)*, qui comporte les revenus de l'année civile *(n-1)*, est appariée avec l'enquête emploi de mars *(n)*. La composition démographique (couple ou veuve) est donc observée au mois de mars *(n)*. C'est pourquoi on considère en fait la population des femmes connaissant le décès de leur mari entre mars *(n)* et mars *(n+1)*, plutôt que la population des femmes dont le mari décède durant l'année civile *(n)*.

24 Logiquement, on aurait dû considérer les décès entre mars *(n)* et mars *(n+1)*, période retenue pour les couples. Cette restriction de période est cependant nécessaire, car on souhaite que les personnes veuves l'aient été durant toute l'année civile *(n+1)*, c'est-à-dire qu'elles soient veuves au 31 décembre *(n)*. Raisonner sur des individus connaissant le veuvage au début de l'année *(n+1)* aurait conduit à une estimation erronée de leur niveau de vie cette année-là. En effet, le revenu de l'année *(n+1)* aurait alors été constitué d'une partie portant sur la période de vie en couple et d'une partie sur la période de vie isolée.

De même que sur les données en panel, nous essayons de mettre en évidence certaines variables pouvant avoir une influence sur la variation du niveau de vie suite au décès du conjoint (*cf.* annexe 3, p. 132). Cependant, aucune des variables retenues ne semble influer significativement sur la variation de niveau de vie. Notons que la seule variable qui jouait significativement en panel, à savoir la part de la femme dans les retraites du couple, n'est pas disponible en pseudo-panel[25].

■ Quels effets de structure dans les écarts de niveau de vie entre personnes veuves et personnes mariées ?

Deux raisons avaient été avancées au début de l'article pour expliquer l'écart de 16 % entre le niveau de vie moyen des veuves et celui des femmes mariées de plus de 65 ans : la variation de ressources suite au décès du conjoint et des effets de structure liés à la génération ou à l'hétérogénéité observée ou inobservée (personnes issues de milieux aisés surreprésentées dans les couples âgés, et personnes issues de milieux populaires ou personnes ayant connu le veuvage en cours de vie active surreprésentées parmi les veuves). La décomposition du ratio entre le niveau de vie moyen (ou médian) des couples et celui des personnes veuves (selon l'égalité I ci-dessous) permet de quantifier le rôle des deux effets de variation de ressources et de structure, sans toutefois pouvoir distinguer à ce stade l'ampleur de l'hétérogénéité inobservée[26].

$$\frac{N^n_{veuf(ve)_{D(n-1)}}}{N^n_{couple_{M(n+1)}}} = \frac{N^n_{veuf(ve)_{D(n-1)}}}{N^n_{veuf(ve)_{D(n-1)} \, en \, couple_{M(n-1)}}} \times \qquad (\text{I})$$

$$\underset{(1)}{} \qquad\qquad \underset{(2)}{}$$

$$\frac{N^n_{couple_{M(n+1)} \, devient \, veuf(ve)_{M(n+2)}}}{N^n_{couple_{M(n+1)}}} \times \frac{N^n_{veuf(ve)_{D(n-1)} \, en \, couple_{M(n-1)}}}{N^n_{couple_{M(n+1)} \, devient \, veuf(ve)_{M(n+2)}}}$$

$$\underset{(3)}{} \qquad\qquad\qquad \underset{(4)}{}$$

---

25 Cette variable est observée dans l'échantillon des couples avant décès, mais pas dans l'échantillon des veuves récentes, pour lequel on ignore les caractéristiques du défunt dans un certain nombre de cas.

26 Un tel exercice demanderait des investigations supplémentaires et supposerait en particulier de pouvoir disposer de données de panel sur une période suffisamment longue.

$$\frac{N^{n}_{veuf(ve)_{D(n-1)}}}{N^{n}_{couple_{M(n+1)}}} :$$

ratio entre le niveau de vie de l'ensemble des veuves et le niveau de vie de l'ensemble des couples, tel qu'il est mesuré en coupe transversale dans l'ERF *n* (revenus de l'année civile *n* et observation de la situation démographique en mars *n+1*[27]).

$$\frac{N^{n}_{veuf(ve)_{D(n-1)}}}{N^{n}_{veuf(ve)_{D(n-1)}\ en\ couple_{M(n-1)}}} :$$

ratio entre le niveau de vie de l'ensemble des veuves[28] et le niveau de vie des veuves « récentes », c'est-à-dire des individus qui étaient en couple marié sans enfant en mars *(n-1)* et sont veufs en décembre *(n-1)*.

$$\frac{N^{n}_{couple_{M(n+1)}\ devient\ veuf(ve)_{M(n+2)}}}{N^{n}_{couple_{M(n+1)}}} :$$

ratio entre le niveau de vie des couples dont un des deux conjoints va décéder entre mars *(n+1)* et mars *(n+2)* et le niveau de vie de l'ensemble des personnes âgées qui sont en couple marié en mars *(n+1)*.

$$\frac{N^{n}_{veuf(ve)_{D(n-1)}\ en\ couple_{M(n-1)}}}{N^{n}_{couple_{M(n+1)}\ devient\ veuf(ve)_{M(n+2)}}} :$$

Ce dernier ratio compare, en coupe transversale, le niveau de vie des individus devenus veufs entre mars *(n-1)* et décembre *(n-1)*, au niveau de vie des couples dans lesquels le conjoint va décéder entre mars *(n+1)* et mars *(n+2)*. On devrait obtenir des résultats proches de ceux issus des calculs sur le pseudo-panel, après correction de l'effet noria. En effet, pour obtenir des grandeurs comparables au numérateur et au dénominateur, il faut corriger ce ratio de *(1+g)²*, *g* étant l'effet noria des niveaux de vie (taux de croissance du niveau de vie moyen au fil des générations, en euros constants). En effet, les couples considérés au dénominateur vont connaître un veuvage en *(n+1)*, c'est-à-dire deux ans plus tard que les individus au numérateur, devenus veufs en *(n-1)*. Le paramètre g est un peu supérieur à 1 % par an (Cor, 2007b).

---

[27] Pour la population des veuves, parmi les personnes veuves en mars *(n+1)*, on se restreint à celles qui étaient déjà veuves en décembre *(n-1)*. On exclut ainsi les individus connaissant le veuvage l'année *n*. En effet, on ne dispose pas d'une estimation correcte de leur niveau de vie cette année-là, qui est constitué d'une partie portant sur la période de vie en couple et d'une partie sur la période de vie isolée.

[28] Même restriction que dans la note précédente aux personnes déjà veuves en décembre *n-1*.

Tableau 6. Décomposition du ratio de niveau de vie (veuves/couples) pour les femmes

	Niveau de vie moyen	Niveau de vie médian
$\dfrac{N^n_{veuf(ve)_{D(n-1)}}}{N^n_{couple_{M(n+1)}}}$ (1)	0,84	0,87
$\dfrac{N^n_{veuf(ve)_{D(n-1)}}}{N^n_{veuf(ve)_{D(n-1)} en couple_{M(n-1)}}}$ * (2)	0,97	1,00
$\dfrac{N^n_{couple_{M(n-1)} devient veuf(ve)_{M(n+2)}}}{N^n_{couple_{M(n+1)}}}$ ** (3)	0,94	0,95
$\dfrac{N^n_{veuf(ve)_{D(n-1)} en couple_{M(n-1)}}}{N^n_{couple_{M(n+1)} devient veuf(ve)_{M(n+2)}}}$ (4)	0,92	0,91

(1) = (2) x (3) x (4) *(aux arrondis près)*

Source : ERF, 1997-2001.

Note : individus appartenant à un ménage dont le revenu déclaré est positif ou nul. Le niveau de vie est calculé avec l'échelle d'équivalence standard.

Calcul du terme 1 - Champ : enquêtes « Emploi » 1998 à 2002. Ensemble des veuves âgées de 65 ans et plus ou des couples dont la femme est âgée de 65 ans et plus.

Calcul du terme 2 - Champ : le tiers sortant des enquêtes « Emploi » 1998 à 2002. Les veuves sont âgées de 65 ans et plus et ont un revenu déclaré positif ou nul.

(*) Les veuves « récentes » devenues veuves entre mars et décembre *(n-1)* représentent 292 observations.

Calcul du terme 3 - Champ : tiers entrant et médian enquêtes « Emploi » 1998 à 2001.

(**) Les couples dans lesquels l'homme décède entre mars *(n+1)* et mars *(n+2)* représentent 588 observations. On considère uniquement les couples dans lesquels la femme est âgée de 65 ans et plus.

Ainsi, pour les veuves, l'écart de 16 % en moyenne de leur niveau de vie par rapport à celui des couples mariés (terme 1) s'expliquerait pour un peu plus du tiers par la variation de leur niveau de vie suite au décès du conjoint (terme 4)[29]. Le reste est attribuable à des effets de structure (termes 2 et 3), en particulier à la différence de niveau de vie qui prévalait avant le veuvage entre couples mariés et couples mariés concernés par le veuvage.

---

[29] La variation de niveau de vie suite au décès du conjoint s'obtient, dans la décomposition présentée dans les tableaux 6 et 7, en multipliant le terme (4) par l'effet noria des niveaux de vie, égal à un peu plus de 1 % par an. Ainsi, la variation de niveau de vie est égale à environ 0,94-0,95 (pour un effet noria compris entre 1,2 % et 1,4 %), une valeur proche de celle obtenue avec les deux méthodes précédentes. Partant de cette valeur, la variation de niveau de vie explique un peu plus d'un tiers de l'écart de niveau de vie moyen entre les personnes veuves et les couples mariés et non la moitié, comme le conduirait à penser l'utilisation du terme (4) non corrigé.

Tableau 7. Décomposition du ratio de niveau de vie (veufs/couples) pour les hommes

	Niveau de vie moyen	Niveau de vie médian
$\dfrac{N^n_{veuf(ve)_{D(n-1)}}}{N^n_{couple_{M(n+1)}}}$ (1)	1,06	1,05
$\dfrac{N^n_{veuf(ve)_{D(n-1)}}}{N^n_{veuf(ve)_{D(n-1)}\ en\ couple_{M(n-1)}}}$ * (2)	0,90	0,87
$\dfrac{N^n_{couple_{M(n+1)}\ devient\ veuf(ve)_{M(n+2)}}}{N^n_{couple_{M(n+1)}}}$ ** (3)	1,04	0,98
$\dfrac{N^n_{veuf(ve)_{D(n-1)}en\ couple_{M(n-1)}}}{N^n_{couple_{M(n+1)}\ devient\ veuf(ve)_{M(n+2)}}}$ (4)	1,14	1,23

(1) = (2) x (3) x (4) *(aux arrondis près)*

Source : ERF, 1997-2001.

Note : individus appartenant à un ménage dont le revenu déclaré est positif ou nul. Le niveau de vie est calculé avec l'échelle d'équivalence standard.

Calcul du terme 1 - Champ : enquêtes « Emploi » 1998 à 2002. Ensemble des veufs âgés de 65 ans et plus ou des couples dont l'homme est âgé de 65 ans et plus.

Calcul du terme 2 - Champ : tiers sortant des enquêtes « Emploi » 1998 à 2002. Les veufs sont âgés de 65 ans et plus et ont un revenu déclaré positif ou nul.

(*) Les veufs « récents » devenus veufs entre mars et décembre *(n-1)* représentent 125 observations.

Calcul du terme 3 - Champ : tiers entrant et médian enquêtes « Emploi » 1998 à 2001.

(**) Les couples dans lesquels la femme décède entre mars *(n+1)* et mars *(n+2)* représentent 210 observations. On considère uniquement les couples dans lesquels l'homme est âgé de 65 ans et plus.

■ Conclusion

Cet article étudie la variation du niveau de vie des retraités en couple sans enfant suite au décès de leur conjoint. Pour cela, deux méthodes ont été utilisées pour estimer la perte moyenne ou médiane de revenus lors du décès, en utilisant les données des enquêtes « Revenus fiscaux » 1996 à 2001, permettant d'observer les personnes devenues veuves à cette date. Ces deux méthodes conduisent à des résultats très proches. Même si la taille de l'échantillon incite à la prudence, pour les femmes, la variation du niveau de vie suite au décès du conjoint est faible, mais légèrement négative en moyenne comme en médiane, autour de - 3 %. Cette baisse est cependant de plus de 8 % pour un quart d'entre elles, en particulier parmi les femmes n'ayant pas de droits propres.

Pour les hommes, la variation moyenne ou médiane du niveau de vie est nettement positive : entre + 14 % et + 22 %.

Les dispositifs français de réversion permettent donc globalement de maintenir à peu près le niveau de vie des veuves, même si ce n'est pas un objectif clairement affiché (Cor, 2008b). Pour les hommes veufs, qui disposent de droits propres élevés, la pension de réversion permettrait d'aller au-delà du maintien du niveau de vie. La question se pose de savoir s'il en sera de même pour les futures générations de femmes retraitées, qui auront davantage travaillé et se seront constitué des droits propres plus importants, quoique toujours inférieurs à ceux des hommes (Crenner, 2008). L'ensemble de ces résultats sont cohérents avec ceux obtenus par des analyses sur cas types menées par ailleurs (Bonnet, Hourriez, 2009).

Les résultats concernant la variation de niveau de vie dépendent de l'échelle d'équivalence retenue. Dans cet article, nous avons utilisé l'échelle d'équivalence standard, qui considère que le maintien du niveau de vie correspond à une baisse des revenus de 33 % pour le ménage. Les résultats seraient sensiblement différents si on raisonnait à l'aide d'une échelle d'équivalence tenant compte par exemple de la mobilité réduite des veuves suite au décès du conjoint et du fait qu'elles n'ajustent donc pas la taille de leur logement à la baisse (Bonnet, Hourriez, 2009).

Enfin, on observe que l'écart de 16 % constaté au cours de la période étudiée entre le niveau de vie moyen de l'ensemble des veuves de plus de 65 ans et les couples mariés de plus de 65 ans n'est que peu lié à la baisse des ressources lors du veuvage. Au-delà des effets de génération, les effets de sélection liés notamment à la mortalité différentielle (surreprésentation parmi les couples âgés de personnes issues de milieux aisés et de personnes issues de milieux populaires parmi les veuves) jouent un rôle important, qui nécessite cependant des investigations supplémentaires afin de pouvoir en quantifier l'ampleur. Cette question est laissée à de futures recherches.

Remerciements

Nous remercions Carine Burricand (Drees) pour l'annexe 1, réalisée à partir des données de l'Échantillon interrégimes des retraités (EIR). Nous remercions également Agnès Gramain (Université Paris Dauphine), Yves Guégano et le secrétariat général du Conseil d'orientation des retraites pour leurs commentaires, les deux rapporteurs de la revue, ainsi que Pascal Chevalier (Division Revenus, Insee) pour l'accès aux données des enquêtes « Revenus fiscaux » (ERF). Nous restons bien évidemment seuls responsables des erreurs pouvant subsister.

■ Annexes

▓ Annexe 1 - Limites de l'utilisation du panel européen des ménages et des enquêtes «Revenus fiscaux» pour étudier la variation de niveau de vie suite au veuvage

Le panel européen

Le panel européen est en théorie la meilleure source pour étudier la variation du revenu lors du décès du conjoint, puisque les individus sont suivis année par année pendant huit ans même s'ils déménagent, avec un questionnaire complet sur les revenus et les conditions de vie. Malheureusement, cette source souffre de deux limites. D'une part, la taille de l'échantillon est limitée (le panel s'efforce de suivre un échantillon d'environ 11 000 adultes répartis initialement dans 7 000 ménages), de sorte que l'on enregistre peu de veuvages[30] (Ahn, 2004). D'autre part, la mesure des revenus de chaque ménage interrogé est affectée d'un bruit important. En effet, lorsqu'un enquêteur interroge un ménage sur ses ressources, de nombreuses erreurs aléatoires peuvent survenir : oubli ou au contraire double compte d'une source de revenus (erreur potentiellement fréquente pour les retraités, qui perçoivent souvent des pensions provenant de plusieurs régimes de retraite) ; confusions (montants mensuels/trimestriels/annuels, euros/francs/anciens francs) ; erreur sur la définition du revenu (montants bruts/nets à payer/imposables) ; précision variable des sources d'information (les revenus peuvent être communiqués à l'enquêteur à partir d'un document tel qu'un relevé de retraite ou la déclaration fiscale, ou bien de mémoire avec des erreurs d'arrondi) ; information imparfaite au sein du ménage (lorsqu'un individu répond pour son conjoint). Ces erreurs ne sont pas propres au panel européen, car elles concernent toutes les enquêtes par questionnement direct auprès des ménages[31]. Mais elles prennent une grande importance lorsque l'on exploite les données longitudinalement[32].

---

[30] 257 cas de décès de l'homme ou de la femme parmi l'ensemble des couples en huit ans, selon Ahn (2004).

[31] Ainsi Hagneré et Lefranc (2006), en se basant sur les ERF, comparent les déclarations de salaires faites dans les enquêtes Emploi aux salaires reportés dans les déclarations fiscales. Ils en concluent que *«si la qualité des déclarations de salaire en niveau se révèle particulièrement bonne […], en revanche, les données en différence apparaissent nettement plus bruitées, ce qui semblerait induire des biais économétriques importants»*.

[32] Supposons que l'écart type de l'erreur aléatoire représente environ 20 % du revenu moyen mesuré. La variation du revenu du ménage entre deux années successives est donc mesurée avec une erreur dont l'écart-type est de 20 % x 1,41 = 28 % du revenu moyen (en supposant que les erreurs aléatoires sont indépendantes d'une année à l'autre). Comme la variation de niveau de vie que l'on cherche à appréhender excède rarement 10 %, l'erreur de mesure est souvent plus importante que la variation que l'on cherche à mesurer.

Une manière de résoudre cette difficulté consisterait à comparer la moyenne des revenus observés pendant au moins trois années consécutives après le veuvage à la moyenne des revenus observés trois années avant le veuvage. Mais alors l'échantillon de décès exploitables se réduirait considérablement.

Les enquêtes « Revenus fiscaux »

L'utilisation des ERF dans le cadre de ce travail sur la variation de niveau de vie suite au décès du conjoint n'est pas non plus exempte de difficultés. Dans un certain nombre de cas, en effet, l'appariement entre l'enquête « Emploi » et les fichiers fiscaux échoue parce qu'on ne retrouve pas la déclaration fiscale pour l'année *n* d'un individu présent à l'enquête « Emploi » de mars *(n+1)*. En moyenne, le taux d'échec d'appariement se situe entre 8 et 9 %, d'où des biais possibles. Ainsi, le non-appariement est un peu plus important pour les personnes veuves (en particulier les femmes[33]). Cela peut provenir du fait que certains individus âgés à faibles ressources ne remplissent pas toujours leur déclaration fiscale[34]. Non imposables, ne payant pas d'impôts et ne recevant pas de prestations logement ou famille, ces individus négligent de remplir leur déclaration. Il se pourrait alors que l'ERF surestime le niveau de vie moyen des personnes âgées, et en particulier des personnes veuves. Toutefois, au vu d'une comparaison entre l'ERF et l'EIR (*cf.* encadré, p. 126), cette surestimation reste limitée, et elle apparaît à peine plus importante pour les veuves que pour les autres retraités, de sorte qu'elle ne devrait pas trop affecter l'estimation de la variation de niveau de vie suite au veuvage.

Par ailleurs, le panel de l'enquête « Emploi », dans la mesure où l'échantillon est renouvelé par tiers, est un panel de logements et non d'individus. Une seconde cause de « perte » d'individus résulte de leur déménagement éventuel pour un autre logement ordinaire ou pour une entrée en institution. On ne les retrouverait donc pas d'une enquête « Emploi » sur l'autre. Cette attrition pourrait être problématique dans le cadre de notre travail si elle était liée à la fois au décès du conjoint et à la variation de niveau de vie. Par exemple, si suite au décès du conjoint, les veuves connaissant la baisse de niveau de vie la plus importante déménageaient, nos résultats pourraient être biaisés. D'après la littérature existante, il ne semble pas cependant que nous soyons

---

[33] Par ailleurs, au sein de ces dernières, n'avoir jamais exercé d'activité professionnelle ou habiter dans une commune rurale accroît la probabilité de non-appariement (estimation à l'aide d'un modèle logit).

[34] On ne dispose pas d'informations publiées sur cet aspect mais il semblerait qu'au global environ 2 % des ménages ne remplissent pas de déclaration de revenus, proportion qui a beaucoup diminué depuis quelques décennies.

confrontés à ce type de problème. Envisageons successivement trois types de mobilité suite au décès du conjoint : vers un autre logement ordinaire, vers une institution ou chez les enfants. Concernant ces deux dernières, le décès du conjoint ne semble pas accroître la probabilité d'entrer en institution (Metzger *et al.*, 1997), ni celle d'une corésidence avec les enfants (Bonnet, Gobillon, Laferrère, 2007). Par ailleurs, en ce qui concerne les mouvements vers des logements ordinaires, si devenir veuve accroît la probabilité de déménager, cette probabilité est indépendante du revenu pour les veuves récentes (Bonnet, Gobillon, Laferrère, 2007). L'attrition liée au déménagement ne semble donc pas pouvoir induire de biais sur nos résultats.

Distribution comparée des pensions de retraite dans l'échantillon interrégimes des retraités 2004 et dans l'enquête « Revenus fiscaux » 2004

Une comparaison des distributions de pension entre l'EIR 2004 et l'ERF 2004[35] met en évidence une légère surestimation des retraites dans l'ERF. La pension moyenne (droits directs + droits dérivés) de l'ensemble des retraités âgés de 65 ans et plus, bénéficiaires d'un droit direct et/ou d'un droit dérivé, est ainsi supérieure de 5,9 % dans l'ERF par rapport à l'EIR.

Cette surestimation de la distribution des retraites apparaît plus importante parmi les veuves. L'écart sur la retraite moyenne atteint 8,3 % sur le champ des veuves âgées de 65 ans et plus. Cet écart se retrouve à tous les niveaux de la distribution, mais il est plus important pour les petites retraites. En effet, le niveau du premier décile est supérieur de 11 % dans l'ERF à celui issu de l'EIR (*cf.* graphique ci-contre). On peut avancer plusieurs raisons à cette surestimation des niveaux de pension de retraite dans l'ERF. Comme mentionné dans l'annexe 1, les personnes à faible niveau de vie, dont une partie ont de faibles retraites même si les deux sous-populations ne se recouvrent pas, peuvent ne pas remplir de déclaration fiscale. Par ailleurs, l'ERF couvre seulement les ménages ordinaires, alors que l'EIR comprend aussi les pensions versées aux personnes en institution. Ces dernières sont plus âgées, plus souvent des femmes et avec de plus faibles niveaux de ressources que les personnes de plus de 65 ans en ménage ordinaire (Delbès, Gaymu, 2005 ; Eenschooten, 2001). Ce phénomène prend une importance accrue pour les veuves. Ainsi, d'après le recensement de 1999, 24,2 % des veuves âgées de 85 ans et plus vivent hors ménage. Enfin, même si l'effet est marginal, la perception de retraites en provenance de caisses étrangères (par exemple, par des retraités étrangers résidant en France) mais déclarées en France, ou encore de retraites surcomplémentaires d'entreprise, peuvent jouer à la hausse sur le niveau de pension moyenne, puisque ces retraités n'apparaissent pas dans l'EIR.

---

35 Nous remercions Émilie Raynaud (Insee) pour nous avoir fourni la distribution des pensions de retraite issue de l'ERF 2004.

**Comparaison des distributions de pensions des veuves
(droits directs et droits dérivés) dans l'EIR et l'ERF 2004**

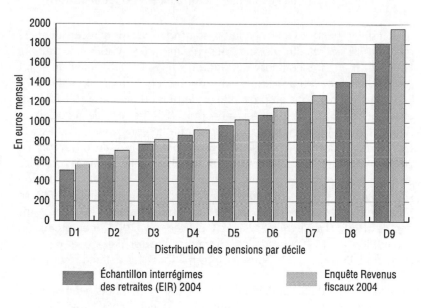

Source : EIR, 2004 (Drees) et ERF 2004.

Champ : veuves âgées de 65 ans et plus, bénéficiaires de droits directs et/ou de droits dérivés, résidant en France métropolitaine.

Note : les pensions de retraite sont hors avantages accessoires, la majoration de 10 % pour trois enfants et plus n'étant pas imposable, et hors minimum vieillesse afin d'assurer la comparabilité entre les deux sources de données. Elles comprennent en revanche la CSG non déductible.

■ Annexe 2 - Variation des ressources suite au décès du conjoint : évaluation à partir de l'Échantillon interrégimes des retraités (EIR)

L'EIR est le résultat d'une opération statistique visant à reconstituer le montant de la retraite globale tous régimes. Le système de retraite français est en effet composé de différents régimes dépendant du statut professionnel des individus. Cela conduit de nombreux retraités à bénéficier de pensions en provenance de plusieurs régimes d'affiliation et seule une base de données telle que l'EIR permet de reconstituer l'intégralité de la pension de l'individu. Afin de constituer cette base, la quasi-totalité des organismes de retraite obligatoires de base comme complémentaires, sont interrogés pour obtenir les données sur les avantages de retraite d'un échantillon anonyme d'individus. Afin de suivre l'évolution des pensions de retraite au fil du temps, l'EIR se présente sous la forme d'un panel et est renouvelé tous les quatre ans depuis 1988. La dernière vague, réalisée en 2004, comprend un échantillon de 146 000 individus retraités, âgés de 54 ans et plus (cf. Burricand, Deloffre, 2006 pour des informations plus détaillées sur l'EIR).

L'objectif est ici d'utiliser l'EIR afin de disposer d'éléments permettant de confronter les résultats obtenus sur l'ERF concernant la variation de niveau de vie suite au décès du conjoint. L'EIR ne mesurant que les retraites et non les autres ressources du ménage (prestations, revenus du patrimoine, etc.), on ne peut étudier que la variation des revenus de retraite par unité de consommation.

L'EIR présente trois avantages principaux : un large échantillon de retraités, le recueil auprès des régimes concernés de l'ensemble des droits de l'individu, et la distinction des différents avantages de pension (droit direct, droit dérivé, avantages accessoires, minimum vieillesse), ce qui permet de raisonner sur un champ cohérent avec celui de l'ERF. A contrario, il s'agit de données purement administratives et peu d'informations sociodémographiques sont disponibles. En particulier, on ne connaît pas la retraite du conjoint lorsqu'il est vivant. Néanmoins, comme nous allons le voir, l'EIR permet souvent, pour les veuves, de reconstituer la retraite du conjoint défunt.

Reconstitution de la pension de retraite du conjoint décédé à partir de la pension de réversion perçue par le conjoint survivant, à partir des données de l'EIR

Dans un régime de retraite sans condition de ressources pour le bénéfice de la pension de réversion, le niveau de cette dernière permet de reconstituer la pension de droit direct du conjoint décédé[36]. Il suffit en effet d'appliquer le taux de réversion en vigueur dans le régime d'affiliation du défunt. La situation est plus complexe dans le cas des régimes soumettant le bénéfice de la réversion à une condition de ressources (tels le régime général, les régimes alignés et la CNAVPL[37])[38]. En effet, si on ne dispose que du montant de la réversion et du droit direct, il est impossible de reconstituer la pension du décédé, les autres revenus (revenus d'activité, du patrimoine personnel) intervenant dans la condition de ressources n'étant pas connus. Cependant, pour la CNAVTS[39], on dispose dans l'EIR d'une variable « droit théorique », correspondant au montant théorique de la pension de réversion, avant tout écrêtement, et avant la comparaison au minimum de pension ou au maximum de pension, soit 54 % de la pension de droit direct du conjoint décédé. On peut donc appliquer le calcul précédent pour les bénéficiaires d'une pension de réversion écrêtée. Cette variable n'est cependant disponible que pour le régime général.

Au final, le champ retenu est donc celui des régimes pour lesquels on peut reconstituer la somme des pensions de retraite dont bénéficiait le couple avant le décès du conjoint. Plus précisément, sont concernés les monoréversés des régimes Cnav, Fonction publique, régimes spéciaux et CNRACL[40], ou les polyréversés dont toutes les pensions de réversion appartiennent à l'un de ces régimes[41]. On exclut les bénéficiaires d'un droit dérivé à la MSA[42], au RSI[43] et à la CNAVPL (soit environ un tiers des

---

36 À l'exception des individus divorcés, pour lesquels la pension de réversion issue de la pension de l'ex-conjoint décédé pourra être éventuellement partagée entre les différentes veuves survivantes au prorata des durées de mariage.

37 Caisse nationale d'assurance vieillesse des professions libérales (assurance vieillesse des membres des professions libérales).

38 L'application de minima ou de maxima de réversion rend également plus complexe la reconstitution de la pension du défunt.

39 Caisse nationale d'assurance vieillesse des travailleurs salariés (régime de base des salariés du privé et des non-titulaires de la Fonction publique).

40 Caisse nationale de retraite des agents des collectivités locales.

41 Par analogie aux polypensionnés, bénéficiaires d'un droit direct dans plusieurs régimes de base, on parle de polyréversés pour les bénéficiaires d'un droit dérivé dans plusieurs régimes de base.

42 Mutualité sociale agricole (régimes de base et complémentaires des exploitants agricoles et régime de base des salariés agricoles).

43 Régime social des indépendants (régimes de base et complémentaires des artisans et des commerçants).

129

bénéficiaires d'une pension de réversion en 2004), pour lesquels nous ne disposons pas d'informations suffisantes pour recalculer la pension de droit direct du conjoint décédé.

Une autre restriction de champ correspond à l'absence d'information lorsque la condition de ressources conduit au non-versement d'une pension de réversion au régime général. Si la situation de veuvage de ces individus est repérée par le versement de droits dérivés par les régimes complémentaires, il est cependant impossible de reconstituer la pension Cnav. Ce cas est assez peu fréquent chez les femmes (environ 5 % des veuves) mais il l'est beaucoup plus chez les hommes (40 % des veufs retraités ne perçoivent pas de droit dérivé) (Burricand, 2007). Par ailleurs, par construction, l'EIR ne recense que les individus percevant une pension de droit direct ou de droit dérivé. On ne peut donc identifier les individus veufs d'un conjoint n'ayant jamais travaillé et ne percevant pas de droit dérivé. Ce cas est bien évidemment plus répandu parmi les hommes. Ces deux raisons nous conduisent à n'exploiter l'EIR que sur le sous-champ des femmes veuves.

À partir de l'EIR, la variation moyenne des revenus de retraite ajustés à l'aide de l'échelle d'équivalence standard est légèrement supérieure à celle obtenue à partir de l'ERF (*cf.* tableau ci-après)[44].

Variation des revenus de retraite ajustés avant et après veuvage

Variation	Stock (EIR 2004)	Flux 1998-2001 (EIR 2004)	Panel 1998-2001 ERF	Panel 1998-2001 ERF hors indépendants*
Q1	0,87	0,88	0,86	0,86
Q2	0,95	0,95	0,93	0,92
Q3	1,10	1,07	1,05	1,00
Moyenne	1,01	1,00 (0,004)	0,95 (0,02)	0,93 (0,02)
Nombre d'observations	12 960	2 088	99	75

Source : EIR, 2004 (Drees) et ERF 1998-2001.

Champ : EIR 2004, veuves âgées de 65 ans et plus, mono ou polyréversées régime général, Fonction publique, régimes spéciaux et CNRACL, résidant en France métropolitaine et bénéficiaires d'une pension de réversion dans l'EIR 2004 (Stock EIR 2004, col. (2)) ou ayant liquidé une pension de réversion entre 1998 et 2001 (Flux EIR 2004, col. (3)).

* On exclut les indépendants (col (5)) afin de se rapprocher du champ retenu dans les calculs à partir de l'EIR. Cependant, on ne dispose dans l'ERF que du dernier statut d'activité. Sont ainsi inclus les individus ayant été d'abord indépendants puis salariés alors qu'ils sont exclus dans les calculs à partir de l'EIR.

Note : les revenus de retraite comprennent les droits directs (ceux du conjoint étant recalculés) et les droits dérivés mais sont hors avantages accessoires (comme signalé dans la présentation des données, la majoration de 10 % pour trois enfants et plus n'est pas imposable et n'apparaît donc pas sur la déclaration fiscale) et hors minimum vieillesse. Avant veuvage, ils sont ajustés de manière à tenir compte des économies d'échelle de la vie en couple, à l'aide de l'échelle standard (voir texte). Les pensions sont brutes de CSG et de CRDS.

---

44 Les résultats de ce tableau sur l'ERF sont différents de ceux du tableau 2 (p. 113) car l'analyse porte ici uniquement sur les pensions de retraite, pour la comparaison avec l'EIR.

Avoir un conjoint qui était fonctionnaire est synonyme d'une probabilité de connaître une baisse de son revenu ajusté moins importante suite au décès du conjoint (modèle 1, tableau ci-dessous). La condition de ressources qui s'exerce dans le secteur privé limite le montant de la réversion et, ainsi, limite les variations à la hausse du niveau de vie. L'absence d'effet du secteur obtenue dans le travail sur l'ERF (cf. tableau 4, p. 117) tient à l'agrégation dans la variable « salariés du secteur public » de fonctionnaires et de non-fonctionnaires, l'attribution de la pension de réversion pour ces derniers étant régie par les mêmes règles que pour les salariés du secteur privé. En effet, on retrouve ce dernier résultat si on utilise la même agrégation dans l'EIR (modèle 2, tableau ci-après).

Probabilité de baisse des revenus de retraite ajustés après le veuvage, selon la définition du statut de salarié du public

Modèle 1		Modèle 2	
Variables	Paramètres	Variables	Paramètres
Constante		Constante	
Statut du conjoint décédé		Statut du conjoint décédé	
Fonctionnaire	–	Salarié du public (fonctionnaire et non fonctionnaire)	ns
Salarié du privé et du public non fonctionnaire	réf.	Salarié du privé	réf.
Part de la retraite de la femme dans les retraites du couple (t-1)	–	Part de la retraite de la femme dans les retraites du couple (t-1)	–
Nombre d'observations	2 000	Nombre d'observations	2 088

Source : EIR, 2004, Drees.
Champ : bénéficiaires d'une pension de réversion dans l'EIR 2004, résidents en métropole, veuves âgées de 65 ans et plus ayant liquidé une pension de réversion entre 1998 et 2001, mono ou polyréversées régime général, Fonction publique, régimes spéciaux et CNRACL.
Modèle logit.
Note : ns pour non significatif ; – pour significativement négatif à 1 %.

■ **Annexe 3 - Évaluation de la variation de niveau de vie sur le pseudo-panel**

De même que sur les données en panel (*cf.* tableau 3, p. 116), nous essayons de mettre en évidence certaines variables pouvant avoir une influence sur la variation du niveau de vie suite au décès du conjoint à partir du pseudo-panel. Pour cela, nous procédons à l'estimation suivante sur deux sous-échantillons indépendants :

$$\log\left(N^{n+1}{}_{veuf(ve)_{D(n)} \, en \, couple_{M(n)}}\right) = f(X\beta) + u$$

et

$$\log\left(N^{n-1}{}_{couple_{M(n)} \, devient \, veuf \, (ve)_{M(n+1)}}\right) = g(X\gamma) + v$$

On note N^n le niveau de vie moyen (ou médian) de l'année de revenus fiscaux n considérée. $D(n)$ et $M(n)$ signifient respectivement décembre et mars de l'année n. Les deux sous-populations correspondent respectivement aux veuves récentes et aux couples dans lesquels un des deux conjoints va décéder.

Ceci nous permettra de déterminer le ratio recherché :

$$\log\left(\frac{N^{n+1}{}_{veuf(ve)_{D(n)} \, en \, couple_{M(n)}}}{N^{n-1}{}_{couple_{M(n)} \quad devient \, veuf(ve)_{M(n+1)}}}\right) = f(X\beta) - g(X\gamma) + (u - v)$$

Les résultats de l'estimation sont présentés dans le tableau ci-contre.

Estimation de la variation de niveau de vie suite au décès du conjoint, pseudo-panel des veuves

	$\log\left(N^{n+1}_{veuve_{D(n)}}\right)$	$\log\left(N^{n-1}_{couple_{M(n)}}\right)$	$\log\left(\dfrac{N^{n+1}_{veuve_{D(n)}}}{N^{n-1}_{couple_{M(n)}}}\right)$
	(1)	**(2)**	**(1) – (2)**
Constante	9,60** (3,85)	9,14*** (1,90)	0,47 (4,29)
Âge	0,04 (0,10)	0,06 (0,05)	− 0,02 (0,11)
Âge carré/100	− 0,03 (0,06)	− 0,04 (0,03)	0,01 (0,07)
N'a jamais travaillé	− 0,10 (0,11)	− 0,09* (0,05)	− 0,01 (0,12)
Statut du conjoint décédé			
Salarié du public (État et collectivités locales)	0,06 (0,08)	0,08* (0,05)	− 0,02* (0,10)
Salarié du privé	Réf.	Réf.	Réf.
Travaillait à son compte	− 0,21** (0,08)	− 0,22** (0,04)	0,02 (0,09)
Nombre d'observations	171	453	

Source : ERF 1997-2001.
[2] Pour les retraités, il s'agit du statut de la principale profession exercée.
Champ : veuves, âgées de 65 ans et plus, ayant perdu leur conjoint sur la période 1998-2001 et vivant seules.
***significatif à 1 %, **significatif à 5 %, *significatif à 10 %.

■ Bibliographie

AHN N., 2004, "Economic Consequences of Widowhood in Europe: Cross-country and Gender Differences", *Working paper of FEDEA*, n° 27.

ALBERT C., BRIDENNE I., 2006, « La réforme de la réversion : changement de logique, impacts et questionnements », article présenté aux journées de l'Association d'économie sociale, 7-8 septembre, Nancy.

APROBERTS L., 2008, « Les pensions de réversion du régime général : entre assurance retraite et assistance veuvage », *Retraite et Société*, n° 54, Paris, Cnav, p. 93-119.

BONNET C., GOBILLON L., LAFERRÈRE A., 2007, « Un changement de logement suite au décès du conjoint ? », *Gérontologie et Société*, n° 121, p. 195-210.

BONNET C., HOURRIEZ J.-M., 2009, « Veuvage, pension de réversion, et maintien du niveau de vie suite au décès du conjoint : une analyse sur cas types », *Retraite et Société*, n°56, Paris, Cnav, p. 72-103.

BOUHIA R., 2008, « Mourir avant 60 ans, le destin de 12 % des hommes et 5 % des femmes d'une génération de salariés du privé », *France, portrait social, édition 2008*, Paris, Insee, p. 175-193.

BROCAS A.-M., 2004, « Les femmes et les retraites en France : un aperçu historique », *Retraite et Société*, n° 43, Paris, Cnav, p. 12-35.

BURKHAUSER R., GILES P., LILLARD D. SCHWARZE J., 2005, "Until Death Do Us Part: an Analysis of the Economic Well-being of Widows in Four Countries", *The Journals of Gerontology Series B: Psychological Sciences and Social Sciences*, 60:S238-S246.

BURKHAUSER R., HOLDEN K., MYERS D., 1986, "Marital Disruption and Poverty: the Role of Survey Procedures in Artificially Creating Poverty", *Demography*, vol. 23, n° 4, p. 621-631.

BURRICAND C., 2007, « Les pensions de réversion en 2004 », *Études et Résultats*, n° 606, Drees, 8 p.

BURRICAND C., DELOFFRE A., 2006, « Les pensions perçues par les retraités fin 2004 », *Études et Résultats*, n° 538, Drees, 8 p.

CAMBOIS E., LABORDE C., ROBINE J.M., 2008, « La "double peine" des ouvriers : plus d'années d'incapacité au sein d'une vie plus courte », *Population et Sociétés*, n° 441, 4 p.

CONSEIL D'ORIENTATION DES RETRAITES, 2008a, « Évolution des droits familiaux et conjugaux, et niveau de vie au moment du veuvage », Réunion du 9 juillet 2008, http://www.cor-retraites.fr/IMG/pdf/doc-965.pdf.

CONSEIL D'ORIENTATION DES RETRAITES, 2008b, *Retraites : droits familiaux et conjugaux dans le système de retraite*, sixième rapport du Cor.

CONSEIL D'ORIENTATION DES RETRAITES, 2007a, « Le niveau de vie des veuves et des divorcées », Groupe de travail, 13 juin, http://www.cor-retraites.fr/article312.html.

CONSEIL D'ORIENTATION DES RETRAITES, 2007b, « Le niveau de vie des retraités et des actifs », fiche 5, in *Retraites : 20 fiches d'actualisation pour le rendez-vous de 2008*, cinquième rapport du Cor, p. 39-49.

CRENNER E., 2008, « Décès du conjoint, pensions de réversion et niveaux de vie des retraités », document n° 5, séance du Conseil d'orientation des retraites du 9 juillet 2008.

DELBÈS C., GAYMU J., 1997, « Convoler après 50 ans », *Gérontologie et Société*, n° 82, p. 95-105.

DELBÈS C., GAYMU J., 2005, « Qui vit en institution ? », *Gérontologie et Société*, n° 112, p. 13-14.

DELBÈS C., GAYMU J., 2002, « Le choc du veuvage à l'orée de la vieillesse : vécus masculin et féminin », *Population*, n° 6, vol. 57.

DELAUNAY-BERDAÏ I., 2005, « Le veuvage précoce en France », *in* « Histoires de familles, histoires familiales », *Les cahiers de l'Ined*, n° 156, p. 387-406.

EENSCHOOTEN M., 2001, « Les personnes âgées en institution en 1998 : catégories sociales et revenus », *Études et Résultats*, n° 108, 8 p.

GIRARDOT P., TOMASINI M., 2008, « Le patrimoine et le niveau de vie des retraités observé dans l'enquête "Patrimoine" selon la descendance finale », *note Insee*, n° 2473/DG75-F350, préparée pour la séance plénière du Conseil d'orientation des retraites du 22 octobre 2008.

GOUTARD L., PUJOL J., 2008, « Les niveaux de vie en 2006 », *Insee Première*, n° 1203.

HAGNERÉ C., LEFRANC A., 2006, « Étendue et conséquences des erreurs de mesure dans les données individuelles d'enquête : une évaluation à partir des données appariées des enquêtes Emploi et revenus fiscaux », *Économie et Prévision*, n° 174, p 131-154.

HOLDEN K., BRAND J., 2003, "Income Change and Distribution Upon Widowhood: Comparison of Britain, US, and Germany", *in* Overbye E., Kemp P. (eds.), *Pensions: Challenges and Reform*, Aldershot, Ashgate.

HOLDEN K., KIM M., 2001, "The Pattern and Consequence of Survivorship Provisions in Public Retirement Plans: Comparison of Britain, US and Germany", paper prepared for the Society of Actuaries Symposium on Retirement Implication of Demographic and Family Change, November 29-30, Orlando, Florida.

HURD M., 1989, "The Poverty of Widows: Future Prospects", *in* Wise D. (ed.), *The Economics of Aging*, University of Chicago Press, p. 201-230.

HURD M., WISE D., 1989, "The Wealth and Poverty of Widows: Assets Before and After Husband's Death", *in* Wise D. (ed.), *The Economics of Aging*, University of Chicago Press.

INSEE, 2003, Guide d'utilisation des enquêtes « Revenus fiscaux » 1996-1999 (MAJ septembre 2008), *document Insee*.

INSEE, 2001, « Revenus et Patrimoine des ménages, – édition 2000-2001 », *Synthèses*, n° 47.

LEGENDRE N., 2004, « Les revenus du patrimoine dans les enquêtes "Revenus fiscaux" », *document de travail Insee*, F 0404.

MCGARRY K., SCHOENI R.F., 2005, "Medicare Gaps and Widow Poverty", *Social Security Bulletin*, vol. 66, n° 1, 17 p.

METZGER M.-H., BARBERGER-GATEAU P., DARTIGUES J.F., LETENNEUR L., COMMENGES D., 1997, « Facteurs prédictifs d'entrée en institution dans le cadre du plan gérontologique du département de Gironde », *Revue d'épidémiologie et de santé publique*, vol. 45, n° 3, p. 203-213.

SEVAK P., WEIR D., WILLIS R., 2003, "The Economic Consequences of a Husband's Death: Evidence From the HRS and AHEAD", *Social Security Bulletin,* n° 3.

THIERRY X., 1999, « Risques de mortalité et de surmortalité au cours des dix premières années de veuvage », *Population,* n° 2, Ined, p. 177-204.

VANDERSCHELDEN M., 2006, « Position sociale et choix du conjoint : des différences marquées entre hommes et femmes », *Données sociales - La société française,* Paris, Insee, p. 33-42.

Voyages organisés à la retraite et lien social

Vincent CARADEC, Ségolène PETITE, GRACC/CERIES, Université de Lille 3[1]

Les voyages organisés entretiennent un lien particulier avec la retraite. Dès les années 1930, des compagnies d'autocars ont mis en place des circuits touristiques ou gastronomiques à destination des « retraités », groupe social alors émergent, composé essentiellement à l'époque d'anciens salariés de l'État (Feller, 2005). Dans les années 1970, la diffusion d'une éthique « activiste » de la retraite, symbolisée par la catégorie nouvelle de « troisième âge » (Guillemard, 1980), s'est accompagnée d'une offre d'activités de loisir, en particulier sous la forme de « voyages pour le troisième âge » (Attias-Donfut, 1972) que les caisses de retraite, notamment les régimes complémentaires en concurrence les uns avec les autres, ont fortement contribué à développer (Lenoir, 1979). C'est ainsi que *« le troisième âge est parti visiter un monde dont il ignorait presque l'existence dans sa jeunesse »* (Viard, 2000, p. 10), ces voyages organisés contribuant à acculturer les retraités aux vacances et aux déplacements touristiques. Aujourd'hui, cette fonction de « socialisation » aux vacances n'est plus aussi importante : les taux de départ en vacances des retraités ont fortement augmenté, notamment chez les plus jeunes d'entre eux[2] ; les nouvelles générations arrivant à la retraite ont plus fréquemment voyagé au cours de leur vie active[3]. On parle d'ailleurs plus volontiers aujourd'hui de « tourisme des seniors » (Direction du tourisme, 2005) que de « voyages pour le troisième âge ». Cependant, si une tendance à l'individualisation des séjours s'observe à tous les âges de la vie (Pochet, Schéou, 2002), les retraités continuent à

---

[1] Cet article est tiré d'une recherche financée par la Cram Nord-Picardie à laquelle a également participé Thomas Vannienwenhove. Pour des informations complémentaires, voir Caradec, Petite, Vannienwenhove (2007).

[2] En 1965, seulement 32 % des 60-64 ans partaient en vacances (selon la définition de l'Insee, qui suppose une absence de son domicile d'au moins quatre nuits consécutives) ; en 1999, leur taux de départ s'élevait à 58 % et, en 2004, à 66 %. Dans le même temps, le taux de départ pour l'ensemble de la population a augmenté moins fortement, passant de 44 % en 1965 à 62 % en 1999 et à 64,5 % en 2004 (Rouquette, Taché, 2002 ; Le Jeannic, Ribera, 2006).

[3] Cette fonction de « socialisation » n'a cependant pas complètement disparu, notamment pour les voyages lointains. Dans notre enquête, on relève que près de 20 % des retraités nés entre 1939 et 1944 ont pris l'avion, pour la première fois, après leur retraite.

recourir aux voyages organisés plus souvent que les plus jeunes[4]. Et si les caisses de retraite ont aujourd'hui d'autres priorités en matière d'action sociale, elles continuent néanmoins à proposer des aides financières au départ, parfois même des séjours et des voyages (*ibid*, ch. 5).

L'une des vertus attribuées à ces voyages organisés concerne leur influence sur la sociabilité des retraités : les vacances constitueraient une « thérapeutique pour l'isolement social » des plus âgés (Collot, 1978), elles donneraient l'occasion de créer des relations nouvelles. Considérer les vacances comme un catalyseur des liens sociaux est certes une idée bien plus générale – au point que leur est parfois assignée la mission de revivifier un lien social compromis par la modernité et laissé en jachère dans le quotidien (Amirou, 1995) – mais elle semble s'appliquer particulièrement bien à la population âgée, dont la sociabilité s'étiole avec l'avancée en âge (Blanpain, Pan Ké Shon, 1999). Et, parmi les différentes manières de prendre des vacances, les voyages organisés paraissent constituer un cadre particulièrement propice aux rencontres et au développement de la sociabilité.

En se fondant sur une enquête par questionnaires (N = 549) et par entretiens (N = 21) réalisée auprès de retraités[5] qui ont participé, en 2004, à un voyage figurant sur le catalogue édité par la Cram Nord-Picardie[6], cet article se propose d'étudier dans quelle mesure et de quelle manière la participation à ce type de voyage constitue un contexte favorable au développement et au raffermissement des liens sociaux. Quatre aspects de cette sociabilité de voyage seront tour à tour examinés : la nature des configurations de départ ; les modalités de la cohabitation avec autrui pendant le voyage ; le devenir, après le retour, des relations qui se sont nouées au cours du périple ; l'éloignement temporaire comme occasion d'activer certains liens familiaux et amicaux.

---

4 D'après l'enquête « Suivi des déplacements touristiques » de 1999, les 65 ans et plus ont un peu plus souvent recours à un professionnel pour organiser leurs vacances et, dans ce cas, réservent nettement plus souvent un hébergement en pension complète. Cet attrait pour les forfaits « tout compris » varie en fonction du milieu social : il est plus fort chez les anciens agriculteurs et chez les anciens ouvriers que chez les anciens cadres supérieurs (Pochet, Schéou, 2002). Par ailleurs, si l'on considère l'ensemble des nuitées effectuées, en 2003, dans des groupes de plus de 10 personnes, on note que les plus de 55 ans ont consommé la moitié d'entre elles (Direction du tourisme, 2005).

5 Les échantillons sont présentés en annexe, p. 161.

6 Chaque année, dans le cadre de sa politique de « prévention des effets du vieillissement », la Cram Nord-Picardie organisait le départ en vacances de plus de 10 000 retraités résidant dans l'un des cinq départements qu'elle couvre. Cependant, condamnée à payer des dommages-intérêts à la suite d'un accident survenu au cours de l'un de ces voyages, la Cram Nord-Picardie a décidé d'abandonner cette activité à partir de 2007.

■ La configuration de départ en voyage organisé, un élément clé de la sociabilité

La configuration de départ en voyage organisé – les personnes qui se sont inscrites ensemble à un même voyage – apparaît, du point de vue de la sociabilité, importante à double titre : d'une part, elle constitue un élément essentiel du rapport aux autres pendant le voyage, la propension à établir des relations nouvelles n'étant pas la même selon que l'on voyage seul ou accompagné ; d'autre part, pour ceux qui partent à deux ou au milieu d'un groupe d'amis, le voyage donne l'occasion d'approfondir les relations avec les personnes avec lesquelles ils s'inscrivent. Après avoir présenté les principales caractéristiques des configurations de départ et souligné leur caractère sexué, nous affinerons l'analyse pour trois d'entre elles : les départs en solo (qui, nous le verrons, se révèlent particulièrement difficiles) ; les configurations composées de deux « amies de voyage » ; les configurations conjugales.

■ Les principales caractéristiques des configurations de départ

Il y a plusieurs manières d'envisager les configurations de départ (cf. tableau 1). La première consiste à distinguer les voyageurs suivant qu'ils s'inscrivent seuls, à deux, ou en groupe (plus de deux personnes). Une deuxième manière de procéder revient à différencier, parmi les personnes qui partent à deux, celles qui voyagent avec leur conjoint et celles qui voyagent sans conjoint (avec un(e) ami(e) ou un(e) parent(e)) et, de la même façon, parmi les personnes qui partent en groupe, celles qui sont parties avec leur conjoint et celles qui ont voyagé en groupe sans leur conjoint. On obtient ainsi cinq configurations de départ différentes : partir seul ; partir à deux non en couple ; partir à deux en couple ; partir en groupe avec son conjoint ; partir en groupe sans conjoint. Enfin, une troisième manière de procéder amène à regrouper dans une même catégorie l'ensemble de ceux qui partent en couple, ce qui fait apparaître quatre configurations de départ : partir seul ; partir à deux non en couple ; partir en couple ; partir en groupe sans conjoint.

Plusieurs résultats méritent d'être soulignés : la rareté des départs solitaires (moins de 10 % des voyageurs partent seuls) ; l'importance des départs en couple (60 % des voyageurs partent avec leur conjoint, seulement avec lui ou avec lui et d'autres personnes) ; l'importance des départs à deux (qui concernent 59% des voyageurs); le fait que près d'une personne sur cinq (19%) part à deux non en couple, c'est-à-dire voyage avec un(e) ami(e)[7].

Tableau 1. Trois manières de considérer les configurations de départ (en %)

Partent seuls	9	Partent seuls	9	Partent seuls	9
Partent à deux (en couple ou non en couple)	59	Partent à deux, non en couple	19	Partent à deux, non en couple	19
		Partent en couple, (et seulement en couple)	40	Partent en couple, (seulement en couple ou avec d'autres personnes)	60
Partent en groupe (avec leur conjoint ou sans conjoint)	32	Partent en groupe, avec leur conjoint	20		
		Partent en groupe, sans leur conjoint	12	Partent en groupe, sans leur conjoint	12
Ensemble	100	Ensemble	100	Ensemble	100

Source : enquête « Retraite, vacances et lien social », GRACC, 2005.

■ Des configurations de départ dissemblables en fonction du sexe

Ces différentes configurations de départ ne concernent pas de la même façon les hommes et les femmes (*cf.* tableau 2).

Tableau 2. Les configurations de départ selon le sexe (en %)

	Partent seuls	Partent à deux, non en couple	Partent en couple (seulement en couple ou avec d'autres personnes)	Partent en groupe, sans conjoint	Total
Hommes	6	3	87	4	100
Femmes	11	26	47	16	100
Ensemble	9	19	60	12	100

Le test statistique indique une différence significative à une probabilité inférieure à 0,0001.
Le coefficient de Cramer est égal à 0,40.

Source : enquête « Retraite, vacances et lien social », GRACC, 2005.

---

7 Dans un cinquième des cas, il s'agit d'un membre de la famille (sœurs ou cousines, le plus souvent). On peut cependant faire l'hypothèse que ces membres de la famille avec lesquels on part en voyage sont considérés comme des « amis », des relations de type affinitaire s'étant développées avec eux (ce que confirment les entretiens). On est ici dans le domaine de la parenté « élective ».

On constate que les femmes partent plus souvent seules et plus souvent sans conjoint que les hommes. Elles ne sont, en effet, que 47 % à partir en couple, alors que c'est le cas de près de 9 hommes sur 10. Le fait que les voyages sont moins souvent associés, pour les femmes, à la vie conjugale, s'explique par une double raison. D'une part, elles vivent moins souvent en couple (dans notre échantillon, 82 % des hommes sont mariés, contre seulement 44 % des femmes[8]). D'autre part, lorsqu'elles vivent en couple, elles s'inscrivent plus souvent que les hommes sans leur conjoint (c'est le cas de 12 % des voyageuses vivant en couple contre seulement 5 % des voyageurs vivant en couple) : celui-ci peut souffrir de problèmes de santé ; certaines femmes ont pris aussi l'habitude de voyager régulièrement avec des amies en laissant leur époux plus casanier à la maison[9], s'octroyant ainsi chaque année ce que l'une de nos enquêtées a appelé sa « *descente de célibataire* ».

■ La rareté des inscriptions en solo

Pour éclairer la rareté des départs solitaires (moins de 10 % des voyageurs), on peut observer que la majorité de ceux – de celles – qui vivent seuls ne s'inscrivent pas en solo : comme le montre le tableau 3, les trois-quarts des voyageurs qui vivent seuls ont trouvé un ou plusieurs compagnons de voyage (45 % partent à deux et 29 % partent en groupe). On peut également noter que si certains départs solitaires sont revendiqués (« *Ah non ça moi j'm'en fous voyez-vous, là de ce côté-là euh, pas de problèmes* » déclare M. Efaté[10] qui, après le décès de son épouse, a continué à participer à des voyages organisés, seul désormais), il en est d'autres qui sont en fait contraints et non désirés (par exemple lorsque l'amie avec laquelle on s'est inscrite est tombée malade juste avant le départ).

La fréquente réticence à partir seul témoigne de la difficulté de l'entreprise. Celle-ci tient à plusieurs raisons. Il faut rappeler, tout d'abord, qu'il existe une norme du « partir à deux », qui se manifeste notamment dans le fait que les chambres standards proposées sont des chambres doubles, les personnes seules devant payer un surcoût, sauf si elles acceptent de partager leur chambre avec une autre personne.

---

8 Ce qui correspond à peu près aux proportions dans la population des 60 ans et plus : 76 % et 47 % (Delbès, Gaymu, 2003).

9 Une étude menée auprès de clients seniors de Terres d'Aventure montre que certaines femmes partent sans leur mari, auquel elles reprochent d'être trop casanier (Espinasse, 1997). Dans une recherche sur le couple et la retraite, nous avons également observé ce type de différend conjugal entre un mari casanier et une épouse désireuse de s'engager dans des activités hors de l'espace domestique (Caradec, 1996a).

10 Les caractéristiques des personnes interrogées figurent en annexe, p. 161.

La difficulté à partir seul renvoie aussi au fait que les personnes seules sont mal à l'aise pour établir, pendant le voyage, des relations avec des couples (et même pour partir avec des couples : il n'y a que 1 % des configurations de départ qui sont composées d'un couple et d'une personne seule) : les femmes seules ne veulent pas s'« imposer », selon une formule souvent utilisée ; et plane toujours une certaine ambiguïté quant à leurs intentions – n'auraient-elles pas des visées sur le mari ? Ceux qui partent seuls peuvent donc avoir beaucoup de mal à nouer des relations pendant le voyage. La plupart de ceux qui se sont déjà inscrits en individuel dans des voyages organisés ont ainsi raconté, au cours des entretiens, les moments pénibles qu'ils ont pu vivre : l'ennui et la tristesse, la difficulté de se retrouver seul(e) le soir dans sa chambre et de n'avoir personne avec qui discuter de ce qu'ils ont vu et ressenti, la crainte de tomber malade sans personne à leurs côtés pour les aider. Il en est même qui ont vécu un véritable calvaire, comme Mme Lifou, qui a eu bien du mal à combler le temps libre pendant son séjour à l'hôtel : *« Je suis allée deux fois chez le coiffeur alors que d'habitude je le fais toujours moi-même. Mais j'trouvais tellement le temps long... ».* Et qui, le soir, trouvait refuge dans la lecture : *« Je me suis retrouvée souvent très seule le soir, heureusement je suis quelqu'un qui aime beaucoup lire donc, j'ai jamais tant lu... ».*

Tableau 3. Les configurations de départ selon la situation conjugale (en %)

	Partent seuls	Partent à deux	Partent en groupe	Total
Vivent en couple	1	66	33	100
Vivent seul	26	45	29	100
Ensemble de la population	9	59	32	100

Le test statistique indique une différence significative à une probabilité inférieure à 0,0001.
Le coefficient de Cramer est égal à 0,41.

Source : enquête « Retraite, vacances et lien social », GRACC, 2005.

■ L'importance des « amies de voyage »

La difficulté à partir seul est un catalyseur puissant de la formation de dyades d'« amies de voyage » (comme on se propose de les appeler) qui partent ensemble en vacances. Le phénomène touche surtout les femmes, les hommes seuls étant moins nombreux et ayant davantage tendance à nouer une nouvelle relation conjugale (Cassan, Mazuy, Clanché, 2001). Ces amitiés de voyage prennent essentiellement la forme de dyades, les triades étant beaucoup plus rares (on en dénombre 3 %

145

seulement parmi les configurations de départ), sans doute parce que la norme du partir à deux est extrêmement prégnante et parce que les triades sont potentiellement plus conflictuelles du fait des difficultés relationnelles qui peuvent surgir en leur sein (par exemple autour de la question de la répartition dans les chambres). Ces amitiés paraissent aussi « exclusives », tous les voyages se déroulant en compagnie de la même « amie de voyage ». Comme l'indique Mme Céram, « *d'autres m'ont déjà redemandé: Louisette... Ah non, je dis, maintenant, j'ai une copine attitrée, c'est terminé!* ». Ces amitiés peuvent cependant se succéder dans le temps, notamment lorsque le décès ou la maladie de l'amie conduit à solliciter une autre personne.

Comment ces amitiés de voyage se sont-elles constituées? On peut noter, tout d'abord, que beaucoup de ces femmes qui partent ensemble se côtoyaient auparavant dans un autre contexte que celui des vacances : contexte familial (telle part avec sa cousine, telle autre avec sa belle-sœur, qui est veuve comme elle); contexte du voisinage ou d'activités communes (club ou association). Parfois, le rapprochement est présenté comme une forme d'aide apportée à une autre personne veuve afin de l'inciter à sortir et à se changer les idées, soutien dont on a parfois soi-même bénéficié et dont on sait par expérience combien il peut être salutaire. Ainsi s'est nouée l'amitié de voyage entre Mme Java et son amie : « *Elle habitait dans la même rue que moi, dans la rue de Dunkerque. Oui. Presque en face de chez moi, elle était fleuriste. Donc c'est comme ça et puis j'lui ai dit "Faut sortir!", j'lui ai... j'ai des amis qui m'ont poussée à sortir après le décès de mon mari, deux ans après. Et puis elle bein, elle est entrée, j'ai dit "Allez faut sortir, faut pas rester là!" Hein faut s'aider hein quand on est seul!* ». Un second mode de constitution de ces dyades de voyage a pour scène les vacances elles-mêmes. Plusieurs amitiés de voyage se sont nouées, en effet, au cours d'un voyage antérieur pendant lequel deux personnes parties seules ont sympathisé. Les organismes peuvent d'ailleurs jouer un rôle d'intermédiaire en rapprochant des personnes seules désireuses de trouver une compagnie – notamment en les regroupant dans une même chambre[11].

---

11 Certains organismes, comme l'association *Arts et Vie*, proposent même un service de « chambres à partager » qui s'efforce de réaliser des appariements en fonction des goûts des participants. *Cf.* « Partir seul en village club, en croisière ou à l'aventure », *Le Monde*, 19 juin 2004.

▪ Les voyages, un temps fort de la vie conjugale

Les voyages – et, plus largement, les vacances – constituent aussi un moment important de la vie conjugale. Marqués par une suspension temporaire d'un certain nombre d'habitudes quotidiennes qui constituent un élément clé du « ciment » conjugal (Kaufmann, 2003), ils *« mettent les couples en face à face »* (Viard, 1984, p. 11). La libération des routines sur lesquelles repose habituellement le fonctionnement conjugal est cependant à double tranchant, si bien que ce « face à face » peut prendre des formes opposées.

Pour les uns, la situation nouvelle se révèle périlleuse. Car elle pose des problèmes inédits, en faisant émerger des désaccords tus en temps ordinaire. Certaines différences de goûts peuvent ainsi se manifester de manière particulièrement insistante pendant les vacances alors qu'elles se font plus discrètes au quotidien. De ce point de vue, partir en voyage organisé, et donc prendre des vacances en groupe, peut constituer un moyen de limiter le face à face conjugal lorsqu'il est redouté. C'est ce que laisse entendre Mme Futuna : *« Lui en groupe il préfère dans le fond, que de voyager qu'avec moi hein parce qu'il aime bien parler, dire des bêtises, du genre* [inaudible] *tout ça, pour lui c'est plus marrant, donc j'commence à le connaître ! »*. Une autre solution (non exclusive de la précédente) consiste à partir avec d'autres couples : M. Palawan déclare ainsi qu'il *« croit qu'il vaut mieux être quatre hein au minimum hein, deux c'est pas assez »*. La question se pose alors de savoir comment être en couple au sein du groupe. En effet, les comportements par trop séparatistes peuvent faire l'objet de commentaires critiques de la part des autres participants. M. et Mme Épi se souviennent ainsi d'un couple qui *« aimait rester qu'à deux. On a dû une fois vouloir se mettre à leur table avec eux, on a demandé si… "Bah non…" Ils préféraient être à deux… »*. Et Mme Palawan, évoquant un comportement du même type, fait observer que *« les gens en ont parlé hein ! »*.

Pour d'autres, la rupture avec le mode de vie ordinaire est l'occasion d'un rapprochement et permet de profiter de la disponibilité de son conjoint. On l'observe particulièrement bien, dans notre corpus, dans le cas d'un couple qui s'est formé sur le tard et a adopté un mode de cohabitation « intermittent » (Caradec, 1996b). Leurs moments de vie commune étant limités aux week-ends et aux vacances, ces voyages organisés leur donnent l'occasion d'établir entre eux une proximité qu'ils ne souhaitent pas vivre au quotidien, comme l'explique M. Ralik : *« J'ai mon amie mais bon… elle aussi est veuve hein, bon elle a ses occupations aussi et… être 100 % ensemble, ça n'ira pas… […] Donc* [silence] *on est un peu seuls, mais disons que les vacances, ça permet quand même… on part ensemble »*.

■ Le temps du voyage, un moment de « cohabitation » avec autrui

Les vacances en voyage organisé constituent une expérience singulière, marquée par une certaine proximité avec des personnes que l'on n'a pas choisies – en dehors de celles avec lesquelles on a voulu s'inscrire. Elles donnent ainsi l'opportunité de nouer des relations nouvelles et, dans le même temps, exposent au risque de la confrontation avec des inconnus et avec des gens différents de soi. Il s'agit alors de faire en sorte de profiter au mieux de cette sociabilité potentielle tout en se préservant des « fâcheux » qui pourraient gâcher ses vacances.

▓ Une vie de groupe, des moments de sociabilité

Au cours d'un voyage organisé se constitue un groupe temporaire au milieu duquel chacun va s'efforcer de trouver une place. Au sein de ce groupe, les relations qui se créent sont bien sûr très diverses. Avec les uns, elles restent de simple politesse : on échange quelques mots et, surtout, on se salue le matin et le soir. Le rituel est d'importance, semble-t-il, car le sentiment d'avoir voyagé dans un « bon groupe » tient beaucoup à ces petites attentions qui teintent d'aménité le climat général. Avec d'autres, les relations sont moins distantes, elles se déploient et s'approfondissent : on discute, on échange, on se raconte, on passe de bons moments, on participe à des *« parties de fou rire »* et à des *« parties de rigolade »* (*dixit* M. Maré), notamment pendant les repas et les animations. Moments de plaisir particulièrement mémorables comme ceux dont se souvient Mme Rapa : *« Tout le monde quand il nous voyait rire, tout le monde… tout le monde passait voir pourquoi qu'on riait. Savez, on avait du plaisir… Alors ils venaient "Vain non, vous avez bien du plaisir" on disait "Oui !" »*. Moments de sociabilité intense qui sont d'autant plus appréciés que l'on souffre au quotidien, pendant le reste de l'année, de solitude. C'est le cas de Mme Ratak qui, évoquant son dernier voyage (un séjour en Corse), se souvient d'*« une bonne ambiance, on était, on était à une table, vraiment… »* et souligne que *« c'est ça, c'est pour ça que j'aime bien m'en aller. C'est, c'est une, une dé… c'est une détente ! »*. Car, confie-t-elle, *« j'ai tout l'temps aimé bien parler, j'ai eu un métier qui avait toujours beaucoup en contact avec les gens* [elle était dépositaire de presse] *et y'a des moments, ça manque… »*.

▪ Une cohabitation parfois délicate

La vie de groupe, cependant, ne se résume pas à des moments de convivialité avec des personnes avec qui on a sympathisé : la cohabitation avec les autres participants au voyage ne va pas toujours de soi. C'est ce dont témoignent certains propos peu amènes recueillis au cours des entretiens. Ces critiques ont leurs cibles privilégiées. Ce sont, d'abord, les personnes dont le comportement est jugé indésirable. Il faut voir, dans cette attitude de rejet, à la fois une incompréhension à l'encontre d'autres manières d'être (Bourdieu, 1979) et une manière de réaffirmer sa valeur sociale et la légitimité de son mode d'être. On le voit bien, par exemple, dans cet échange, relaté par Mme Rapa, qui l'oppose à un Monsieur qui *« au départ s'est fait valoir »* tant il *« savait tout, il a tout vu, il a tout connu »* : *« "Vous savez, j'ai de l'argent" il disait toujours, "Vous savez, moi, j'ai de l'argent", ben moi aussi j'en ai, mais si bien on va pas mourir avec, alors… pour ainsi dire ça m'est totalement égal. Alors il me disait, "J'ai pas de petits-enfants", "Bah, c'est dommage pour vous, j'lui ai répondu", et voilà, bah… »*. Et bien des critiques qui se trouvent exprimées au cours des entretiens surgissent non seulement pour manifester sa désapprobation à l'encontre de telle ou telle attitude, mais également pour signifier que l'on n'imaginerait pas de se comporter soi-même de la sorte. Ainsi, Mme Santo, après avoir évoqué des personnes qui protestaient contre les mauvaises conditions du voyage, s'exclame : *« Moi il me viendrait pas à l'idée de râler, j'dirais simplement "Si j'avais su je me serais entraînée" ! »*.

Autre cible des critiques : les « vieux ». Que leur reproche-t-on ? Tout d'abord, de marcher à un rythme trop lent, de se fatiguer plus vite et, donc, de ralentir le groupe. Mais, plus fondamentalement, on fait aussi grief aux « personnes âgées » d'être là, inscrites dans le même groupe que soi, laissant en quelque sorte entendre, par leur seule présence, que l'on appartient à la même catégorie qu'elles. Comme le déclare Mme Maré, *« ce qu'on regrette un petit peu… moi personnellement, même toi* [en s'adressant à son mari], *bon c'est vrai qu'on va aller en reculant… Mais bon, nous qui sommes encore pas encore trop âgés, on se retrouve avec beaucoup de personnes âgées… »*. Certains propos relèvent même clairement de l'« âgisme » (Puijalon, Trincaz, 2000). Comme, par exemple, ceux de Mme Maré qui déclare que, parmi les « personnes âgées » que son mari et elle sont amenés, à leur corps défendant, à côtoyer au cours de ces voyages, *« y'a certaines personnes qui sont agréables mais y en a d'autres, c'est vraiment des vieilles personnes, oh ! »*. Ainsi, les diatribes anti-vieux ne sont pas le propre des adolescents et des jeunes adultes : au cours de cette enquête, nous avons pu en entendre de la bouche de sexagénaires, voire de septuagénaires. Ce qui n'est pas pour surprendre, d'ailleurs, si l'on considère, d'une part, que de tels propos constituent un moyen de se distancier du groupe que l'on stigmatise et si, d'autre part, l'on se souvient que l'opposition entre deux vieillesses, la vieillesse dynamique et bien portante, d'un côté, la vieillesse sénescente, de l'autre, structure depuis longtemps les représentations des âges de la vie : « vieillesse verte » *versus* « âge décrépit » au XVIIe siècle (Bourdelais, 1993) ; « troisième âge » *versus* « quatrième âge » dans les années 1970 et 1980 ; « seniors » *versus* « personnes âgées dépendantes » ou « personnes très âgées » aujourd'hui (Caradec, 2005).

▓ Des « stratégies » de sociabilité qui visent à préserver la qualité de ses vacances

Les relations avec les autres participants au voyage se révèlent donc assez complexes à gérer, l'idéal étant de parvenir à se rapprocher des personnes avec lesquelles on pense avoir des affinités tout en tenant à l'écart celles pour lesquelles on n'éprouve guère de sympathie. D'où le déploiement de « stratégies » visant à assurer cette « bonne distance » avec les unes et avec les autres, de manière à préserver la qualité de ses vacances.

La première stratégie consiste à bien choisir son voyage. En effet, chacun ayant une idée du genre de personnes qu'il est plus particulièrement susceptible de rencontrer – ou de ne pas rencontrer – selon le type de voyage dans lequel il s'inscrit, choisir son voyage revient à sélectionner le genre de personnes que l'on va côtoyer. Certains touristes en sont particulièrement conscients et y voient un moyen de se prémunir contre les rencontres indésirables. Cette « sélection » s'appuie principalement sur les critères d'appartenance sociale et d'âge. Ainsi, un enquêté préfère ne pas partir en croisière de peur que cela ne soit trop *« guindé »*, alors qu'à l'inverse, M. et Mme Makira reconnaissent que s'ils *« n'ose*[nt] *pas s'engager dans le voyage en France »*, c'est non seulement à cause du prix peu avantageux pour ceux qui paient le tarif le plus élevé[12], mais aussi parce que *« d'après beaucoup de personnes, qui ont fait beaucoup de voyages avec nous, elles disent que c'est... c'est pas les mêmes gens... »*, *« y a beaucoup plus d'histoires entre eux »* (Mme Makira) ou, pour reprendre les termes employés par son mari, *« c'est pas la même*

12 Pour les voyages en France (mais pas pour les destinations à l'étranger), la Cram Nord-Picardie propose des tarifs moins élevés pour les retraités aux ressources modestes.

classe ». En ce qui concerne l'âge, il est possible de choisir son voyage afin d'éviter les « vieux », à l'instar de Mme Wallis qui déclare que *« moi j'préfère franchement faire un circuit et partir loin, j'vais vous dire pourquoi* [rire] *: parce que j'vais pas tomber sur des vieux ! Enfin j'suis pas jeune hein, mais j'veux dire que j'vais pas tomber sur des vieux, 'fin des grands âges ! ».* À l'inverse, d'autres, plus âgés, prennent garde à ne pas participer à des voyages au cours desquels ils risqueraient d'être « bousculés » par les plus jeunes. Ce double mécanisme d'évitement, des plus âgés par les plus jeunes et, réciproquement, des plus jeunes par les plus âgés, est d'ailleurs au principe du caractère assez peu mélangé des âges au sein des voyages organisés par la Cram[13]. Au-delà du choix du voyage, un deuxième type de stratégie de sociabilité concerne ce que nous avons appelé la « configuration de départ ». En effet, le fait de partir à plusieurs permet de choisir *a priori* une partie de ses compagnons de séjour et de constituer, avant même le départ, le cercle de sociabilité privilégié qui sera le sien, notamment, au moment des repas. D'où, comme nous l'avons vu, la recherche par les femmes seules d'une « amie de voyage » avec laquelle elles pourront partager leur chambre et, le cas échéant, prendre leurs distances avec le groupe.

Malgré ces stratégies préalables, certains se trouvent confrontés à des personnes dont ils désapprouvent le comportement ou, plus largement, pour lesquelles ils éprouvent peu de sympathie. Des stratégies explicites de « mise à distance » sont alors nécessaires. Par exemple, pour les femmes voyageant seules, il peut s'agir de *« mettre les choses au point »* avec les personnes de l'autre sexe. Plus largement, l'objectif consiste à éviter les indésirables, notamment dans le bus et à table où il s'agit, au contraire, de trouver de bons partenaires. Mme Futuna se souvient ainsi que, dans le groupe, *« il y avait une femme qui était un petit peu barjo, mais bon ça partout hein... dans toute... alors on l'évitait quand même parce qu'elle disait des bêtises ».* Ces stratégies peuvent d'ailleurs déboucher sur la mise à l'écart de ceux qui font l'unanimité contre eux, comme dans le cas de ce vacancier au comportement un peu rude qu'évoque Mme Santo : *« Alors les gens l'ont totalement exclu, il était toujours tout seul et puis surtout bah que tout le monde se met plus ou moins par affinité, se cherche des... ».*

---

13 Pour plus des trois quarts d'entre eux (77 %), les participants aux voyages appartiennent à la tranche d'âge 60-74 ans.

■ Les liens nouveaux à l'épreuve du retour

La quasi-totalité des voyageurs ont, au cours de leur périple, noué des relations : 95 % d'entre eux déclarent avoir fait connaissance avec de nouvelles personnes ou retrouvé des personnes qu'ils avaient déjà rencontrées lors de précédents voyages. Nous nous demanderons ici ce que deviennent ces relations après le retour.

■ Le maintien des contacts après le retour : des pratiques contrastées

L'analyse des réponses au questionnaire montre que la plupart des liens n'ont pas survécu à la fin du voyage (*cf.* tableau 4). En effet, la moitié des participants n'ont pas gardé contact après leur retour. Et lorsque des liens ont été maintenus, les contacts « sans rencontres » (par courrier, téléphone ou Internet) sont deux fois plus nombreux que les contacts « avec rencontres ». Au total, 17 % seulement des voyageurs ont revu des personnes qu'ils ont connues lors du voyage. De plus, dans un quart des cas, ces rencontres se sont faites de manière fortuite, par exemple en faisant ses courses, lors d'une sortie au théâtre, d'une braderie, etc.

Tableau 4. Le devenir des relations au retour du dernier voyage effectué avec la Cram (en %)

Aucun contact maintenu	50	
Contacts sans rencontres	33	57 % se sont écrit (par courrier ou par Internet) 76 % se sont téléphoné
Contacts avec rencontres	17	23 % se sont également écrit (par courrier ou par Internet) 62 % se sont également téléphoné
Ensemble de la population	100	

Source : enquête « Retraite, vacances et lien social », GRACC, 2005.

Au-delà de ce résultat global, on peut observer l'incidence de la configuration de départ sur le devenir des relations (*cf.* tableau 5). Tout d'abord, ceux qui voyagent en groupe prolongent peu ces relations après le retour, sans doute parce qu'ils sont davantage restés entre eux pendant le voyage. Ensuite, ceux qui partent seuls et, dans une moindre mesure, ceux qui partent à deux non en couple maintiennent plus fréquemment que les autres des liens avec les personnes qu'ils ont rencontrées, mais ils le font le plus souvent par le biais du téléphone ou du courrier.

Enfin, ceux qui maintiennent des liens plus étroits, sous forme de rencontres, sont plus fréquemment les couples (qu'ils soient partis seulement en couple ou au sein d'un groupe). Donc, contrairement à l'hypothèse selon laquelle les personnes seules, parce qu'elles sont davantage disponibles, maintiendraient davantage de contacts étroits après leur retour avec les autres voyageurs, on constate que c'est sur une base conjugale que se développe surtout la sociabilité après le voyage. Pour dire les choses plus précisément, deux manières de maintenir les liens semblent s'opposer : davantage sous la forme de rencontres pour les couples, plus volontiers sous la forme d'échanges épistolaires ou téléphoniques pour les personnes qui vivent seules (qu'elles soient parties seules ou avec un(e) ami(e)).

Tableau 5. Le devenir des relations selon la configuration de départ (en %)

	Ne maintiennent aucun contact avec les personnes qu'ils rencontrent	Maintiennent un contact lointain (par téléphone, par écrit ou d'une autre manière)	Maintiennent des contacts sous la forme de rencontres	Total
Partent seuls	41	47	12	100
Partent à deux, non en couple	54	40	6	100
Partent en couple	45	32	22	100
Partent en groupe avec leur conjoint	60	20	20	100
Partent en groupe sans leur conjoint	57	33	10	100
Ensemble	50	33	17	100

Le test statistique indique une différence significative à une probabilité inférieure à 0,0007.
Le coefficient de Cramer est égal à 0,16.

Source : enquête « Retraite, vacances et lien social », GRACC, 2005.

■ Des relations qui, bien souvent, ne durent que le temps des vacances

Les propos recueillis au cours des entretiens font écho à ces résultats statistiques. Bien des enquêtés constatent en effet que ces relations s'achèvent avec les vacances : *« après, c'est tout, chacun rentre chez soi »* déclare, par exemple, Mme Maré ; *« des amitiés de voyages bon c'est pas... c'est rare que ça tienne longtemps, longtemps hein »* note, quant à elle, Mme Futuna. Il arrive certes qu'elles se prolongent quelque peu : on se téléphone quelques jours après le retour ou on échange des photos prises pendant le voyage. Mais c'est parce que le voyage lui-même joue les prolongations jusqu'au tirage des photographies[14]. Une fois celles-ci développées et envoyées, le temps du voyage est véritablement clos – et, avec lui, celui des relations, qui n'auront donc vécu que le temps des vacances.

Pour comprendre pourquoi si peu de relations se maintiennent, il convient tout d'abord d'observer qu'il ne va pas de soi de conserver, sur le long terme, des liens avec les personnes que l'on a brièvement rencontrées. Car le maintien des relations sociales nécessite un « travail », suppose un investissement temporel : écrire, téléphoner et, si l'on souhaite aller plus loin, accepter l'invitation de ces nouveaux amis et, en retour, les recevoir chez soi. De plus, ce travail visant au maintien du lien doit être effectué par les deux parties, faute de quoi le lien est condamné à péricliter, l'asymétrie de l'échange signifiant que le désir de maintenir la relation n'est pas réciproque. Aussi beaucoup de relations ne survivent-elles pas très longtemps. Certains, qui ont fait l'expérience de ces contacts rapidement interrompus, ne cherchent d'ailleurs plus à noter, en fin de séjour, les coordonnées des autres participants. Mais il y a plus : une partie des vacanciers ne manifeste tout simplement pas le désir de maintenir des liens avec les personnes qu'ils ont connues pendant leurs voyages. Pour eux, les vacances constituent une parenthèse dans leur existence, qu'ils referment une fois rentrés chez eux. D'autant qu'ils estiment qu'ils sont déjà très occupés et pourvus d'un réseau de sociabilité suffisamment riche. Ainsi, Mme Futuna explique qu'elle ne part *pas en vacances pour* [s]e *faire des amis à* [s]*on âge* ». Elle apprécie les moments de convivialité, mais il lui est difficile de maintenir ces « amitiés de voyage » : « *Je me fais facilement des amis, explique-t-elle, et quelquefois je dis à mon mari "Écoute j'dis on peut pas, on connaît trop de monde après !"* [rire] ». La vocation de ces relations est alors de se succéder et de se renouveler au gré des voyages. Ce que la belle-sœur de Mme Ratak exprime d'une formule : « *On change d'ami(e)s chaque année !* ».

■ Quelques liens plus durables, associés au contexte des vacances ou qui s'en émancipent

Les entretiens invitent aussi à distinguer, parmi les relations qui se maintiennent au-delà du voyage, celles qui restent fortement associées au contexte des vacances et celles qui s'en émancipent.

---

14 On peut ainsi supposer qu'une partie des réponses positives, recueillies lors de la passation du questionnaire, à la question « Depuis votre retour, avez-vous gardé contact avec une ou plusieurs de ces personnes (dont vous avez fait la connaissance durant votre voyage) ? » renvoie à ce type de maintien, de court terme, des relations.

Parmi les premières, on peut citer les liens qui perdurent à travers l'envoi de cartes postales de vacances (nous y reviendrons plus loin), ainsi que ceux qui sont maintenus dans l'idée de se retrouver au cours d'un prochain voyage. Dans ce dernier cas, l'objectif est de se mettre d'accord sur une destination et une période communes ou de connaître le voyage choisi par la ou les personnes que l'on souhaite retrouver. C'est ainsi que se créent ou s'entretiennent certaines amitiés de voyage. Que le maintien du lien soit guidé par la perspective de nouvelles vacances en commun explique que ces relations se trouvent rompues lorsqu'une telle éventualité n'apparaît plus envisageable. Mme Ratak explique ainsi qu'elle a « *arrêté* » d'entretenir la relation qu'elle avait initiée avec une femme, seule comme elle, rencontrée au cours d'un précédent voyage, lorsqu'il est devenu évident qu'elles ne repartiraient pas ensemble.

Les secondes, plus exceptionnelles, sont des relations qui s'approfondissent et, surtout, s'élargissent en ce sens qu'elles deviennent moins fortement associées au contexte des voyages organisés. Telle est d'ailleurs la dynamique que suivent habituellement les relations d'amitié qui se développent, comme le montre Claire Bidart, à travers « l'extraction de la relation » de son cadre initial (ici, les vacances) et « la multiplication des contextes » de rencontre (Bidart, 1997, ch. 14). Là est la différence avec les relations qui restent fortement ancrées dans la sphère des vacances. Entre les liens durables indexés sur les vacances et ceux qui s'en détachent, il existe certes un *continuum* plutôt qu'une nette rupture, mais on peut cependant retenir une étape clé du processus d'élargissement de la relation : recevoir chez soi les personnes rencontrées en vacances.

■ L'éloignement temporaire comme occasion d'activer les liens familiaux et amicaux

La sociabilité associée aux voyages organisés ne se résume pas aux relations avec les personnes avec lesquelles on s'inscrit ou aux liens noués pendant le périple et leur devenir après le retour. Il faut aussi considérer, même si l'idée peut paraître *a priori* étrange, que voyager donne aussi l'occasion d'activer certains liens familiaux et amicaux, avec d'autres personnes que celles avec lesquelles on voyage. Trois aspects seront ici envisagés : les occasions de sociabilité en amont du voyage ; l'envoi de cartes postales ; les moments de sociabilité après le retour du voyage.

■ Les occasions de sociabilité en amont du voyage

Les voyages sont des occasions de sociabilité dès leur préparation : 98 % des retraités qui ont voyagé avec la Cram ont ainsi parlé de leur futur séjour avec leurs proches avant leur départ. Le plus souvent – c'est le cas de 81 % des voyageurs – ils discutent de leurs prochaines vacances à la fois avec leurs amis et avec des membres de leur famille ; rares sont les situations où les discussions se limitent aux seuls membres de la parenté (seulement dans 12 % des cas) ou aux seuls amis (5 %). L'existence de ces discussions et le type d'interlocuteur ne dépendent d'ailleurs ni du sexe des personnes qui voyagent, ni de leur configuration de départ : ceux qui partent seuls parlent tout autant de leur futur voyage avec leurs proches (amis ou famille) que ceux qui partent avec d'autres personnes (que ce soit avec leur conjoint, avec un ou une ami(e) ou en groupe).

Les sujets de conversation sont évidemment nombreux et variés. Ils peuvent concerner l'organisation du voyage : nombreux sont ceux qui sollicitent leurs proches pour se rendre sur les lieux de départ (69 % des personnes s'y font accompagner, les trois-quarts par des membres de leur famille, un quart par des amis ou voisins), et certains leur demandent aussi de les suppléer dans certaines tâches (c'est le cas de ceux – ils sont 15 % dans notre échantillon – qui s'occupent d'un proche malade, parent ou conjoint). Ces discussions peuvent également concerner la destination : 40 % des enquêtés l'ont choisie parce que quelqu'un leur en a donné l'idée. Ces pourvoyeurs de destinations de voyages sont plus souvent des « amis, voisins ou autres connaissances » (dans 72 % des cas) que des membres de la famille (dans 28 % des cas). Les entretiens permettent de comprendre cette prééminence des « amis, voisins ou autres connaissances ». Tout d'abord, les voyages constituent un thème de conversation couramment abordé dans le cadre de la sociabilité amicale, et qui l'est d'autant plus facilement que les amis que l'on côtoie ont le même âge que soi, ont des goûts proches en matière de voyages et participent eux aussi à des voyages organisés (ce qui est moins souvent le cas des enfants qui, de plus, se situent souvent à un moment de leur cycle de vie où ils privilégient les vacances familiales). Ensuite, les amis avec lesquels on discute de la destination de ses prochaines vacances peuvent être ceux avec lesquels on s'est inscrit. Enfin, ces amis ou connaissances peuvent être des personnes que l'on a croisées lors d'un précédent séjour, qui ont fait part de leurs expériences et qui ont ainsi suscité le désir de connaître telle région ou tel pays qu'elles ont visités et appréciés.

■ Maintenir les liens : l'envoi de cartes postales

Partir en voyage donne l'occasion d'entretenir plus largement ses liens sociaux à travers une pratique de sociabilité extrêmement répandue : l'envoi de cartes postales. En effet, 95 % des vacanciers de la Cram ont envoyé, en moyenne, quinze cartes à leurs proches (famille et/ou amis et connaissances).

Pour comprendre le succès de cette pratique, il convient de dégager les logiques sociales qui la sous-tendent. Il existe, tout d'abord, une logique du « devoir » qui enjoint d'envoyer des cartes postales aux membres proches de sa famille (ses enfants et ses petits-enfants, notamment). La pratique apparaît générale et ceux qui y dérogent s'en justifient : M. Efaté explique qu'il préfère leur téléphoner car, du fait des délais de distribution, « *les nouvelles sont plus tellement fraîches* » ; M. Ralik écrit à ses deux filles mais pas à ses fils car ils l'ont formellement dispensé de cette obligation en lui déclarant un jour que « *les cartes postales, on n'en a pas besoin* ». La deuxième logique sociale qui préside à l'envoi des cartes postales consiste en un mécanisme de don et de contre-don qui incite à envoyer des cartes aux personnes qui en ont elles-mêmes envoyé. Cette logique de « contre-don différé » (Hossard, 2005) qui régit l'envoi des cartes postales se trouve clairement exposée par M. Santo, qui explique qu'« *on a une liste, des gens à qui on en envoie parce qu'ils nous envoient quand eux ils partent. Ceux qui nous envoient pas, et bein après on leur en envoie plus bien sûr* ». Si elle se trouve ainsi placée sous forte contrainte de réciprocité, la pratique n'est pas pour autant dénuée de signification. La réception et l'envoi de cartes postales constituent en effet une manifestation du lien existant entre les correspondants, tout à la fois une manière de le maintenir et de signifier qu'il est toujours vivant. De ce point de vue, l'échange de cartes postales revêt une importance particulière pour les relations avec les personnes que l'on ne voit que rarement, parfois même jamais, et avec lesquelles on entretient seulement des liens ponctuels et épisodiques. Car ces liens sont fondés sur quelques signes, notamment l'envoi des vœux en début d'année ou d'une carte postale de vacances. Ainsi se maintient, par exemple, le contact avec des connaissances que l'on rencontre de temps à autre, comme cet ami dont parle M. Vaté : « *Alors, mais, je l'vois... pratiquement jamais, tous les trois quatre ans. Fortuitement, on s'rencontre : "Tiens ! Bonjour !", et puis c'est tout* ». Ou avec des amis géographiquement éloignés, M. Santo expliquant ainsi de quelle manière l'envoi d'une carte postale à leurs amis de Toulouse opère comme un catalyseur du lien amical : « *Donc on leur envoie des cartes, et puis après ils nous téléphonent. Et puis hop "Merci pour ta carte, on a reçu ta carte!"*». Ou encore, comme nous l'avons indiqué plus haut, avec des personnes rencontrées lors de voyages antérieurs. Notons qu'une dernière logique préside, de manière plus discrète, à d'autres envois : la compassion et le soutien à une personne fragile, malade, isolée, dont on n'attend pas de retour épistolaire, mais que l'on souhaite juste distraire un moment de ses malheurs ou de sa solitude.

La force des logiques sociales qui sous-tendent l'envoi des cartes postales est telle que peu nombreux sont ceux qui s'y dérobent tout à fait, en dépit de propos qui soulignent que les écrire et les envoyer est rarement considéré comme une partie de plaisir. Il s'agit, en effet, d'un véritable travail, qui se révèle parfois chronophage alors que le temps disponible manque lorsque le programme du voyage est chargé. Par ailleurs, l'envoi de cartes postales est une pratique qui exige de l'attention car elle n'est pas socialement sans risque. Comme le rappellent plusieurs de nos interlocuteurs, certains de leurs amis se connaissent entre eux, et il est nécessaire d'en tenir compte (ainsi que de la susceptibilité des uns et des autres) si l'on ne veut pas commettre un impair et mettre en danger les relations pour une carte non envoyée. La difficulté est telle que certains se plaignent du nombre de cartes qu'ils doivent envoyer, sans trouver le moyen de le limiter.

■ Des moments de sociabilité après le retour du voyage

Après le retour, le voyage est encore susceptible de stimuler la sociabilité avec les proches. Ce sont les « souvenirs » qui sont alors au cœur de cette sociabilité : souvenirs rapportés et offerts, d'une part ; souvenirs à raconter et souvenirs à montrer (photographies et films de vacances) autour desquels peuvent être organisées des rencontres, d'autre part.

Rapporter de son voyage un cadeau constitue une pratique plutôt répandue : quatre personnes sur cinq (81 %) offrent des souvenirs à leurs proches. Les principaux destinataires de ces cadeaux sont des membres de la famille (79 % des vacanciers offrent des souvenirs à des membres de leur famille), plus rarement des amis (37 %). On observe surtout que rares sont les personnes qui rapportent un souvenir uniquement à leurs amis (2 %). En revanche, elles sont nombreuses à en offrir à leur famille et à leurs amis (35 %), ou uniquement à leur famille (44 %). Il paraît ainsi difficile d'offrir des souvenirs à des amis si on n'en offre pas aussi à des membres de sa famille – et on peut considérer que se manifeste ici l'existence d'un principe d'ordonnancement entre les relations, en fonction de leur statut[15]. Cette pratique courante est une manière d'entretenir les liens sociaux, certains trouvant ainsi le moyen de dire leur affection à leurs proches, d'autres de remercier ceux qui leur ont rendu service. Il conviendrait d'ailleurs de prendre aussi en considération les souvenirs que l'on rapporte pour soi lorsqu'ils deviennent le support de relations sociales. C'est ainsi que Mme Futuna, qui a pris l'habitude de revenir des pays qu'elle visite avec de petits « livrets » documentaires, n'hésite pas à les faire circuler parmi ses proches.

Nombreux sont ceux qui reviennent aussi de leur voyage avec des traces mémorielles qui prennent non seulement la forme de « choses à raconter », mais aussi de « choses à montrer » : les photographies que l'on a prises, les films que l'on a tournés. En effet, 83 % des vacanciers partis avec la Cram en 2004 ont pris des photos ou tourné un film. Avec qui ont-ils partagé ces images-souvenirs ? Conformément à ce que nous avons vu précédemment, ils l'ont assez peu fait avec des personnes rencontrées au cours du voyage (16 %). Les principaux « bénéficiaires » de ces images sont les proches : ceux avec lesquels on est partis (83 %), mais aussi des membres de la famille (91 %) et des amis ou voisins (71 %) qui n'ont pas participé au voyage. Quelques-uns organisent des moments conviviaux autour de la consultation des traces mémorielles de leurs vacances. Cependant, partager ses souvenirs avec des proches n'est pas toujours facile, et d'aucuns éprouvent des scrupules à montrer et à commenter les photos qu'ils ont prises, ou encore à organiser une séance pour visionner le film qu'ils ont tourné. Il arrive qu'ils s'interrogent, doutant alors de l'intérêt de leur auditoire. Aussi, le plus souvent, les photos sont-elles réservées à un cercle restreint de proches dont on sait qu'ils sont intéressés ou qui demandent à les voir. Par exemple, Mme Futuna ne montre ses photos qu'à sa sœur et à sa nièce ainsi qu'à une copine, mais se refuse à les diffuser plus largement, de peur d'ennuyer. Dans ce cercle de proches restreint que l'on fait profiter des traces mémorielles de ses voyages, on note parfois la présence d'amis avec lesquels on avait coutume de voyager, mais qui ne peuvent plus partir, ou qui ne partent plus aussi loin car ils sont aujourd'hui trop âgés ou malades. Le lien s'est maintenu, cependant, et il se nourrit maintenant des souvenirs de vacances de ceux qui peuvent encore voyager.

---

15 Ce type de principe d'ordonnancement entre les relations se manifeste en d'autres occasions. Dans une enquête menée aux États-Unis, Theodore Caplow a ainsi établi l'existence d'une hiérarchie implicite à l'intérieur même des relations familiales, en fonction de leur statut : il a pu montrer que la valeur des cadeaux offerts à Noël est très strictement codifiée, reflétant la valeur sociale des différents types de relations. Comme l'écrit l'auteur, *« la valeur économique du cadeau doit être proportionnée à la valeur affective du lien de parenté »* (Caplow, 1986).

■ Conclusion

Les voyages organisés constituent-ils un catalyseur du lien social à la retraite? Il ressort de cette enquête que, contrairement aux espoirs parfois placés en eux, ils ne permettent qu'assez rarement de créer des relations pérennes qui se maintiennent durablement après le retour. En fait, pour ce qui est de la sociabilité, l'essentiel se joue pendant les vacances elles-mêmes ou en lien direct avec elles : dans les rencontres avec des personnes que l'on ne connaissait pas et avec lesquelles on passe de bons moments sans nécessairement vouloir maintenir les contacts au-delà du temps des vacances ; dans les relations que l'on vit avec les proches avec lesquels on participe au voyage (son conjoint, des couples d'amis ou, pour les femmes seules, une « amie de voyage ») ; enfin, dans le fait que le départ en voyage donne l'occasion d'activer certains liens amicaux et familiaux – lors de la préparation du voyage, sous la forme de l'envoi de cartes postales, et au travers des souvenirs que l'on rapporte et que l'on fait partager.

Ces résultats généraux ne doivent pas faire oublier l'hétérogénéité des retraités qui partent en voyage organisé. De ce point de vue, il apparaît que ces départs en vacances jouent un rôle particulier dans la vie de ceux qui, parmi ces voyageurs, vivent seuls. Ce sont des femmes, le plus souvent, et ces voyages leur permettent non seulement une rupture avec leur quotidien et l'accès à des destinations lointaines, mais leur donnent aussi l'occasion de nouer avec une « amie de voyage » une relation privilégiée dont le cadre principal est justement celui de cette échappée hors du quotidien. Ce phénomène des « amies de voyage » apparaît remarquable, donnant à voir une forme de soutien mutuel entre femmes âgées, trop rarement souligné dans les travaux francophones, et qui fait écho à ce que certains auteurs anglo-saxons ont qualifié de « société des veuves » (Lopata, 1973 ; Pickard, 1994). Cette société des veuves n'existe cependant qu'à l'état latent et suppose des occasions de rapprochement : c'est en ce sens que les voyages organisés constituent un catalyseur précieux de leur sociabilité.

■ Annexe

Présentation de l'échantillon quantitatif

Il est composé de personnes qui ont effectué au moins un voyage avec la Cram Nord-Picardie au cours de l'année 2004. Un tirage aléatoire simple, stratifié sur la base du département de résidence, a permis de sélectionner 609 personnes parmi l'ensemble des voyageurs répertoriés par l'organisme. En définitive, 549 questionnaires ont pu être passés avec succès (soit un taux de réponse de 90 %), par téléphone, en janvier et février 2005. La personne qui a effectivement répondu à l'enquête quantitative est l'un des membres du ménage contacté par téléphone parmi ceux qui ont voyagé avec la Cram en 2004. Quand les ménages étaient constitués de plusieurs voyageurs, il a été procédé à un deuxième tirage aléatoire, selon la méthode de la date d'anniversaire, afin de désigner la personne à interroger.

L'âge moyen des voyageurs est de 70 ans (sachant que les deux tiers ont entre 64 et 76 ans); ils habitent en grande majorité (70 %) dans le département du Nord. La population des voyageurs est très féminisée puisqu'elle est composée, pour les deux tiers, de femmes, alors que celles-ci ne représentent que 58 % des pensionnés de la Cram Nord-Picardie. La situation matrimoniale des hommes et des femmes voyageurs diffère considérablement (*cf.* tableau ci-après): les femmes vivent plus fréquemment une situation de veuvage (47 % des femmes *versus* 11 % des hommes); les hommes voyageurs sont eux très fréquemment mariés (82 % des hommes *versus* 44 % des femmes).

Situation matrimoniale des voyageurs (en %)

	Marié(e)s	Divorcé(e)s	Veuf(ve)s	Célibataire(s)	Total
Hommes	82	3	11	4	100
Femmes	44	6	47	3	100
Ensemble	57	5	35	3	100

Prise dans son ensemble, la population des voyageurs comprend trois cinquièmes de personnes issues des classes populaires, anciens employés (37 %) ou anciens ouvriers (22 %); moins nombreux sont les anciens cadres supérieurs (9 %) et retraités des professions intermédiaires (17 %). Les différences entre les hommes et les femmes sont, là encore, suffisamment importantes pour être soulignées: 23 % des hommes sont d'anciens cadres supérieurs et 29 % exerçaient une profession intermédiaire, alors que les femmes sont, pour moitié, d'anciennes employées et, pour 19 %, d'anciennes ouvrières (*cf.* tableau ci-dessous).

**Catégorie sociale de la personne interrogée estimée
à partir de la dernière profession exercée (%)**

	Cadres supérieurs	Professions intermédiaires	Employés	Ouvriers	Autres*	Inactifs	Total
Hommes	23	29	10	28	10	0	100
Femmes	3	11	50	19	8	9	100
Ensemble	9	17	37	22	9	6	100

* Personnes non salariées (agriculteurs, artisans ou commerçants, chefs d'entreprise).

Les hommes cadres (supérieurs et intermédiaires) sont assez fortement surreprésentés dans notre échantillon de voyageurs: dans l'enquête « Histoire de vie », réalisée en 2003 par l'Insee auprès d'un échantillon représentatif de la population, 17 % des hommes retraités avaient été cadres supérieurs et 19 % avaient exercé une profession intermédiaire (Crenner, 2006, p. 47). Le décalage est inverse et moins net pour les femmes: la partie féminine de notre échantillon est constituée de 3 % de cadres supérieurs et de 11 % de professions intermédiaires, contre respectivement 8 % et 14 % dans l'enquête « Histoire de vie »[16].

---

16 Il s'agit d'ordres de grandeur, notamment en ce qui concerne les femmes: il faudrait tenir compte du fait que notre échantillon comporte 9 % d'inactives, qui n'ont déclaré aucune profession passée – alors que les données de l'enquête « Histoire de vie » utilisées ici concernent les seules retraitées.

Présentation de l'échantillon qualitatif

Ce second échantillon a été constitué à partir des répondants à l'enquête par questionnaire (la moitié des personnes enquêtées ayant donné leur accord pour être, le cas échéant, recontactées pour participer à un entretien). Les 21 personnes retenues l'ont été de façon à obtenir un échantillon diversifié du point de vue de leurs pratiques de vacances, en retenant trois critères : la fréquence des départs en vacances ; le maintien ou non des contacts avec des personnes rencontrées en voyage après le retour ; la configuration de départ. De plus, un certain équilibre a été maintenu entre les sexes et les tranches d'âge (*cf.* tableaux ci-après).

Sexe et âge des personnes rencontrées (effectifs)

	Moins de 65 ans	De 65 à 68 ans	De 69 à 74 ans	Plus de 74 ans	Total
Hommes	1	3	3	2	9
Femmes	4	2	2	4	12
Ensemble	5	5	5	6	21

Statut matrimonial (effectifs)

Marié(e)s	Veuf(ve)s	Divorcé(e)s, séparé(e)s, célibataire(s)	Total
13	7	1	21

Caractéristiques des personnes rencontrées

Nom*	Personnes rencontrées	Sexe	Âge en 2005 (ou date de décès)	Dernière profession exercée (diplôme le plus élevé obtenu)	Date de cessation d'activité (date de retraite)	Situation conjugale et domestique
Céram	Femme seule	Femme	83 ans	Commerçante (Certificat d'études primaires)	1984 (1985)	Veuve vit seule
		Homme	(1992)		-	
Étaté	Homme seul	Homme	74 ans	Téléprospecteur (Brevet professionnel ou équivalent)	1991 (1991)	Veuf vit seul
		Femme	(1988)	Secrétaire notariale	-	
Épi	Homme seul	Homme	65 ans	Contremaître d'exploitation (Brevet professionnel ou équivalent)	2000 (2000)	Mariés vivent en couple
		Femme	66 ans	Ouvrière d'usine (Brevet professionnel ou équivalent)	1996 (1996)	
Futuna	Femme seule	Femme	62 ans	Institutrice (Baccalauréat ou brevet supérieur)	1999 (1999)	Mariés vivent en couple
		Homme	60 ans	Cheminot-Agent de conduite (Brevet professionnel ou équivalent)	1995 (1995)	
Hiva	Couple	Homme	68 ans	Concierge (Certificat d'études primaires)	1997 (1997)	Mariés vivent en couple
		Femme	67 ans	Concierge (Certificat d'études primaires)	1997 (1997)	
Java	Femme seule	Femme	76 ans	Comptable (Brevet professionnel ou équivalent)	1984 (1984)	Veuve vit seule
		Homme	(1995)	Commandant de police	-	
Kermadec	Couple	Homme	85 ans	Surveillant d'usine (Certificat d'études primaires)	1981 (1981)	Mariés vivent en couple
		Femme	78 ans	Échantillonneuse (Certificat d'études primaires)	1987 (1987)	

* Afin de préserver l'anonymat des personnes interrogées, les noms attribués sont fictifs.

Caractéristiques des personnes rencontrées *(suite)*

Nom*	Personnes rencontrées	Sexe	Âge en 2005 (ou date de décès)	Dernière profession exercée (diplôme le plus élevé obtenu)	Date de cessation d'activité (date de retraite)	Situation conjugale et domestique
Lilou	Femme seule	Femme	67 ans	Employée de cabinet médical (Certificat d'études primaires)	1985 (2003)	Mariés vivent en couple (mari handicapé)
		Homme	73 ans	Chef d'atelier en imprimerie (Brevet professionnel ou équivalent)	1989 (1992)	
Makira	Couple puis femme seule	Femme	61 ans	Gestionnaire (Certificat d'études primaires)	2000 (2004)	Mariés vivent en couple
		Homme	63 ans	Régleur (Certificat d'études primaires)	2002 (2002)	
Maré	Couple	Homme	65 ans	Chef de magasin (Brevet professionnel ou équivalent)	1998 (2000)	Mariés vivent en couple
		Femme	64 ans	Technicienne de surface (Certificat d'études primaires)	1997 (-)	
Norfolk	Couple	Homme	69 ans	Ouvrier du bâtiment (Certificat d'études primaires)	1994 (1994)	Mariés vivent en couple
		Femme	54 ans	N'a jamais travaillé		
Palawan	Couple	Femme	63 ans	N'a jamais travaillé (Certificat d'études primaires)	-	Mariés vivent en couple
		Homme	65 ans	Agent de maîtrise (Brevet professionnel ou équivalent)	2000 (1998)	
Ralik	Homme seul	Homme	62 ans	Chef d'atelier en sidérurgie (Baccalauréat ou brevet supérieur)	2001 (2003)	Veuf a une amie mais vit seul
		Femme	(2002)	Employée de bureau	-	
Rapa	Couple	Femme	68 ans	Agent hospitalier (Certificat d'études primaires)	1974 (1974)	Mariés vivent en couple
		Homme	70 ans	Releveur en cristallerie (BEPC, brevet élémentaire, BEPS)	1995 (1995)	

165

* Afin de préserver l'anonymat des personnes interrogées, les noms attribués sont fictifs.

Caractéristiques des personnes rencontrées *(suite)*

Nom*	Personnes rencontrées	Sexe	Âge en 2005 (ou date de décès)	Dernière profession exercée (diplôme le plus élevé obtenu)	Date de cessation d'activité (date de retraite)	Situation conjugale et domestique
Ratak	Femme en compagnie de sa belle-sœur	Femme	79 ans	Dépositaire de presse (Certificat d'études primaires)	1986 (1986)	Veuve vit seule
		Homme	(1978)	Dépositaire de presse	-	
Rimatara	Femme seule	Femme	75 ans	Coiffeuse (Brevet professionnel ou équivalent)	1981 (1992)	Veuve vit seule
		Homme	(1989)	Employé à la SEITA	-	
Santo	Couple	Femme	70 ans	Secrétaire (Brevet professionnel ou équivalent)	1970 (1996)	Mariés vivent en couple
		Homme	69 ans	Inspecteur en assurance (Certificat d'études primaires)	1996 (1996)	
Tanna	Femme seule	Femme	73 ans	Comptable (Brevet professionnel ou équivalent)	1992 (1992)	Mariés vivent en couple élèvent leur petite-fille
		Homme	69 ans	Représentant (Baccalauréat ou brevet supérieur)	1996 (1996)	
Vaté	Homme seul	Homme	77 ans	Agent enquêteur médical (BEPC, brevet élémentaire, BEPS)	1983 (1982)	Séparé de corp vit seul
Wallis	Femme seule	Femme	63 ans	Assistante de direction (Brevet professionnel ou équivalent)	2002 (2002)	Veuve héberge temporairement son fils
		Homme	(2000)	Cheminot-Agent de conduite	-	
Yap	Couple puis homme seul	Homme	70 ans	Technicien audiovisuel (Baccalauréat ou brevet supérieur)	1992 (1992)	Mariés vivent en couple
		Femme	62 ans	Employée audiovisuel (Certificat d'études primaires)	1992 (2003)	

* Afin de préserver l'anonymat des personnes interrogées, les noms attribués sont fictifs.

■ Bibliographie

AMIROU R., 1995, *Imaginaire touristique et sociabilités du voyage*, Paris, Presses universitaires de France, 281 p.

ATTIAS-DONFUT C., 1972, *Vacances: loisirs du troisième âge?* Thèse sous la direction de J. Dumazedier, Paris, École Pratique des Hautes Études.

BIDART C., 1997, *L'amitié, un lien social*, Paris, La Découverte, 410 p.

BLANPAIN N., PAN KÉ SHON J-L., 1999, « La sociabilité des personnes âgées », *Insee Première*, n° 644.

BOURDELAIS P., 1993, *Le nouvel âge de la vieillesse. Histoire du vieillissement de la population*, Paris, Odile Jacob, 441 p.

BOURDIEU P., 1979, *La distinction. Critique sociale du jugement*, Paris, Éditions de Minuit, 672 p.

CAPLOW T., 1986, « Les cadeaux de Noël à Middletown », *Dialogue*, n° 91, p. 43-60.

CARADEC V., 2005, « "Seniors" et "personnes âgées". Réflexions sur les modes de catégorisation de la vieillesse », *in Regards croisés sur la protection sociale de la vieillesse, Cahiers d'Histoire de la Sécurité Sociale*, n° 1, p. 313-326.

CARADEC V., 1996a, *Le couple à l'heure de la retraite*, Presses universitaires de Rennes, 293 p.

CARADEC V., 1996b, « Les formes de la vie conjugale des "jeunes" couples "âgés" », *Population*, n° 4-5, p. 897-928.

CARADEC V., PETITE S., VANNIENWENHOVE T., 2007, *Quand les retraités partent en vacances*, Presses universitaires du Septentrion, coll. « Le regard sociologique », Villeneuve d'Ascq, 256 p.

CASSAN F., MAZUY M., CLANCHÉ F., 2001, « Refaire sa vie de couple est plus fréquent pour les hommes », *Insee Première*, n° 797.

COLLOT C., 1978, « Vacances: thérapeutique pour l'isolement social », *Santé de l'homme*, n° 216, p. 40-43.

CRENNER E., 2006, « Être retraité: quelle identité après le travail? », *Économie et Statistique*, n° 393-394, p. 41-60.

DELBÈS C., GAYMU J., 2003, « Passé 60 ans : de plus en plus souvent en couple ? », *Population et Sociétés*, n° 389, Paris, Ined.

DIRECTION DU TOURISME, 2005, *Les pratiques touristiques des seniors en 2003*, Rapport disponible à l'adresse : http://tourisme.gouv.fr/fr/navd/mediatheque/publication/evolution/att00010306/pratiques_seniors.pdf.

ESPINASSE C., 1997, « L'aventure des seniors », *Cahier Espaces*, n° 54, 5 p.

FELLER É., 2005, *Histoire de la vieillesse en France, 1900-1960. Du vieillard au retraité*, Paris, Seli Arslan, 271 p.

GUILLEMARD A.-M., 1980, *La Vieillesse et l'État*, Paris, Presses universitaires de France, 238 p.

HOSSARD N., 2005, *Recto-Verso : les faces cachées de la carte postale*, Paris, Arcadia, 205 p.

KAUFMANN J.-C., 2003, *Sociologie du couple*, Paris, Presses universitaires de France (1ʳᵉ édition 1993), 127 p.

LE JEANNIC T., RIBERA J., 2006, « Hausse des départs en vacances, mais 21 millions de Français ne partent pas », *Insee Première*, n° 1093.

LENOIR R., 1979, « L'invention du "troisième âge". Constitution du champ des agents de gestion de la vieillesse », *Actes de la recherche en sciences sociales*, n° 26-27, p. 57-82.

LOPATA H.Z., 1973, *Widowhood in an American City*, Cambridge MA, Schenkman, 369 p.

PICKARD S., 1994, « Life After a Death : The Experience of Bereavment in South Wales », *Ageing and Society*, vol. 14, p. 191-217.

POCHET P., SCHÉOU B., 2002, *Le tourisme à l'âge de la retraite*, Paris, La Documentation Française, 268 p.

PUIJALON B., TRINCAZ J., 2000, *Le droit de vieillir, Paris*, Fayard, 272 p.

ROUQUETTE C., TACHÉ C., 2002, « Les vacances des Français : résultats de l'enquête "vacances" 1999 », *Insee Résultats*, n° 4.

VIARD J., 2000, *Court traité sur les vacances, les voyages et l'hospitalité des lieux*, La Tour d'Aigues, Éditions de l'Aube, 169 p.

VIARD J., 1984, *Penser les vacances*, Arles, Actes Sud, 172 p.

Les personnes âgées face à la dépendance culinaire : entre délégation et remplacement

Philippe CARDON, Séverine GOJARD, Institut national
de la recherche agronomique

Les études sur le vieillissement à domicile montrent que l'avancée en âge implique des difficultés à réaliser certaines activités (se laver, s'habiller, s'alimenter, etc.) conduisant à des modifications de la vie quotidienne des personnes âgées[1]. Leur maintien à domicile nécessite souvent une prise en charge par un tiers, qu'il soit familial ou professionnel : le tiers des ménages comportant au moins une personne âgée de plus de 65 ans a recours à une aide extérieure (Aliaga, 2000). Si de nombreux travaux cherchent à rendre compte des formes de cette prise en charge et de son organisation, peu d'études portent sur les effets de la prise en charge sur la vie au quotidien des personnes âgées vivant à domicile. C'est précisément l'objet de cet article. Pour ce faire, nous nous focaliserons sur les activités liées à l'alimentation (approvisionnement et préparation des repas) : au-delà de leur caractère quotidien, qui en fait un enjeu du maintien à domicile, les pratiques alimentaires sont au cœur des politiques préventives de santé à destination des personnes âgées (Cardon, 2007). Nous proposons le terme de « dépendance culinaire[2] » pour désigner des situations dans lesquelles des personnes âgées ne peuvent plus assurer l'approvisionnement et/ou la préparation des repas et sont conduites à les déléguer à un tiers. Nous montrons que cette délégation s'inscrit au sein de logiques sociales liées à l'organisation domestique des tâches. On y retrouve les effets classiques du genre (Brousse, 1999) mais des distinctions apparaissent également selon la nature des incapacités et selon le statut de l'aidant (conjoint, enfant cohabitant ou non, professionnel de l'aide). Ainsi, la personne atteinte de dépendance culinaire conserve plus ou moins de contrôle sur son alimentation ou est complètement remplacée dans l'ensemble des activités de préparation alimentaire et de constitution des menus. Le maintien des habitudes alimentaires semble plus facile en cas de délégation sous contrôle qu'en cas de remplacement. Des conflits plus ou moins latents, qui s'expriment sur les choix alimentaires, peuvent intervenir dans les cas où les deux protagonistes ne partagent pas la même conception de la délégation.

1 Nous tenons à exprimer tous nos remerciements à Florence Weber pour ses critiques constructives sur une précédente version de ce texte. Nous remercions également un lecteur anonyme pour ses remarques.

2 Bien que les activités prises en compte débordent le cadre de la préparation culinaire pour englober toutes les tâches d'approvisionnement, nous préférons ce terme à celui de « dépendance alimentaire » pour éviter les risques de confusion avec la notion d'obligation alimentaire.

L'analyse se base sur une enquête effectuée en 2001 par questionnaire auprès de personnes âgées de 60 ans et plus (sur le contexte de l'enquête, voir encadré) et sur une cinquantaine d'entretiens effectués en 2006 auprès de personnes de 70 à 90 ans ; toutes vivent en domicile ordinaire.

Le dispositif d'enquête

L'enquête quantitative a été menée sur un échantillon de 800 ménages comportant au moins une personne âgée de 60 ans ou plus[3]. L'échantillon, construit par une méthode de quotas sur la base du recensement de 1999, est représentatif des personnes âgées de plus de soixante ans en termes de distribution par âge, par CSP, région et type d'habitat. En revanche, la distribution par sexe n'a pas été soumise à la méthode des quotas : les femmes représentent les trois quarts de l'échantillon (*versus* 58 % dans l'ensemble des 60 ans et plus). Ce choix vise à améliorer la qualité des réponses, puisque ce sont principalement les femmes qui s'occupent des tâches culinaires, surtout dans cette génération.

Cette enquête a été réalisée au sein du Laboratoire de recherche sur la consommation de l'Institut national de la recherche agronomique (Inra), qui a confié au Centre de recherche pour l'étude des conditions de vie (Credoc) la passation des questionnaires entre février et août 2001. Les ménages ont répondu à un questionnaire donnant des informations sur l'approvisionnement alimentaire (qui, quand, où, quoi). À ce questionnaire s'ajoute un carnet de consommation que les personnes ont rempli durant une semaine en notant tous leurs achats alimentaires (produits, prix, commerces).

Les premières exploitations ont notamment souligné l'importance de l'entourage de la personne âgée (structure du ménage, recours à une aide pour les approvisionnements, etc.) comme déterminant de son alimentation (Gojard, Lhuissier, 2003). Nous avons ensuite cherché à approfondir ces résultats par une enquête qualitative. Une cinquantaine d'entretiens ont été effectués en 2006 auprès de personnes âgées de catégories sociales diverses, vivant seules ou en couple. Elles ont été rencontrées par l'intermédiaire de services d'aide à domicile (ADMR, Assad[4]) ou d'associations de personnes âgées. Les entretiens ont été réalisés au domicile des personnes et ont été couplés avec une observation ethnographique des espaces domestiques liés à l'alimentation. À ces entretiens et observations s'ajoute une liste des repas : les personnes devaient écrire pendant plusieurs jours le contenu des repas quotidiens de leur ménage. Sur cette base, un second entretien était effectué, permettant de rendre compte des habitudes alimentaires de la personne et de leurs transformations.

---

3 Cette enquête a bénéficié d'un financement de la commission européenne dans le cadre du 5e programme cadre (QLK1-CT-1999-00010).

4 ADMR : aide à domicile en milieu rural ; Assad : association de services de soutien à domicile.

Si l'alimentation des personnes âgées reste marquée par des effets de structure sociale plus généraux (région d'habitation, appartenance sociale), l'avancée en âge exerce un effet propre sur les pratiques alimentaires, notamment au travers des questions d'organisation domestique. Nous serons amenés à distinguer d'abord les aides à l'intérieur du ménage et l'éventuelle réorganisation des tâches domestiques qui découle de la dégradation de l'état de santé d'un conjoint ; ensuite la délégation de tout ou partie des tâches d'approvisionnement et de préparation des repas à un enfant, qu'il soit cohabitant ou non ; enfin, le recours à un intervenant professionnel. Nous proposons ainsi, par une analyse combinant statistiques et entretiens, de rendre compte de l'incidence de la prise en charge d'une personne âgée sur son alimentation.

■ Les effets du vieillissement sur l'alimentation quotidienne : monotonie alimentaire et délégation des approvisionnements

Les travaux portant sur la consommation alimentaire en général tendent à montrer que les personnes âgées, considérées dans leur ensemble, consomment davantage de produits frais et moins de produits transformés que l'ensemble de la population française (Volatier, 2000). Mais l'alimentation des personnes âgées reste marquée par les positions sociales qu'elles ont occupées au cours de leur vie active : les paniers alimentaires sont plus diversifiés en haut de l'échelle sociale qu'en bas, quel que soit l'indicateur qu'on utilise pour mesurer cette position (diplôme, revenu, catégorie socioprofessionnelle) ; cette meilleure diversité s'exerce au profit des produits frais (légumes et fruits, viande et poisson). Dans le cas des ménages ruraux, et particulièrement des ménages d'origine agricole, des pratiques d'autoconsommation peuvent modérer ces résultats (obtenus à partir des approvisionnements marchands) et permettre le maintien d'une alimentation variée (Gojard, Lhuissier, 2003).

Si, par un effet de génération, les personnes âgées dans leur ensemble sont moins coutumières des produits transformés (Volatier, 1997)[5], il n'en reste pas moins que des effets d'âge peuvent jouer sur leurs approvisionnements alimentaires, dans le sens d'une diminution de la

5 Ajoutons que les enquêtes en population générale ne prennent le plus souvent pas en compte les âges extrêmes de la vieillesse mais ont tendance à s'arrêter à 75 ou à 80 ans.

consommation de produits frais. En effet, la variété de l'alimentation diminue au fil du vieillissement (cf. graphique 1), ainsi que les quantités consommées de certains produits alimentaires de base tels que le pain, la viande, le fromage et les légumes frais (Gojard, Lhuissier, 2003 ; voir aussi Larrieu et al., 2004).

Graphique 1. Âge et monotonie alimentaire

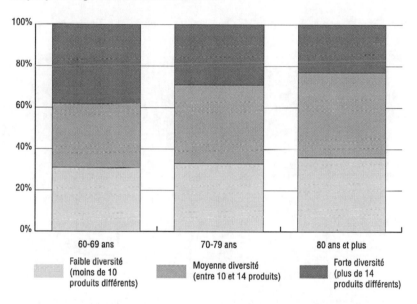

Précisons que la variété alimentaire est calculée à partir des approvisionnements : il s'agit du nombre d'articles différents achetés par le ménage durant la semaine d'observation. Une personne qui cuisine et achète un à un les ingrédients nécessaires à la préparation du plat qu'elle confectionne aura un indice de diversité supérieur à celle qui achète un plat préparé. Dans les cas où le vieillissement se traduit par une moindre capacité à faire la cuisine, compensée par la simplification des plats ou par un recours à des produits transformés, la diversité diminue. Par ailleurs, au fil du vieillissement, les personnes âgées sont de moins en moins aptes à faire les courses, ce qui se traduit par des approvisionnements moins fréquents (Gojard et al., 2003) : leur alimentation peut ainsi se modifier au profit des denrées les moins périssables et au détriment des produits frais, plus difficiles à conserver.

L'alimentation quotidienne résulte des ajustements entre les approvisionnements et la capacité à cuisiner. La moindre consommation de produits frais au fil du vieillissement renvoie également à des logiques sociales liées à l'organisation domestique des tâches d'approvisionnement et de cuisine. On constate en effet que l'avancée en âge s'accompagne d'une moindre autonomie dans l'accomplissement des approvisionnements alimentaires (*cf.* graphique 2).

Graphique 2. Âge et délégation des approvisionnements alimentaires

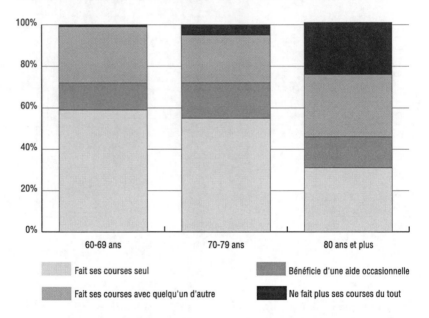

L'analyse des entretiens permet d'aller plus loin dans l'exploration des effets de la dépendance culinaire. Ils dépendent tout d'abord de la structure du ménage (couple, personne seule ou cohabitation avec un enfant) et du type de déficience de la personne âgée (psychique ou physique). Ils sont également liés au genre et au statut de l'aidant (conjoint, enfant cohabitant ou non, professionnel).

■ Les couples face à l'émergence d'incapacités : une redéfinition des rôles conjugaux autour de l'alimentation ?

Lorsque le couple ne recourt pas à une aide extérieure pour faire face aux tâches d'approvisionnement et de préparation des repas bouleversées par l'apparition d'incapacités pour l'un des conjoints, une redéfinition des rôles conjugaux s'opère. Cette dernière prend plus ou moins d'importance, et des formes diverses, selon que les incapacités touchent le mari ou la femme, et selon qu'elles sont de nature psychique ou non.

■ Prendre en charge son mari : comment maintenir les habitudes alimentaires conjugales ?

Dans les situations où le mari est pris en charge par son épouse, cette prise en charge s'ajoute aux tâches domestiques (notamment culinaires) qui incombaient déjà à la femme. On constate qu'elle cherche, le plus souvent, à maintenir le régime alimentaire de son couple, dans la mesure où il est compatible avec les besoins de son mari (si ce dernier, par exemple, est amené à suivre un certain nombre de prescriptions alimentaires). Bien souvent, un facteur affectif vient se surajouter, manifesté par la volonté de *« lui faire des plats qu'il aime bien »*. Pour autant, l'organisation des tâches autour de l'alimentation est modifiée par la gestion du temps au quotidien des épouses, entre temps à soi, temps consacré à leur mari (toilette, habillage, sortie) et temps domestique (courses et préparation des repas) : la maladie du mari, vécue difficilement, bouleverse profondément, non seulement les relations conjugales, mais plus généralement les relations sociales (*« depuis sa maladie, on ne voit plus grand monde, les gens ne viennent plus nous voir »*) et la sociabilité de l'épouse.

Dans certaines situations, l'épouse cherche alors à dégager du temps pour elle en modifiant notamment le temps lié aux activités alimentaires. C'est le cas par exemple de Mme Moratin, femme au foyer âgée de 76 ans, dont le mari, ancien cadre commercial dans une entreprise locale, est atteint de la maladie d'Alzheimer. Ils habitent aujourd'hui dans un immeuble de standing situé en ville. C'est elle qui s'occupe de son mari : elle lui fait sa toilette et l'habille, activités qui lui prennent en moyenne une heure tous les matins. Passionnée de patchwork, Mme Moratin cherche à dégager du temps pour *« souffler un peu, me changer les idées. [...] Moi, j'ai eu une vie vivante. Là, je suis dans un trou. Je ne sors plus, c'est fini tout ça. [...] Avant qu'il soit malade, on allait aux expos, on allait partout. Et là, pof... C'est pour ça que je voudrais me laisser des petits moments pour faire mon patchwork »*. Trouver du temps pour elle, c'est tout d'abord déléguer les courses alimentaires, en l'occurrence à une supérette située à quelques rues de chez eux, qui livre trois à quatre fois par mois. Elle les délègue parfois à son aide à domicile, qui intervient deux fois par semaine pour s'occuper du ménage et l'aider à doucher son mari. Elle a également réduit le temps consacré à la préparation des repas. Ainsi, Mme Moratin a acheté un four à micro-ondes *« pour gagner du temps, je peux décongeler plus vite »*. Elle adapte aussi ses approvisionnements pour réduire les temps de préparation : elle achète des produits surgelés, des produits conditionnés sous vide (pommes de terre, marrons, betteraves rouges, lard, fromage, etc.) et des produits en conserve, en bocal ou en tube (sauce bolognaise, mayonnaise, etc.). Ainsi, par exemple, les légumes frais sont remplacés par des légumes congelés, et les sauces faites maison ont laissé place aux sauces en tube. Pour autant, Mme Moratin cherche à conserver les habitudes alimentaires de son couple. Il n'y a pas disparition des plats cuisinés, mais bien transformation des modes de préparation, ce qui se traduit par une certaine permanence des menus.

Dans d'autres situations, la réorganisation des tâches autour de l'alimentation se fait au détriment de l'autonomie de l'épouse. C'est le cas de Mme Chapuis, âgée de 72 ans, qui prend en charge son mari, ancien garagiste, atteint d'une dégénérescence musculaire le condamnant à l'immobilité et à l'incapacité de parler, bien qu'il reste conscient. Sa mère vit avec eux. Ils habitent un bourg sans commerces situé à 15 kilomètres des commerces les plus proches. Tous les matins, une aide soignante intervient de 10 heures à midi pour faire la toilette de sa mère et l'habiller, puis lever son mari, faire sa toilette et l'habiller. Elle bénéficie par ailleurs de l'intervention d'une aide domestique l'après-midi. L'objectif est double : d'une part, avoir un tiers extérieur qui s'occupe de son mari et de sa mère ; d'autre part, lui libérer du temps pour pouvoir faire les courses, notamment alimentaires. La gestion des approvisionnements alimentaires est fortement imbriquée à la manière dont elle stocke les aliments, car elle ne possède pas de congélateur et n'en veut pas. De fait, les courses sont fréquentes et impliquent des déplacements quasi journaliers : le jeudi est le jour des grosses courses, le reste de la semaine est consacré à des *« petites courses, lorsqu'il manque quelque chose »*. Mais elle tient à faire ses courses elle-même : *« c'est un temps pour moi, ça me détend »*. Par ailleurs, elle cherche à satisfaire les goûts de sa mère et de son mari, choix auquel il faut ajouter les recommandations et prescriptions médicales, nombreuses, et prépare au final trois repas. Trois repas… dans l'idéal, car l'analyse de la liste des repas faite par Mme Chapuis montre que, si elle essaye de préparer des repas pour elle, bien souvent, comme elle le dit elle-même : *« Moi, je mange n'importe quoi ! Je mange tous les restes, c'est un peu moi la poubelle!* [rires] ». De manière générale, elle ne fait plus de plats « cuisinés » pour elle, mais les remplace par des féculents : pâtes, riz, pommes de terre, généralement accompagnés de beurre ou de fromage râpé. Elle ne fait plus de sauce. Si elle réussit à maintenir une alimentation équilibrée pour son mari, la sienne tend à s'appauvrir.

Dans ces situations, la maladie du mari ne remet pas fondamentalement en cause l'assignation « naturalisée » au rôle domestique des femmes de cette génération (Chabaud, Fougeyrollas, Sonthonnax, 1985). Le maintien de leurs compétences culinaires est le garant de la continuité de l'alimentation du couple.

■ Les effets de la dépendance culinaire des femmes : délégation sous contrôle *versus* remplacement

La situation est tout autre lorsque c'est la conjointe qui est atteinte d'incapacités et qu'elle ne peut plus assurer l'approvisionnement alimentaire dont elle s'occupait auparavant. En effet, son mari peut alors être amené à effectuer tout ou partie des activités liées à l'alimentation. La nature des incapacités (physiques ou psychiques) de l'épouse conditionne l'organisation domestique. En cas de déficience physique, la femme garde le plus souvent le contrôle des activités culinaires, et son mari n'a qu'une tâche d'exécution, situation que nous qualifierons de « délégation sous contrôle ». En revanche, dans les cas de déficience psychique, l'épouse n'étant plus en mesure de décider, son mari doit assumer l'ensemble des activités alimentaires, situation que nous qualifierons de « remplacement ».

L'épouse décide et délègue, le mari exécute : le cas de la déficience physique des femmes

Lorsque l'épouse est atteinte d'une incapacité physique l'empêchant par exemple de se déplacer (elle a « toute sa tête » et peut encore préparer à manger, en étant aidée), elle peut « déléguer » les activités alimentaires à son mari. Nous parlons ici de « délégation » au sens de Vincent Caradec (Caradec, 2001) : l'épouse confie à son mari l'approvisionnement alimentaire, voire une partie de la préparation des repas. Mais c'est elle qui continue de décider des menus et de rédiger (ou de dicter à son mari) la liste des courses : le contenu des repas reste donc sous le contrôle de l'épouse. Le maintien ou non du régime alimentaire du couple dépend de la réorganisation des activités, c'est-à-dire de la disposition de l'homme à remplacer totalement ou non sa femme dans la réalisation des différentes tâches.

177

Dans certaines situations, le mari fait les courses, puis effectue tout ou partie des activités de préparation des plats (éplucher les légumes, couper la viande, faire mijoter, etc.), sous le contrôle de son épouse. On observe alors une continuité dans l'alimentation. La situation de Mme Petot est exemplaire : ancienne ouvrière dans l'horlogerie, aujourd'hui âgée de 73 ans, elle souffre d'arthrose et de polyarthrite la contraignant à vivre en fauteuil roulant. Elle a des difficultés à utiliser ses doigts et ne peut plus vraiment cuisiner. Son mari prend en charge l'ensemble des approvisionnements alimentaires. Lorsque la maladie s'est manifestée de manière aiguë, le couple a fait le choix d'emménager à proximité d'une zone artisanale en face d'un supermarché afin que M. Petot puisse faire les courses tous les matins. Il achète le plus possible de produits frais (légumes, viande, poisson, etc.). Il cuisine ensuite dès son retour, son épouse lui dictant les différentes opérations culinaires à réaliser. On retrouve également cette forme de délégation dans les configurations conjugales dans lesquelles mari et femme, tous deux atteints d'un handicap ne leur permettant pas d'être parfaitement autonomes, organisent leur vie quotidienne autour d'une aide réciproque et complémentaire selon les capacités et incapacités de chacun. Ainsi, Mme Lopez, suite à une maladie, a perdu la vue et ne peut plus assurer l'ensemble des activités liées à l'alimentation. M. Lopez, quant à lui, a des problèmes de mémoire assez importants (mémoire à court terme faible). Il s'occupe des courses, il prépare les repas, mais c'est elle qui lui dicte aussi bien la liste des courses que les opérations à exécuter (elle lui précise notamment l'emplacement des ustensiles de cuisine). Dans ces situations, la continuité dans l'alimentation du couple est assurée par le maintien des savoir-faire culinaires de l'épouse.

A contrario, dans d'autres situations, la participation masculine se restreint aux tâches d'approvisionnement, le mari ne participant pas à la préparation des repas. Le non-investissement culinaire du mari repose sur le maintien d'une répartition sexuée des tâches domestiques, davantage marquée dans les milieux de l'artisanat. Parfois, il s'agit d'un refus du mari face à une demande explicite d'aide de son épouse. Dans d'autres situations, l'épouse ne demande pas à son mari et se tourne directement vers un tiers. D'une manière générale, ce non-investissement peut être justifié, par les deux membres du couple, par l'implication importante du mari dans des activités et des responsabilités extérieures *« qui ne lui laissent pas de temps »* (responsabilités professionnelles, investissement dans un club, etc.), ou par le manque d'habitude (*« il n'a pas été habitué »*). Ici, l'épouse délègue à son mari l'activité d'approvisionnement mais continue de faire la cuisine, avec plus ou moins de difficultés en raison de ses incapacités physiques. C'est le cas de Mme Jantier, qui a été amputée d'une jambe et se déplace désormais en fauteuil roulant. Son mari fait l'ensemble des courses, mais il ne participe pas à la préparation des repas. Malgré un réaménagement de sa cuisine lui permettant de circuler avec son fauteuil roulant pour cuisiner[6], elle se voit contrainte de réduire le contenu des menus et le type de plats qu'elle prépare. Leur alimentation est moins diversifiée.

Parfois, le mari rechigne à assurer les courses, qu'il réalise *a minima*, l'épouse devant faire appel à un tiers (enfant, aide à domicile). C'est le cas pour Mme Le Cantrec, qui souffre d'obésité et a du mal à se déplacer. Son mari ne participe presque pas aux activités liées à l'alimentation : il ne s'occupe que des courses de *« dépannage »*, leur aide à domicile prenant en charge les courses principales : *« mon mari c'est une fois de temps en temps, quand on a besoin de quelque chose, mais il n'aime pas ça. Alors quand on peut éviter. Avant, j'y allais toute seule, il a jamais fait de courses »*. Il n'intervient pas dans la préparation des repas, qu'elle assure seule. Mme Le Cantrec se fatigue vite et est contrainte de limiter les opérations de cuisine et les déplacements : *« Et cuisiner, de moins en moins... ça me fatigue. J'aimais beaucoup cuisiner, j'ai beaucoup cuisiné, mais là, j'ai mal au dos alors quand je suis debout devant le gaz ou l'évier, il faut que je sois toujours appuyée »*. Cela implique une moindre variété des produits achetés et des plats consommés, les plats préparés se substituant souvent aux plats cuisinés à la maison : *« La purée, à l'andouille, j'en fais plus, disons moins... c'est pareil, c'est une corvée. C'est trop compliqué à faire la purée. Et mon mari, je vous dis, il ne cuisine pas. Non, il veut bien débarrasser, apporter les plats... mais pas... il le fait, bon, maintenant, c'est automatique. Il râle, mais il le fait quand même... C'est vrai que quand il sort de réunion, il aimerait bien s'asseoir tranquille. Et comme il dit, "mes copains sont pas comme ça", ils ont tous des femmes actives... Mais, il veut pas trop faire, quoi »*.

Le mari remplace son épouse : le cas de la déficience psychique des femmes

Dans les situations où l'épouse est atteinte d'une maladie psychique (Alzheimer, par exemple), elle peut ne plus être en mesure de décider du contenu des repas, ce qui nécessite l'intervention de son mari non seulement dans la réalisation des différentes tâches liées à l'alimentation mais dans une part essentielle de ces tâches, généralement invisible : la prise de décision. C'est donc lui qui détermine les menus et rédige la liste de courses en conséquence. Nous parlerons ici de « remplacement » de l'épouse par son mari. La continuité alimentaire se fait plus difficilement, approvisionnement et contenu des repas devenant moins diversifiés : cela tient à la faiblesse, voire à l'absence de compétences culinaires pour nombre d'hommes de ces générations. C'est le cas de M. Savin (ancien salarié pêcheur) qui prend en charge son

---

6 D'une manière générale, l'adaptation des espaces de cuisine dans ces situations contraignantes pour les femmes dont le mari ne participe pas à la préparation des repas participe de la réorganisation des espaces domestiques (Le Borgne-Uguen, Pennec, 2005).

épouse atteinte de la maladie d'Alzheimer. Il reconnaît avoir peu de connaissances culinaires mais essayer de « cuisiner un minimum ». Habitant une petite ville portuaire, il fait les courses plusieurs fois par semaine au marché sur le port situé à côté de chez lui (il achète tout particulièrement du poisson frais). Pour autant, il ne prépare plus le poisson « comme le faisait ma femme, je ne connais pas trop la grosse cuisine. Ma femme, elle faisait des langoustes à l'armoricaine, ou aussi des calamars. Mais, moi, je ne connais pas ça. Alors, j'en fais pas... je fais au plus simple, du poisson à la poêle, ou au four avec des oignons. Un peu de tout, accompagné de pommes de terre ». M. Savin mobilise en fait une connaissance des poissons (« je sais reconnaître le bon poisson ») et certains savoir-faire culinaires acquis lorsqu'il était pêcheur. Il considère pour autant que leur alimentation est beaucoup moins variée que du temps où son épouse la prenait en charge.

Dans certains cas, le recours à des plats préparés peut devenir davantage systématique, comme observé par exemple chez M. Morvan, ancien ingénieur âgé de 85 ans, dont la femme est atteinte de la maladie d'Alzheimer. Comme il le reconnaît lui-même, « moi, je ne suis pas cuisinier du tout, j'utilise presque pas de produits frais, uniquement pour le potage, mais sinon, c'est plutôt des trucs préfabriqués, de la purée préfabriquée. [...]. Bon, sauf le poisson, une fois par semaine le mardi, je prends toujours un morceau de lieu, on le met à bouillir, les pommes de terre pareil et les sauces, on a abandonné, il y a des sauces préfabriquées et puis... sauce béarnaise, mayonnaise, de temps en temps, beurre blanc. Mais enfin, c'est pas de la cuisine. Je fais pas de la cuisine [...]. Mais sinon, c'est des trucs sous plastique, des plats préparés qu'on met au micro-ondes et il y a aussi les plats du traiteur ».

Le remplacement de l'épouse par son mari en matière d'approvision-nement – voire de préparation alimentaire – met en jeu les compétences culinaires de ce dernier et, au-delà, implique une réorganisation symbolique des rôles de chacun : la continuité alimentaire du couple se fera d'autant plus que le mari sera en état de remplacer effectivement son épouse.

On retrouve dans ces différentes situations l'effet de facteurs sociaux plus généraux sur la répartition des tâches domestiques au sein du couple (Brousse, 1999 ; Bihr, Pfefferkorn, 1996 ; Zarca 1990) : ainsi, dans les milieux où la répartition des tâches domestiques est la plus « traditionaliste »[7], notamment chez les artisans tels que M. et M\\mes Jantier

---

7 Selon Bernard Zarca (1990), les couples d'artisans dans leur ensemble s'opposent aux salariés dans la mesure où ils adoptent une répartition des tâches plus sexuée et plus conforme à l'assignation « naturelle » des femmes à certaines tâches domestiques, dont la cuisine, mais aussi l'entretien du linge, etc.

et Le Cantrec évoqués plus haut, on a plus de chance de trouver des cas de délégation des approvisionnements qui sont plus facilement définis comme une tâche plus masculine en ce qu'ils impliquent la conduite d'un véhicule, le portage des paquets, etc., et moins de chances de rencontrer des hommes susceptibles de remplacer leur épouse en assumant l'ensemble des opérations de préparation culinaire. Dans ces derniers cas, la probabilité de déléguer l'ensemble des tâches, y compris les tâches invisibles de décision, à un enfant ou à une aide à domicile, augmente. En revanche, dans les milieux salariés, tel que le milieu ouvrier, étudié à travers les exemples de M. et Mme Petot, Savin ou Lopez, les conjoints s'investissent au-delà de l'approvisionnement et participent, voire prennent en charge les activités de préparation des repas[8]. Ici, la probabilité de déléguer à un tiers est moindre, à moins que le mari ne soit plus en état de seconder ou de remplacer son épouse.

■ L'implication culinaire d'un enfant : le poids du genre et de la cohabitation

Dans les situations où les deux conjoints sont dans l'incapacité d'assurer tout ou partie des activités alimentaires, ou lorsque l'homme refuse de prendre en charge les activités anciennement réalisées par sa femme, cette dernière est contrainte de faire appel à un tiers. L'intervention d'un tiers s'observe également dans les cas de veuvage. De manière générale, on constate que la délégation, totale ou partielle, du ravitaillement, augmente avec l'âge (cf. graphique 2, p. 174) et concerne de moins en moins le conjoint (cf. graphique 3, p. 182). On observe ici en grande partie les effets d'une contrainte démographique : au fil du temps, le veuvage affecte les personnes âgées et diminue mécaniquement la part de celles qui sont susceptibles de bénéficier de l'aide de leur conjoint pour les tâches domestiques. Ajoutons que le vieillissement touche les deux membres du couple et peut, même lorsque le conjoint est encore en vie, le rendre moins valide donc moins apte à contribuer aux approvisionnements du ménage. Par ailleurs, un croisement avec le genre du répondant montre que les hommes sont nettement surreprésentés parmi ceux qui déclarent une aide de leur conjoint(e), tandis que les femmes sont surreprésentées parmi ceux qui déclarent être aidés par une autre personne que leur conjoint.

---

8 Nous n'avons pas retenu ici d'exemples concernant les classes supérieures, mais on y observe généralement le même type de substitution (de la femme par son mari) que dans le milieu ouvrier. Le partage des tâches domestiques est, de manière générale, plus équitable et socialement mieux admis chez les classes supérieures (Ménahem, 1988).

Graphique 3. La délégation des approvisionnements dans et hors du cercle du ménage

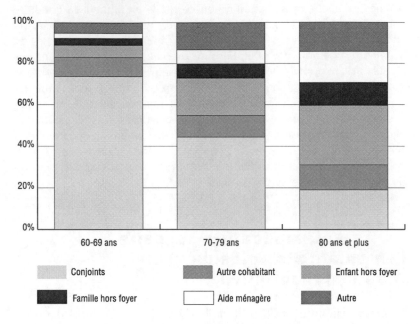

La place des enfants, qu'ils soient cohabitants ou non, dans l'organisation de l'aide, croît à mesure du vieillissement (*cf.* graphique 3). Paradoxalement, on constate que le fait de faire ses courses seul ou non, aidé ou non, n'exerce aucune influence sur la diversité des paniers achetés, mais que le lien entre la personne âgée et son aidant a un impact important. Plus précisément, ce n'est pas tant le fait de bénéficier d'une aide ou non pour l'approvisionnement qui diminue la variété de l'alimentation, mais le fait que cette aide provienne d'une personne qui ne cohabite pas avec la personne âgée, qu'il s'agisse d'un membre de la famille ou non, d'un professionnel ou non (*cf.* graphique 4). Ce résultat nous amène à distinguer les configurations où les enfants aidants font partie du ménage de la personne âgée des cas où ils ne cohabitent pas avec cette dernière.

Graphique 4. Diversité alimentaire et personne en charge des approvisionnements

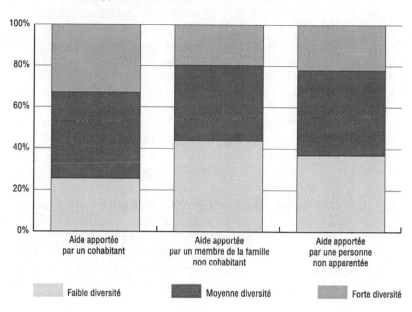

▪ L'enfant cohabitant : exécuter ou remplacer ?

L'enfant cohabitant s'investit généralement au-delà du simple approvisionnement alimentaire et participe à, voire prend en charge la préparation des repas. Pour autant, les formes de délégation des activités alimentaires varient selon le genre de l'enfant aidant : alors que les fils cohabitants se contentent généralement d'exécuter ce qui est dicté par leur mère, les filles cohabitantes s'investissent davantage dans le choix des produits à acheter et des aliments à consommer. En ce sens, elles tendent à remplacer leur mère, là où les fils ne font qu'exécuter la demande.

C'est le cas de M. et Mme Sérafin, anciens gardiens d'immeuble, qui vivent avec un de leurs fils, célibataire et âgé de 42 ans. M. Sérafin est handicapé moteur et ne peut pas se déplacer. Sa conjointe est également handicapée et se déplace en fauteuil roulant. Le couple habite dans une tour HLM de la périphérie d'une ville moyenne et ne sort plus de son appartement. Leur fils, salarié dans une entreprise locale, a toujours habité avec eux. M. et Mme Sérafin n'ayant pas le permis, c'est leur fils qui s'est toujours chargé d'accompagner sa mère faire les courses «complémentaires», généralement le samedi. En effet, elle distingue les courses quotidiennes de produits frais (viande, poisson, légumes) achetés sur la place située à côté de chez elle (boucherie et marché) où elle se rendait à pied plusieurs fois par semaine, des courses «complémentaires» (sucre, huile, café, pâtes, etc., et produits non alimentaires) au supermarché situé à la sortie de la ville. Aujourd'hui, le fils a pris la relève et se charge de l'ensemble de l'approvisionnement alimentaire. Il continue d'aller au même endroit pour les produits frais (*« le marché sur la place et mon boucher, j'y tiens ! »* dit sa mère). Sa mère lui prépare la liste des produits alimentaires à acheter, selon les menus des repas qu'elle a décidés, en fonction des goûts de chacun (par exemple, acheter du poisson surgelé pour son fils *« il aime pas les arêtes »*, mais également du lieu pour elle et son mari *« du frais, au marché »*). Elle fait confiance à son fils qui, selon elle, a acquis un certain savoir-faire en matière de choix, notamment pour les produits frais : *« J'ai toujours été difficile, mais mon fils me connaît bien, il ne se trompe pas, il choisit bien »*. C'est elle qui prépare à manger, mais des problèmes physiques lui rendent certains gestes difficiles (éplucher, couper, déplacer des casseroles). Son fils l'aide dès son retour du travail : *« Par exemple, une blanquette, je peux pas la faire toute seule, parce que la blanquette, vous mettez le beurre, après vous mettez la farine, et tournez. Je peux pas faire les deux. Alors, je suis obligée d'attendre qu'il soit là pour faire la sauce. Il aime bien la blanquette. Par exemple, hier, les pommes de terre, c'est lui qui les épluche les pommes de terre. S'il y a des carottes à éplucher, c'est lui qui épluche. Il m'aide depuis que j'ai eu des problèmes »*. L'étude fine de la situation permet de constater un relatif maintien des habitudes alimentaires dans leur diversité : les plats préparés sont identiques à ceux que Mme Sérafin préparait seule avant. Dans ce type de situation, le fils fait en fonction des demandes de sa mère.

Lorsque l'aide provient d'une fille cohabitante, on observe plutôt des situations de remplacement, la fille, en raison de ses propres compétences culinaires, étant en mesure de s'affranchir du contrôle de la mère, ou de prendre davantage d'initiatives, par exemple aller dans de nouveaux magasins ou proposer de nouveaux produits à consommer. C'est le cas de Mme Goff, ancienne ouvrière, qui partage avec sa fille, employée d'accueil dans un musée, une petite maison HLM située près du centre d'une petite ville portuaire. Mme Goff a des difficultés à se déplacer. C'est sa fille qui s'occupe des courses que sa mère faisait auparavant. Elle s'achalande dans de nouveaux magasins, par exemple un magasin de produits biologiques : *« Je prends du beurre là-bas, de temps en temps, rien que pour mettre sur du pain, et du thé. Je prends du bon thé. Ils ont de la charcuterie, du fromage et ils ont des céréales, des fruits, des légumes. C'est quand même assez cher ! Mais je regarde, je prends petit à petit un peu plus de choses »*. Elle s'occupe également du contenu des repas, mais elles cuisinent « à deux », la fille prenant les décisions. Elle « *bricole* » des plats pouvant satisfaire ses propres goûts tout en respectant le régime imposé à sa mère. À titre d'exemple, Mme Goff n'a plus le droit de manger des légumes et des fruits : sa fille les remplace par des pommes de terre (sous forme de purée ou cuites à l'eau) pour accompagner du poisson, qui *a contrario* est recommandé à sa mère. Elle-même mange du poisson, mais accompagné d'une ratatouille.

Les situations de remplacement ne s'observent dans les couples que si la femme est atteinte d'une dépendance psychique. En cas de cohabitation avec un enfant, en revanche, on rencontre des configurations de remplacement sans dépendance psychique. Le facteur clivant est ici le genre de l'enfant aidant : les fils se contentent d'exécuter sous contrôle de leur mère, tandis que les filles ont tendance à la remplacer, comme en témoigne leur implication dans l'établissement des menus.

■ Fils et filles non-cohabitants : une délégation entre contrôle et conflit

Lorsque l'enfant aidant ne cohabite pas, il prend rarement en charge la préparation des repas, qui est réalisée par le(s) parent(s) selon leur marge d'autonomie, elle-même variable selon la nature et la lourdeur des incapacités. Ce type de délégation concerne des couples n'assurant plus leur approvisionnement (incapacités d'un ou des deux conjoints, refus d'un conjoint aidant d'assurer les courses, etc.) ou des personnes vivant seules. On retrouve l'effet du genre de l'enfant aidant sur le mode de délégation, les fils ayant tendance à effectuer les courses sous contrôle de leur mère, les filles adoptant une attitude plus interventionniste. Alors que dans les cas de cohabitation le remplacement de la fille par sa mère semble généralement faire l'objet d'un consensus, dans les cas de non-cohabitation on observe davantage de conflits sur le contrôle de l'alimentation.

L'intervention d'une fille peut ainsi conduire à des transformations des habitudes alimentaires de son(ses) parent(s). Ici semble jouer un effet de génération : dans de nombreux cas étudiés, les filles sont sensibles aux questions de nutrition et de diététique, et nombreuses sont celles qui interviennent auprès de leurs parents âgés pour leur donner des conseils, voire les réprimander. C'est le cas de Mme Danton, âgée de 91 ans, qui a des problèmes de poids et qui, suite à une opération du cœur, ne sort plus de chez elle. Sa fille aînée prend en charge ses courses, qu'elle fait une à deux fois par semaine. Bien que Mme Danton lui prépare une liste, sa fille intègre de nouveaux aliments, notamment pour assurer une alimentation plus « diététique » à sa mère. Elle essaye par exemple d'habituer sa mère à cuisiner davantage à l'huile d'olive mais cette dernière s'y refuse, estimant avoir déjà fait un effort en ayant remplacé *« le beurre par la margarine »*. Par ailleurs, sa fille a fait venir une diététicienne chez sa mère afin de lui proposer des menus *« plus équilibrés »* et variés. Elle juge notamment que sa mère ne *« mange pas suffisamment le soir »*. Au cours de l'entretien, en présence de Mme Danton et de sa fille, un débat s'est engagé entre elles concernant le contenu du repas du soir, jugé insuffisant par la fille, Mme Danton arguant que son goûter – composé d'un café au lait et d'une ou deux crêpes et pris à 16h30 – compensait largement son repas du soir – elle mange uniquement une soupe. Elle considère du reste que les repas de la diététicienne *« c'est beaucoup pour une personne âgée »*.

Dans ces situations, le conflit se construit dans l'asymétrie des attentes : la mère délègue mais souhaite conserver le contrôle du contenu alimentaire, alors que la fille cherche à remplacer sa mère.

En revanche, l'enquête montre que les situations de délégation des courses à un fils sont moins sujettes à conflit, ce dernier se contentant le plus souvent de respecter la demande de son parent *via* une liste de courses, sans chercher à le remplacer. Tout au plus peut-il proposer de nouveaux produits alimentaires (de nouveaux types de yaourts par exemple). C'est le cas pour Mme Simiens, qui souffre de problèmes de poids et ne peut plus se déplacer pour faire ses courses. Son mari a de graves problèmes de dos le condamnant également à ne pas se déplacer. Le couple habite un appartement dans un immeuble HLM en périphérie urbaine. Les courses alimentaires sont faites une fois par semaine par un de leurs fils, qui habite à quelques kilomètres dans un village limitrophe, mais dont le lieu de travail est à proximité. Il n'intervient aucunement sur le contenu des courses et des repas, dont il ne souhaite pas s'occuper. Les enjeux autour de compétences culinaires sont beaucoup moins prononcés que dans les situations entre un parent et sa fille présentées ci-dessus, et on n'observe pas de transformations significatives des habitudes alimentaires du parent.

Lorsque c'est un enfant qui assure la prise en charge des activités alimentaires de ses parents, la cohabitation détermine l'implication dans la préparation culinaire, alors que les enfants non-cohabitants se contentent d'intervenir pour l'approvisionnement. Le genre de l'enfant détermine le mode de délégation : exécution sous contrôle des mères dans le cas de délégation à des fils, tension entre exécution et remplacement dans le cas des filles. Cet effet de genre s'explique en grande partie par le caractère sexué des savoir-faire culinaires : ces compétences n'interviennent pas dans la relation mère/fils mais peuvent devenir un enjeu entre mère et fille. Les filles, tout en étant héritières d'habitudes culinaires issues de leurs mères, intègrent de nouvelles compétences culinaires qui peuvent s'opposer à celles de leurs parents (Fernandez, 2007). Il semble que le remplacement de la mère par la fille – et donc la mise en œuvre des normes alimentaires de cette dernière – soit plus conflictuel dans le cas où la fille ne cohabite pas. On peut penser que la cohabitation requiert – et repose sur – un accord plus ou moins tacite sur la gestion de la vie quotidienne, qui tend à pérenniser les habitudes alimentaires des parents. La question des compétences culinaires entre également en jeu, comme nous allons le voir, lorsque la prise en charge est assurée par un professionnel.

■ La délégation à un intervenant professionnel

Le recours à un intervenant professionnel (par exemple, une aide à domicile) peut s'avérer indispensable au maintien à domicile lorsqu'aucun des membres du ménage n'est en mesure de se charger des approvisionnements et que le recours à des proches non-cohabitants n'est pas possible ou n'est pas souhaité. On voit sur le graphique 3 (p. 182) que le recours à un professionnel augmente avec l'âge. Il en va de même pour des membres de l'entourage non familial (amis, voisins). Le graphique 4 (p. 183) montre que lorsque l'aide est apportée par une personne non apparentée, dont environ la moitié sont des professionnels, la diversité de l'alimentation est légèrement plus élevée que dans le cas d'aide apportée par un membre de la famille non-cohabitant. Ce dernier résultat peut en partie s'expliquer par les compétences diététiques et nutritionnelles des aides à domicile, ces dernières devant assurer un rôle de relais des politiques publiques préventives en matière d'alimentation des personnes âgées (Cardon, 2007). Ces compétences peuvent entrer en conflit avec les savoir-faire culinaires des personnes âgées. Les rapports de pouvoir liés à la relation de service peuvent ainsi conduire à une délégation sous contrôle lorsque la personne âgée refuse de prendre en compte des modifications de ses habitudes alimentaires suggérées par son aide à domicile, ou bien lorsque cette dernière renonce à intervenir dans le domaine alimentaire.

Dans d'autres situations, en revanche, la personne âgée reconnaît la légitimité des connaissances diététiques de l'aide à domicile, qui peut par exemple l'aider à mettre en œuvre des prescriptions médicales, un régime. Ainsi, Mme Tisserand, ancienne employée de maison, souffre d'obésité. Son aide à domicile l'aide à modifier son alimentation en jouant tout à la fois sur l'application stricte de son régime, le maintien d'une alimentation diversifiée, et la satisfaction de ses goûts. Son alimentation s'en trouve transformée. Ces attentes ne sont d'ailleurs pas toujours satisfaites, et certaines personnes âgées reprochent à leur aide à domicile de se comporter comme une simple exécutante. Par exemple, l'aide à domicile de M. et Mme Feneca, anciens cadres à la SNCF, fait leurs courses une fois par semaine avec une liste de courses qu'ils lui ont préparée. Pour autant, ils ne sont pas satisfaits et lui reprochent son manque d'initiative : *« Elle est nulle, elle a pas beaucoup d'imagination, elle est pas très dégourdie. Bon, elle est gentille, honnête, elle travaille mais il faut tout lui dire, elle a pas beaucoup d'initiatives. C'est ça qui m'embête. Quand il y a des légumes nouveaux, tout ça, il faudrait qu'elle me le dise, mais elle me le dit pas. Alors je demande à une amie qui vient régulièrement, une amie fidèle, je lui demande, elle me rapporte des choses. »*

Si le manque de compétence culinaire apparaît lié au genre dans le cadre des délégations à un membre de la famille, l'analyse du recours à des intervenants professionnels montre que la question des compétences culinaires est aussi liée à la position sociale : les situations de domination ne sont pas toujours propices à l'expression par l'aide à domicile de ses savoir-faire. Les situations de remplacement supposent de la part de l'aide à domicile une forme d'aisance sociale ou d'investissement professionnel minimal, et de la part de la personne âgée – ou du couple concerné – une acceptation de cette intervention ; relation sociale d'autant plus complexe que parfois les compétences diététiques mobilisées par la professionnelle entrent en contradiction avec les habitudes alimentaires du ménage aidé, l'intervention de l'aide à domicile sur les habitudes alimentaires pouvant alors être vécue comme une ingérence par la personne âgée.

Ce sentiment d'ingérence s'observe de manière exacerbée dans les situations où une fille qui intervient auprès de ses propres parents est aussi une professionnelle travaillant chez des personnes âgées : à l'effet de génération entre mère et fille lié aux questions diététiques se cumule l'effet du statut professionnel de la fille. C'est le cas par exemple de Mme et M. Gendray – anciens artisans – qui habitent en HLM dans une ville moyenne. Handicapés tous les deux et ayant des difficultés à se déplacer (elle a des problèmes de poids et lui des problèmes de hanche), c'est leur fille, auxiliaire de vie qui habite le même immeuble, qui fait leurs courses. Elle modifie parfois la liste préparée par sa mère, refusant d'acheter certains produits (*« des viandes trop grasses, ma mère, c'est pas recommandé mais elle voudrait en manger plus qu'elle a droit »*) et leur en proposant d'autres : par exemple, du beurre sans sel qui a fini par être intégré aux habitudes alimentaires de ses parents. La cuisine au beurre a par ailleurs laissé place, sur les conseils et l'insistance de la fille, à une cuisine sans matière grasse : *« la graisse cuite, c'est pas bon »*, dit la fille. Ici, ce qui est perçu comme une ingérence de la fille n'est pas toujours bien vécu par les parents et peut donner lieu à des conflits. Les entretiens ont été l'occasion d'assister à des discussions houleuses entre la fille et sa mère en réponse aux questions posées. L'effet de génération est ici renforcé par un effet de mobilité sociale et de professionnalisation : les deux parents sont artisans, leur fille est auxiliaire de vie et a épousé un ancien directeur d'entreprise publique. Elle est très investie dans les questions d'alimentation. Dans la prise en charge de l'approvisionnement alimentaire de ses parents, elle met en jeu ses compétences professionnelles, qui contribuent à rendre compte du décalage entre ses normes alimentaires et celles de ses parents, et cherche à donner toute leur légitimité à ses interventions dans le régime alimentaire de ses parents, ces derniers cherchant au contraire à conserver leur autonomie au quotidien.

Enfin, la gestion du temps intervient dans la définition de la relation de délégation à une aide à domicile, tout comme elle intervient dans le cadre familial. On a vu que le recours à des professionnelles pouvait permettre à certaines femmes de garder le contrôle de leurs pratiques alimentaires, en déléguant la toilette et le ménage. Lorsque l'aide à domicile effectue elle-même les tâches d'approvisionnement et de préparation des repas, son temps d'intervention peut être un facteur limitant. Ainsi, la distance entre le domicile de la personne âgée et les commerces conditionne en partie l'organisation de l'approvisionnement et les façons de cuisiner de l'aide à domicile. Une comparaison entre deux configurations différentes quant à la situation des commerces le montre de manière exemplaire : Mme Billod vit dans un appartement situé dans un immeuble d'un quartier éloigné de commerces en périphérie de ville. Mme Paulin, son aide à domicile, qui intervient quatre fois par semaine chez elle, prend en charge les courses, mais elle doit se déplacer en voiture dans un autre quartier. Le temps de déplacement et le temps des courses font que Mme Paulin a peu de temps pour la préparation des repas, qui sont peu diversifiés et peu élaborés : on observe beaucoup de plats préparés pour plusieurs jours (mis au réfrigérateur ou au congélateur). A contrario, dans le cas de Mme Garnache, divorcée de son mari médecin, dont l'appartement est situé en face d'un quartier de commerces en plein cœur de la ville, Mme Paulin assure en une heure courses et préparation de plats cuisinés. L'analyse des repas montre une diversité des menus au quotidien. Les compétences culinaires de l'intervenante professionnelle sont donc contraintes par les conditions matérielles dans lesquelles se déroule l'intervention. On peut retrouver ici des effets de position sociale, les personnes âgées issues de milieux plus aisés vivant plus fréquemment dans des zones proches des commerces.

■ Conclusion

L'étude de la délégation de l'approvisionnement alimentaire permet d'insister sur l'importance des formes de l'organisation domestique et de ses évolutions dans l'analyse des transformations des comportements alimentaires. Nous avons choisi d'étudier une pratique fortement sexuée, surtout à ces générations, ce qui implique qu'on observe relativement peu de modifications lorsque c'est l'homme qui devient dépendant. C'est lorsque la femme est atteinte d'incapacités que se pose la question de ce que nous appelons la « dépendance culinaire ». En ce sens, l'impact de la dépendance culinaire est d'autant plus marqué que la personne assurait l'ensemble des activités alimentaires, et les effets de cette dépendance portent alors sur les habitudes alimentaires du ménage dans son ensemble. La structure du ménage, la nature des incapacités, et certaines caractéristiques de l'aidant, se conjuguent alors pour rendre compte des formes de la délégation et de leur incidence sur l'alimentation quotidienne.

Les couples confrontés à des incapacités parviennent d'autant mieux à maintenir une alimentation variée que les compétences culinaires de la femme sont toujours mises en pratique, ce qui suppose qu'elle ne soit pas atteinte d'une incapacité psychique, mais aussi que l'homme compense les défaillances physiques de son épouse au niveau de l'ensemble des activités de préparation culinaire (approvisionnement et cuisine). Cela nécessite qu'il ne soit pas lui-même atteint d'incapacités physiques lourdes, et qu'il accepte de prendre en charge tout ou partie de tâches socialement considérées comme féminines. Ainsi, lorsque la femme n'est pas atteinte d'incapacités psychiques, elle délègue à son mari les tâches culinaires, et c'est le degré d'acceptation par l'homme de cette délégation qui détermine le maintien des habitudes alimentaires. En revanche, en cas de dépendance psychique de la femme, l'homme est amené à la remplacer, ce qui peut se traduire par une perte de savoir-faire culinaires, donc par une simplification de l'alimentation. De manière générale, quel que soit le type de réorganisation, la dégradation de leur alimentation est souvent perçue par les couples comme une sorte de fatalité liée au vieillissement puisque *« on mange moins en vieillissant »*.

Les configurations de couple où l'homme n'est pas en mesure de remplacer sa femme conduisent vraisemblablement à des modifications du cadre domestique : déménagement en institution, recohabitation avec un membre de la famille, recours à une aide extérieure, qu'elle soit familiale, de voisinage ou professionnelle. Nous avons examiné ici uniquement les cas de cohabitation avec un enfant ou de recours à un enfant ou à un professionnel. Nous nous sommes centrés, dans les cas de délégation à un enfant ou à un professionnel, sur des contextes où prédomine une dépendance physique. Cela tient au fait que les personnes âgées ayant une dépendance psychique vivent plus souvent en institution[9], d'autant plus lorsqu'elles sont seules (célibataires ou veuves) (Espagnol, 2007). Si dans le cadre des couples la dépendance physique entraîne une délégation sous contrôle, on peut trouver des formes de remplacement lorsque c'est un enfant qui intervient. Ces cas sont ceux où une fille cohabitante prend en charge les approvisionnements et la cuisine. Lorsque la fille n'est pas cohabitante, on tend à observer davantage de situations conflictuelles dans lesquelles la mère voudrait déléguer sous contrôle alors que la fille s'inscrit dans une logique de remplacement. Enfin, lorsque c'est un fils qui intervient, qu'il soit cohabitant ou non, la délégation sous contrôle est la forme d'organisation qui prévaut le plus souvent. Dans les situations où une intervention professionnelle est requise, la tension entre remplacement et exécution se retrouve sous la forme d'une tension entre conseils acceptés et rejet d'une ingérence. De manière générale, et quels que soient les intervenants, il semble que les situations de conflit soient préjudiciables au maintien des habitudes alimentaires familiales.

---

9 Parmi les personnes de plus de 60 ans qui vivent seules à domicile, moins de 1% sont atteintes de déficience psychique, contre 37% des personnes en institution (Eenschooten, 2001): il n'est donc pas étonnant que l'on rencontre peu de cas de dépendance psychique sur le terrain.

■ Bibliographie

ALIAGA CH., 2000, « L'aide à domicile en faveur des personnes âgées », *Insee Première*, n° 744, 4 p.

AVRIL CH., 2003, « Les compétences féminines des aides à domicile », *in* Weber F., Gojard S., Gramain A. (dir.), *Charges de famille. Dépendance et parenté dans la France contemporaine*, Paris, La Découverte, p. 187-207.

BIHR A., PFEFFERKORN R., 1996, *Hommes/Femmes : l'introuvable Égalité. École, travail, couple, espace public*, Paris, Éditions de l'Atelier/Éditions ouvrières, 302 p.

BROUSSE C., 1999, « La répartition du travail domestique entre conjoints reste très largement spécialisée et inégale », *in* Insee, *France, portrait social*, Paris, p. 135-151.

CARADEC V., 2001, *Sociologie de la vieillesse et du vieillissement*, Paris, Nathan, 126 p.

CARADEC V., 1996, « L'aide-ménagère : une employée ou une amie ? » *in* Kaufmann J.-C. (ed.), *Faire ou faire faire ? Familles et services*, Presses Universitaires de Rennes, p. 155-167.

CARDON PH., 2008, « Vieillissement et alimentation. Les effets de la prise en charge à domicile », *Sciences sociales*, n° 2/05, Inra, 4 p.

CARDON PH., 2007, « Vieillissement et délégation alimentaire aux aides à domicile : entre subordination, complémentarité et substitution », *Cahiers d'économie et de sociologie rurales*, n° 82-83, p. 5-32.

CHABAUD D., FOUGEYROLLAS D., SONTHONNAX F., 1985, *Espace et temps du travail domestique*, Paris, Méridiens, 156 p.

CLÉMENT S., LAVOIE J.-P. (DIR.), 2005, *Prendre soin d'un proche âgé : les enseignements de la France et du Québec*, Érès, Toulouse, 286 p.

EENSCHOOTEN M., 2001, « Les personnes âgées en institution en 1998 : catégories sociales et revenus », *Études et Résultats*, n° 108, 10 p.

ESPAGNOL P., 2007, « L'allocation personnalisée d'autonomie au 31 décembre 2006 », *Études et Résultats*, n° 569, 4 p.

FERNANDEZ G., 2007, « Les relations entre alimentation et santé dans la famille et leur construction dans des espaces intergénérationnels. Quels enjeux pour les mères de famille ? », *Cahiers d'économie et de sociologie rurales*, n° 82-83, p. 110-137.

Gojard S., Lhuissier A., 2003, « Monotonie ou diversité de l'alimentation : l'effet du vieillissement », *Inra Sciences Sociales*, n° 5/02, 4 p.

Gojard S. (dir.), Lhuissier A., Meunier C., 2003, *Report on the statistical survey on food habits, food provisioning and attention paid to food by people over 60 years old in free living situation in France*, Rapport de recherche dans le cadre du projet Européen HealthSense, Inra, Corela.

Grignon Ch., 1986, « Alimentation et régions », *Cahiers de nutrition et de diététique*, n° 21(5), p. 381-389.

Larrieu S., Letenneur L., Berr C., Dartigues J.-F., Ritchie K., Alpérovitch A., Tavernier B., Barberger-Gateau P., 2004, "Sociodemographic differences in dietary habits in a population-based sample of elderly subjects: the 3C Study", *Journal of Nutrition, Health and Ageing*, vol. 8, n° 6, p. 497-502.

Le Borgne-Uguen F., Pennec S., 2005, *Technologies urbaines, vieillissements et handicaps*, Rennes, Presses de l'École nationale de la Santé publique, 219 p.

Ménahem G., 1988, « Trois modes d'organisation domestique selon deux normes familiales font six types de famille », *Population*, vol. 43, n° 6, p. 1005-1034.

Volatier J.-L. (ed.), 2000, *Enquête INCA individuelle et nationale sur les consommations alimentaires*, Paris, Éditions Tec et doc, 158 p.

Volatier J.-L., 1997, « Les effets d'âge et de génération dans la consommation alimentaire », *Gérontologie et Société*, n° 83, p. 67-82.

Zarca B., 1990, « La division du travail domestique, poids du passé et tensions au sein du couple », *Économie et Statistique*, n° 228, p. 29-40.

Entretien avec...

Jean-Charles WILLARD, directeur délégué de l'Agirc,
directeur technique de l'Agirc et de l'Arrco
réalisé par Philippe DAVEAU, Cnav

Pilotage des régimes en points : le cas de l'Agirc et de l'Arrco

Au régime général, les pensions de base ont subi les effets des réformes de 1993 et 2003, entraînant une certaine incidence sur les niveaux de pension des nouveaux retraités, mais aussi pour l'ensemble des retraités du fait de l'indexation des pensions sur les prix. Qu'en est-il aux régimes complémentaires ?

Jean-Charles Willard – Le mécanisme d'indexation des pensions du régime général sur les prix depuis 1987 se répercute sur les droits des pensionnés présents et futurs : la revalorisation ainsi décidée affecte les pensions en cours de service, mais également la revalorisation des salaires portés au compte et, partant, le calcul du salaire annuel moyen (Sam) pour les liquidations à venir.

En matière de revalorisation des pensions, les régimes complémentaires Agirc et Arrco n'ont une règle commune que depuis 2001, avec une indexation sur l'évolution des prix (hors tabac). La valeur de service du point[1] Agirc, régime unique dès 1947, évolue selon une règle qui conduit à une référence sur les prix depuis 1978, hormis quatre années de gel nominal (1994 et 1995, 1998 et 2000). L'Arrco étant resté jusqu'à 1998 une fédération de régimes, le paramètre unificateur en était le rendement de référence[2], d'où se déduisait une évolution du point pour chaque régime.

---

1 La valeur de service du point correspond à la valeur du point servi aux retraités. En avril 2008, la valeur du point est de 1,1648 euro pour l'Arrco et 0,4132 euro pour l'Agirc. Quant au prix du point à l'achat, il est appelé salaire de référence. Celui-ci évolue en fonction du salaire moyen des cotisants des régimes Arrco et Agirc. Ce sont les conseils d'administration des régimes qui décident, chaque année, de cette évolution. Pour l'Arrco, il est de 13,9684 euros pour 2008. Pour l'Agirc, il est de 4,8727 euros pour 2008.

2 Le rendement de référence exprimait jusqu'en 1998 pour chaque régime Arrco le rapport entre la valeur de service du point et son prix d'achat, tel que précisé dans la note 5 (rendement corrigé net).

Pour autant, les évolutions respectives du salaire moyen Arrco et du rendement de référence ont conduit dans les faits à une quasi-indexation des pensions Arrco sur les prix. De 1990 à 2007, les prix (hors tabac) ont augmenté de 36,3 %, les pensions Arrco de 37,3 %, le point Agirc de 31 %.

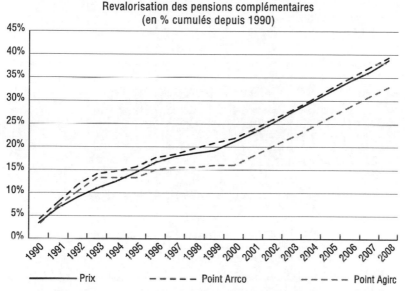

Revalorisation des pensions complémentaires
(en % cumulés depuis 1990)

——— Prix   – – – – – Point Arrco   — — — — Point Agirc

Remarque : les pensions en cours de service évoluent comme la valeur de service du point Arrco et du point Agirc.

La même règle d'évolution fixe la valeur de service du point de retraite lors de la liquidation de la pension et tout au long du versement de celle-ci. Cette revalorisation annuelle détermine donc à la fois le montant initial de la retraite liquidée (produit du nombre de points acquis par la valeur de service du point lors de la liquidation) et l'évolution de celle-ci (revalorisation des retraites). On peut alors noter un certain parallélisme avec les dispositions du régime général : l'évolution de la valeur du point au cours de l'année *n* touche toutes les pensions servies en *n*, quelle que soit leur date de liquidation, mais aussi celles qui seront liquidées et servies ultérieurement. Pour celles-ci, la conversion des points acquis en euros par l'intermédiaire d'une valeur de service du point du moment sera elle-même déterminée par toutes les revalorisations précédentes (dont celle de *n*).

Revalorisations de la valeur de service du point

Agirc	Arrco
1948-1977 Valeur technique du point (valeur du point qui consomme les réserves en dix ans en rapportant les ressources instantanées aux charges futures)	
1978-1993 Évolue comme la plus faible des deux variables : prix de détail ou salaire médian des cadres	
1994 et 1995 Gel nominal, c'est-à-dire absence de revalorisation	**1994 et 1995** Baisse du rendement de référence de 1 % par an
1996-2000 « La valeur du point évoluera comme le salaire médian des cadres diminué de un point. En aucun cas la revalorisation des valeurs du point ne pourra dépasser l'évolution annuelle des prix » Gel nominal en 1998 et 2000	**1996-1998** Baisse du rendement de référence de 4,7 % par an **1999-2000** « La valeur du point – régime unique – évoluera comme le salaire moyen constaté des ressortissants du régime diminué d'un point. En aucun cas cette revalorisation ne pourra dépasser l'évolution annuelle des prix »
2001-2003 « Les pensions sont revalorisées au 1er avril de chaque année en fonction de l'évolution des prix hors tabac »	
2004-2008 « La valeur de service du point Agirc et Arrco évoluera, à compter du 1er avril 2004 et jusqu'au 1er avril 2008 inclus, comme l'évolution annuelle moyenne des prix hors tabac »	

Les réformes de 1993 et 2003 ont eu des effets indirects sur les pensions complémentaires. Quels sont-ils ?

Jean-Charles Willard – Compte tenu des règles retenues depuis avril 1983 par les partenaires sociaux au regard de la *« retraite à 60 ans »*, les dispositions arrêtées en 1993 et 2003 concernant la durée nécessaire pour l'obtention du taux plein au régime général et les taux de décote et de surcote ont des effets sur les âges de liquidation des pensions complémentaires.

De même les rachats de trimestres au régime général et le dispositif des retraites anticipées *« carrières longues »* instaurés par la loi de 2003 se répercutent-ils, en accroissant les charges de l'AGFF[3] et, par le jeu des transferts entre AGFF, Arrco et Agirc, sur les résultats des régimes complémentaires.

---

3 L'AGFF, créée en 2001, est l'Association pour la gestion du fonds de financement de l'Agirc et de l'Arrco. La cotisation à l'AGFF sert à financer les pensions complémentaires des personnes parties en retraite avant 65 ans sans abattement. Elle ne donne pas de points supplémentaires au salarié. Le taux de cotisation est de 2 % pour la tranche A et de 2,2 % pour la tranche B.

Concernant l'aspect particulier du rendement des cotisations, comment celui-ci a-t-il évolué au cours des deux dernières décennies?

Jean-Charles Willard – Au plan général, le rendement est la valeur instantanée de la prestation moyenne annuelle servie par le régime, obtenue par le versement d'un euro de cotisation. Dans le cas d'un régime par points, le rendement est donc le rapport entre la valeur de service et le coût total d'achat d'un point.

• Si la cotisation d'un euro correspond uniquement à la cotisation génératrice de droits payée par l'entreprise et le salarié, le rendement considéré est le rendement **contractuel** : le coût d'achat du point est la valeur du salaire de référence en vigueur dans le régime.

• Si la cotisation correspond à la dépense effective supportée par le salarié et son entreprise (cotisations génératrices et non génératrices de droits), le rendement considéré est le rendement **effectif**. Il retrace la relation instantanée entre l'effort contributif total réalisé et la prestation qui en découle.

Les contributions obligatoires non génératrices de droits sont constituées de trois éléments :

– le pourcentage d'appel[4] à l'Agirc et à l'Arrco ; l'expression la plus courante du rendement effectif est alors celle qui rapporte la valeur de service du point au salaire de référence affecté du pourcentage d'appel en vigueur ;

– la contribution exceptionnelle et temporaire (CET) instaurée depuis 1997 à l'Agirc sur la totalité du salaire du cadre (taux de 0,35 %) ;

– on peut également y inclure les cotisations AGFF (2 % sur la tranche 1, 2,2 % sur la tranche 2) qui permettent la liquidation sans abattement des pensions Agirc et Arrco avant 65 ans, si le participant répond aux conditions du taux plein au régime général.

---

4 Le taux d'appel est aujourd'hui de 125 % pour l'Arrco et l'Agirc ; ainsi, le taux de cotisation contractuel pour l'Arrco (tranche 1) étant de 6 %, le taux de cotisation total sera de 7,5 %, soit 1,5 point de taux d'appel. Le nombre de points acquis sera déterminé sur la base des masses de cotisations correspondant au taux contractuel, soit dans ce cas 6 %, et 1,5 % de cotisation servant à assurer l'équilibre du régime.

Le tableau ci-dessous retrace l'évolution des rendements Agirc et Arrco depuis 1990 selon ces quatre expressions du rendement (contractuel ou effectif)[5]. Quelle que soit l'expression retenue, elle fait ressortir une baisse significative du rendement : celle-ci résulte à la fois des décisions des partenaires sociaux prises en 1996, visant notamment à réguler l'évolution des charges à long terme, et des évolutions respectives des index retenus pour revaloriser les paramètres de pilotage, les prix pour la valeur du point, le salaire moyen (ou médian) pour le salaire de référence.

Rendements des régimes

	Contractuel brut		Effectif brut (avec % d'appel)		Effectif brut avec ASF/AGFF		Effectif brut avec ASF/AGFF et CET	
	Agirc	Arrco	Agirc	Arrco	Agirc	Arrco	Agirc*	Arrco
1990	11,49 %	11,49 %	9,82 %	9,58 %	8,09 %	6,97 %	8,09 %	6,97 %
1991	11,59 %	11,40 %	9,91 %	9,27 %	8,16 %	6,79 %	8,16 %	6,79 %
1992	11,66 %	11,34 %	9,96 %	9,08 %	8,21 %	6,67 %	8,21 %	6,67 %
1993	11,95 %	11,17 %	10,21 %	8,93 %	8,41 %	6,75 %	8,41 %	6,75 %
1994	11,80 %	11,05 %	9,75 %	8,84 %	8,26 %	6,35 %	8,26 %	6,35 %
1995	11,50 %	10,95 %	9,20 %	8,76 %	8,03 %	6,29 %	8,03 %	6,29 %
1996	11,05 %	10,54 %	8,84 %	8,43 %	7,79 %	6,25 %	7,79 %	6,25 %
1997	10,55 %	10,03 %	8,44 %	8,02 %	7,51 %	6,11 %	7,43 %	6,11 %
1998	10,17 %	9,60 %	8,14 %	7,68 %	7,29 %	5,98 %	7,14 %	5,98 %
1999	9,55 %	9,19 %	7,64 %	7,35 %	6,89 %	5,83 %	6,70 %	5,83 %
2000	8,94 %	8,80 %	7,15 %	7,04 %	6,45 %	5,58 %	6,21 %	5,58 %
2001	8,96 %	8,81 %	7,16 %	7,05 %	6,45 %	5,57 %	6,16 %	5,57 %
2002	8,97 %	8,82 %	7,18 %	7,05 %	6,47 %	5,57 %	6,17 %	5,57 %
2003	8,97 %	8,82 %	7,17 %	7,05 %	6,46 %	5,57 %	6,17 %	5,57 %
2004	8,92 %	8,77 %	7,13 %	7,01 %	6,43 %	5,54 %	6,14 %	5,54 %
2005	8,88 %	8,73 %	7,10 %	6,98 %	6,40 %	5,51 %	6,11 %	5,51 %
2006	8,75 %	8,60 %	7,00 %	6,88 %	6,32 %	5,43 %	6,04 %	5,43 %
2007	8,60 %	8,45 %	6,88 %	6,76 %	6,21 %	5,34 %	5,93 %	5,34 %
2008	8,45 %	8,31 %	6,76 %	6,65 %	6,10 %	5,25 %	5,83 %	5,25 %

* Pour un salaire égal à 1,5 plafond de la Sécurité sociale.

---

5 Il existe également une définition du **rendement corrigé net**, pratiquée notamment par l'Arrco avant 1999 pour définir son rendement de référence. Le rendement « corrigé » corrige la prestation de droit direct des majorations pour avantages annexes (réversion, majorations pour enfants, etc.). Leur poids global dans le régime détermine le « correctif de rendement » appliqué. Le rendement « net » retient la cotisation nette des prélèvements pour la gestion et l'action sociale. Ce rendement corrigé net recherche le rapport exact entre le versement monétaire pour la seule retraite et la rente globale qui en résulte.

Vers quel modèle d'indexation de la valeur d'achat du point et de la valeur à la liquidation s'oriente-t-on? La position des partenaires sociaux est-elle très tranchée à ce sujet?

Jean-Charles Willard – Actuellement prévaut le principe d'une indexation distincte du prix d'achat du point (le salaire de référence) et de sa valeur de service, même si l'index utilisé peut être le même (salaire ou prix).

Selon l'accord du 13 novembre 2003 en vigueur jusqu'au 1ᵉʳ avril 2009, la valeur de service du point évolue comme l'indice des prix (hors tabac), celle du salaire de référence comme le salaire moyen Agirc-Arrco.

À l'intérieur de cette orientation générale, des débats ont porté sur la légitimité d'un index commun aux salaires de référence Arrco et Agirc. En effet, le salaire moyen des cadres progressant moins vite que celui de l'ensemble des salariés du secteur privé, certains partenaires sociaux ont fait valoir que la référence à l'évolution du salaire moyen de l'ensemble Agirc-Arrco (masse salariale totale tranche A + tranche B + tranche C des non-cadres et des cadres) pénalisait l'acquisition des droits par les cadres, en renchérissant le prix du point Agirc au-delà d'un principe d'équité intergénérationnelle au sein de la catégorie.

Dans la mesure où le salaire moyen progresse plus vite que les prix (gain de pouvoir d'achat), ce mécanisme conduit (toutes choses égales par ailleurs) à une baisse du rendement des régimes complémentaires. Dans une telle approche, le rendement du régime est un résultat constaté et non un objectif de pilotage fixé a priori, ce qui peut conduire à envisager d'autres modalités d'évolution contrôlée du rendement, d'où se déduirait celle des paramètres de pilotage: une fois fixée la décision «politique» d'évolution programmée du rendement, l'évolution du salaire de référence se déduirait de celle du point ou inversement. Ne subsisterait alors qu'un seul index exogène (prix, salaire moyen, etc.) pour l'un des deux paramètres.

Lors des rencontres paritaires de 2003 et 2006 et dans le groupe de travail paritaire qui s'est réuni en 2007, des variantes de maintien du rendement ont été envisagées et chiffrées. Maintenir constant le rendement du régime implique que ses deux paramètres évoluent parallèlement. En référence aux mécanismes en vigueur de 2001 à 2003 (accord du 10 février 2001), la valeur de service et le salaire de référence évoluent comme les prix, ce qui préserve l'acquisition de droits à terme par rapport à la règle actuelle. L'approche alternative, qui n'est plus en vigueur depuis longtemps, retient

199

comme index commun le salaire moyen, soit une revalorisation des pensions plus dynamique qu'actuellement, et des conditions d'acquisition des droits inchangées.

Accord du 13 novembre 2003 : rendement décroissant	Valeur de service du point : prix
	Salaire de référence : salaire moyen
Variantes : rendement constant	Valeur de service du point : prix Salaire de référence : prix *(accord du 10 février 2001 sur 2001-2003)*
	Valeur de service du point : salaire moyen Salaire de référence : salaire moyen

À quel moment a eu lieu l'instauration d'un taux d'appel sur les cotisations ? Comment celui-ci se justifie-t-il ? Ce mécanisme est-il connu des cotisants ?

Jean-Charles Willard – Le taux d'appel a été instauré dès 1952 à l'Agirc. Il s'agissait à l'origine de ne pas collecter plus de cotisations que ne le requérait le service des pensions dans un régime jeune, qui n'avait pas vocation à constituer des réserves. Outre que celles-ci auraient pu susciter la convoitise des pouvoirs publics, il est apparu aux partenaires sociaux qu'il valait mieux laisser cet argent dans les entreprises et les salaires plutôt que le capitaliser dans des conditions de marché aléatoires[6].

À l'Agirc, le pourcentage d'appel est resté inférieur à 100 % de 1952 (78 %) à 1965 (95 %). Il est resté à 100 % jusqu'en 1978 à l'Agirc, et de 1962 à 1970 à l'Arrco. Il a ensuite augmenté dans les deux régimes jusqu'à 125 % depuis 1992 à l'Arrco, depuis 1995 à l'Agirc. Il est inchangé depuis.

La progression au-delà de 100 % du taux d'appel peut être justifiée comme un ajustement tarifaire lié à la progression de l'espérance de vie et donc de la durée de jouissance de la retraite complémentaire. L'indexation du salaire de référence répond plutôt à un objectif d'équité intergénérationnelle qui postule la constance du prix relatif du point au regard de l'évolution générale des salaires. Le salaire de référence et le pourcentage d'appel sont donc des variables tarifaires plutôt complémentaires au regard de l'équilibre général de l'opération retraite : période de constitution des droits et période de jouissance des droits.

---

6 Les rendements réels des produits obligatoires étaient négatifs dans ces périodes.

Reste que ce mécanisme est peu connu des cotisants. Leurs fiches de paie ne mentionnent que le taux de cotisation appelé : à l'Arrco, un taux contractuel de 6 % appelé à 125 % donne un taux appelé de 7,5 %, à l'Agirc un taux contractuel de 16,24 % appelé à 125 % donne un taux appelé de 20,30 %.

On évoque alors parfois la suppression du pourcentage d'appel comme paramètre de pilotage annuel, en modifiant le salaire de référence à due proportion : le rendement effectif serait identique et chaque cotisant acquérrait les mêmes droits pour la même cotisation effective. Jusqu'à présent, les partenaires sociaux n'ont pas souhaité se priver d'un paramètre supplémentaire de modulation de l'effort contributif demandé et de sa répartition entre employeur et salarié.

Plus généralement, ces dernières années, comment évoluent les charges et les ressources de l'Arrco et de l'Agirc ?

Jean-Charles Willard – Sur les dix dernières années (1998-2007), le résultat consolidé des régimes complémentaires est excédentaire : 5,2 milliards d'euros en 2007, 51,2 milliards d'euros en cumul.

Dans la mesure où les relèvements des taux de cotisation ont été presque achevés en 1999, la progression des ressources au cours de cette période résulte essentiellement de celle de l'assiette salariale. Il faut y ajouter les produits financiers comptables des réserves techniques placées : alimentées par les excédents techniques accumulés, les réserves ont été, au moins jusqu'en 2007, une source de produits financiers substantiels.

L'évolution des charges résulte de celle des pensions servies (en points) et de la revalorisation du point. Comme mentionné plus haut, les charges en points des régimes reflètent à la fois la conjoncture démographique (le baby-boom), les conséquences des décisions touchant le régime général (durée nécessaire pour le taux plein, retraites anticipées, etc.) et les évolutions réglementaires propres aux régimes (majorations pour enfants, réversion, etc.).

De ce fait, l'évolution technique (hors produits financiers des réserves) est plus préoccupante depuis 2004. Les charges augmentent tendanciellement plus que les ressources et si les régimes restent globalement excédentaires, l'excédent technique se réduit chaque année en niveau et plus encore en poids relatif. Il représentait 13 % des allocations en 2004, 5 % en 2007 et devrait diminuer encore en 2008.

Faits et chiffres...

Niveau des pensions et part du régime général

Corinne Mette, Cnav

La création de la Sécurité sociale en 1945 et le développement de la retraite complémentaire ont conduit à la généralisation de l'assurance vieillesse à caractère obligatoire. Les pensions qui en sont issues représentent aujourd'hui quatre cinquièmes[1] des ressources des retraités, le cinquième restant provenant pour moitié de revenus d'activité et pour l'autre moitié de revenus du patrimoine immobilier et financier ainsi que de revenus sociaux autres que les retraites.

Le système de retraite français ne repose pas sur un régime unique, mais sur de multiples régimes de base organisés par catégories professionnelles. Afin d'améliorer les ressources des retraités, les régimes de base ont été complétés par des régimes dits complémentaires, dépendant également de catégories professionnelles. Ces deux types de régime ont été rendus obligatoires plus ou moins tardivement selon les catégories professionnelles[2].

Ces régimes de base et complémentaires dispensent des prestations à caractère contributif, qui ont pour but d'assurer un revenu de remplacement déterminé en fonction de la trajectoire professionnelle antérieure de l'assuré et/ou de son conjoint. Les régimes de retraite versent deux grands types de pensions. D'une part, les pensions dites de droit propre ou de droit direct[3], dont l'objet est d'assurer à tous les cotisants, dès lors que leur âge les écarte du marché du travail, un revenu de remplacement calculé sur la base de cotisations prélevées sur leurs

---

1 Enquête «revenus fiscaux» 2003, Insee, extrait du Rapport 2007 du Conseil d'orientation des retraites.

2 L'adhésion à l'Arrco (Association pour le régime de retraite complémentaire des salariés) et à l'Agirc (Association générale des institutions de retraite des cadres) est obligatoire depuis 1972. En revanche, les régimes complémentaires des artisans et des commerçants ont été rendus obligatoires plus tardivement : en 1978 pour les artisans et 2003 pour les commerçants (Dupeyroux, 2005).

3 Encore appelés droits personnels.

anciennes rémunérations. D'autre part, les pensions de droit dérivé, dédiées aux veufs ou veuves qui, à la suite du décès de leur conjoint, voient leurs ressources diminuer. Dans ce cas, c'est sur la base des cotisations du défunt que la prestation est déterminée.

Les pensions vieillesse versées aux retraités proviennent donc des régimes de base et des régimes complémentaires et se composent de droits propres et de droits dérivés. Ces pensions peuvent être complétées par des prestations de nature non contributive, telles que le minimum vieillesse, devenu l'Aspa (allocation de solidarité aux personnes âgées) en 2007, lorsque les pensions vieillesse ne permettent pas d'atteindre un niveau de ressources jugé suffisant[4]. Dans le présent article, seules les pensions contributives seront étudiées.

Le régime général est le plus important des régimes de base en termes de taux de couverture. En 2007, il a versé une pension à un peu plus de 11,7 millions de retraités, soit près de trois quarts des retraités percevant une pension d'un régime français. Si, en termes de nombre de pensions versées, le régime général est essentiel, que représentent les pensions issues de ce régime dans les ressources des retraités?

Cet article dresse, dans une première partie, un état des lieux du niveau global des retraites versées aux assurés du régime général en apportant un éclairage sur le poids respectif des différentes composantes de ces pensions. Dans une seconde partie, on insistera sur la composante principale de la pension vieillesse: la pension de droit propre versée par le régime général. Afin de travailler sur une population relativement homogène, cet article se focalisera sur la population des retraités percevant au moins une pension du régime général, soit près des trois quarts des retraités actuels.

Pension vieillesse globale des pensionnés du régime général

Une architecture dépendant de la carrière

Derrière la notion de retraite, il existe différents types de prestations vieillesse. Les retraités perçoivent en effet des pensions dites contributives constituées de prestations de droit direct et de prestations de droit dérivé. Ces deux types de pension peuvent être cumulés.

---

4 Voir à ce sujet l'article « Évolution de la pauvreté des personnes âgées et minimum vieillesse » de Augris N. et Bac C., p. 14 de ce numéro.

Pour les salariés du privé, ces prestations vieillesse sont versées par des régimes de base et par des régimes complémentaires. La combinaison de pensions issues du régime de base et du régime complémentaire est systématique[5]. Elle peut être multiple lorsque l'assuré a cotisé à différents régimes. Si l'assuré a cotisé au même régime durant toute sa carrière professionnelle, il sera monopensionné : il disposera donc d'une pension issue d'un seul régime de base et d'une pension issue du, ou des régimes complémentaires qui lui sont associés. Si, au contraire, l'assuré a changé de catégorie professionnelle au cours de sa carrière, il sera polypensionné et percevra des pensions issues de chacun des régimes de base dans lesquels il aura été affilié. Il recevra également des pensions issues des régimes complémentaires associés à chacun de ces régimes de base. Les assurés peuvent donc bénéficier de pensions provenant de plusieurs régimes de base et de plusieurs régimes complémentaires (*cf.* schéma 1), et celles-ci peuvent correspondre à des droits personnels ou à des droits dérivés.

Schéma 1. Système de retraite français

	Pensions de base obligatoires	Pensions complémentaires obligatoires
DROIT PROPRE ET DROIT DÉRIVÉ	Régime général (Cnav) / Régime agricole salariés (MSA)	Arrco / Ircantec / Agirc
	Régimes spéciaux de Sécurité sociale	
	Régime agricole exploitants (MSA)	
	Régime des professions industrielles et commerciales (Organic) / Régime des professions artisanales (Cancavac)	Régime social des indépendants (RSI base)
	Régimes des professions libérales (CNAVPL) / Régimes de base des avocats (CNBF)	
	Fonction publique d'État (FPE) / Caisse nationale de retraite des agents des collectivités locales (CNRACL)	

5 Dans certaines catégories professionnelles, le régime de base et le régime complémentaire ne sont pas strictement dissociés dans la mesure où ils sont gérés par le même organisme mais selon des règles différentes.

Une analyse des données de la Caisse nationale d'assurance vieillesse (Cnav) à partir des données du Groupement d'intérêt public Info-Retraite[6] a montré que les cotisants, tous régimes de base confondus, des générations 1950, 1951 et 1958 cumulaient, en juin 2008, au maximum neuf régimes d'affiliation. La combinaison la plus fréquente, qui se retrouve chez 34 % des cotisants de ces générations, est celle d'une affiliation au régime général et à l'Arrco, à laquelle s'ajoute une affiliation à l'Agirc si l'assuré est cadre (cf. tableau 1). Les assurés correspondant à ce profil ont été, depuis le début de leur carrière, salariés du secteur privé. S'ils conservent ce statut jusqu'à la liquidation de leur retraite, ils percevront une pension vieillesse de droit propre issue du régime général, une de l'Arrco, et éventuellement une autre de l'Agirc pour les cadres.

Tableau 1. Statistiques de régimes de passage (extraction en juin 2008)

Régimes de passage Neuf cas de combinaisons de régimes d'affiliation (régimes de base et complémentaires) les plus fréquemment rencontrés		Génération			Ensemble
		1950	1951	1958	
Cas 1	Cnav, Arrco (éventuellement Agirc)	34,2	34,6	34,4	34,4
Cas 2	Cnav, MSA, Arrco (éventuellement Agirc)	10,0	10,1	10,4	10,2
Cas 3	Cnav, Arrco (éventuellement Agirc), Ircantec	8,9	9,2	10,4	9,5
Cas 4	Cnav, RSI[a], Arrco (éventuellement Agirc)	6,4	6,5	5,8	6,2
Cas 5	Cnav, MSA, Arrco (éventuellement Agirc), Ircantec	3,2	3,3	3,8	3,5
Cas 6	Cnav, Arrco (éventuellement Agirc), Ircantec, RAFP, CNRACL	2,8	2,9	4,3	3,3
Cas 7	Cnav	4,1	3,3	2,9	3,4
Cas 8	Cnav, Arrco (éventuellement Agirc), Ircantec, RAFP, FPE	2,5	2,8	2,9	2,7
Cas 9	Cnav, Ircantec, RAFP, FPE	2,6	2,4	0,9	1,9

Source : annuaire du Gip Info-Retraite, estimation Cnav.

[a] Parties correspondant à la pension de base et à la pension complémentaire.

CNRACL : Caisse nationale de retraite des agents des collectivités locales.

Ircantec : Institution de retraite complémentaire des agents non titulaires de l'État et des collectivités publiques.

MSA : Mutualité sociale agricole.

RAFP : Retraite additionnelle de la Fonction publique.

RSI : Régime social des indépendants.

FPE : Fonction publique d'État.

---

6 Le Gip Info-Retraite regroupe l'ensemble des organismes de retraite assurant la gestion des régimes de retraite légalement obligatoires, y compris les régimes spéciaux.

La deuxième combinaison de régimes d'affiliation la plus fréquente, qui regroupe environ 10 % des cotisants d'une même génération, est celle correspondant à la trajectoire professionnelle d'un salarié agricole qui aurait cotisé à la MSA, à l'Arrco et éventuellement à l'Agirc, et qui aurait, lors d'un changement de profession, cotisé au régime général en devenant salarié non agricole, tout en continuant de cotiser à l'Arrco et éventuellement à l'Agirc. Le septième cas, représentant en moyenne 3,4 % des cotisants des trois générations, correspond aux affiliés du régime général bénéficiaires de l'avantage vieillesse des parents au foyer et n'ayant jamais travaillé par ailleurs, et donc jamais cotisé à un régime complémentaire. Notons que les cotisants dont il est question dans ces données n'ont pour la plupart pas encore liquidé leur retraite en juin 2008[7]. Les résultats mentionnés peuvent ainsi encore évoluer, mais de façon *a priori* marginale.

Ces résultats concernent les combinaisons d'affiliation possibles qui se traduiront lors du passage à la retraite par autant de pensions de droit propre de base et complémentaires. À ces combinaisons peuvent s'ajouter une ou plusieurs pensions de réversion selon le nombre de régimes d'affiliation du conjoint décédé. Ainsi, une femme ayant été salariée du privé durant une partie de sa carrière professionnelle et veuve d'un ancien commerçant percevra une pension de droit propre du régime général, de l'Arrco et éventuellement de l'Agirc si elle était cadre, de même qu'une pension de droit dérivé du RSI.

Considérant cette diversité de combinaisons de régimes d'affiliation et donc de pensions susceptibles d'être reçues, nous nous intéresserons dans la suite au niveau global de cet ensemble de pensions. L'analyse sera faite à partir de l'échantillon interrégimes de retraités[8] de 2004, qui regroupe l'ensemble des retraités percevant une pension cette année-là. Il convient de noter que les personnes retraitées appartiennent, pour l'essentiel, aux générations 1944 et antérieures. Les générations nées avant 1940 sont en grande majorité parties en retraite, alors que parmi les générations nées de 1940 à 1944, seule une partie des assurés a pu liquider ses droits.

---

7 Excepté les assurés des générations 1950 et 1951 ayant pu partir en retraite anticipée.

8 L'Échantillon interrégimes de retraités (EIR) est une enquête par panel réalisée tous les quatre ans auprès des organismes de retraite obligatoire de base et complémentaires afin d'obtenir des données sur les avantages de retraite versés à un échantillon anonyme d'individus. Il est conçu par la Direction de la recherche, des études, de l'évaluation et de la statistique (Drees), et mis à disposition des régimes fournissant les données. La plupart des données présentées dans ce travail proviennent de l'EIR de 2004. Pour une plus ample description de l'EIR, se reporter à l'annexe n° 2 de l'article de Bonnet C. et Hourriez J.-M., p. 128 du présent ouvrage.

La retraite des femmes est inférieure de 38 % en moyenne à celle des hommes

En 2004, d'après les données de l'EIR, l'ensemble des retraités percevant au moins une pension du régime général, soit 75 % des retraités, touchait, en moyenne, une retraite globale de près de 1 148 euros bruts par mois, avant prélèvements sociaux[9]. Derrière ce montant moyen, il y a de fortes disparités de niveau selon le type de droit perçu et selon le genre.

Ainsi, pour les pensionnés percevant uniquement des pensions de droit propre, soit 72 % des retraités retenus dans le cadre de l'étude, la pension globale atteint, en moyenne, 1 174 euros par mois, alors qu'elle est de 1 222 euros pour les retraités cumulant des pensions de droit propre et de droit dérivé. Enfin, pour ceux bénéficiant seulement de droits dérivés, le montant de la retraite s'élève, en moyenne, à 587 euros[10].

Tableau 2. Montant moyen de la retraite globale selon sa composition pour l'ensemble des pensionnés du régime général

Droit direct et droit dérivé	Répartition (%)	Montant moyen mensuel (en euros)
Pensionné de droit propre	72	1 174
Pensionné de droit dérivé	6	587
Pensionné de droit propre et de droit dérivé	22	1 222
Ensemble	100	1 148

Source : EIR 2004, calculs Cnav.
Champ : ensemble des retraités ayant au moins une pension versée par le régime général.
Remarque : les montants de pension indiqués sont avant prélèvements sociaux.

Les femmes ont plus souvent que les hommes des pensions de réversion pour unique ressource : 11 % d'entre elles perçoivent uniquement des droits dérivés, contre 0,1 % des hommes. Les hommes sont donc en proportion plus nombreux à bénéficier de droits propres : 99 %, contre un peu moins de 89 % des femmes. De plus, les pensions de droit direct des hommes sont, en moyenne, plus élevées que celles des femmes, du fait de carrières plus courtes pour ces dernières et, en moyenne, de rémunérations inférieures durant leur vie active.

---

9 Voir l'annexe (p. 223) sur les prélèvements sociaux concernant les retraites.

10 Le moindre niveau des pensions de réversion s'explique par les modalités de calcul de ces droits. Ces derniers correspondent à une fraction de la pension de droit propre du conjoint décédé, limitée à environ la moitié (54 % exactement pour le régime général et 60 % pour l'Arrco).

En conséquence, les écarts de pension entre les femmes et les hommes sont importants, les premières percevant en moyenne 38 % de moins que les seconds, soit une pension moyenne de 896 euros pour les femmes contre 1 456 euros pour les hommes (*cf.* tableau 3). Cependant, bénéficier des deux types de pension permet aux femmes de rapprocher leur niveau de pension de celui des hommes : le tiers des femmes qui cumulent droit propre et droit dérivé a une pension moyenne de 1 181 euros par mois, contre 767 euros pour celles percevant uniquement une pension de droit propre.

Tableau 3. Composition de la pension vieillesse totale et montant moyen de la pension vieillesse globale selon le genre

	Répartition (%)		Montant mensuel moyen de la pension (en euros)		Pension des femmes rapportée à la pension des hommes
	Homme	Femme	Homme	Femme	
Pensionné de droit propre	95,0	53,0	1 451	767	52,9 %
Pensionné de droit dérivé	0,1	11,0	380	589	155,0 %
Pensionné de droit propre et de droit dérivé	4,9	36,0	1 586	1 181	74,5 %
Ensemble	100	100	1 456	896	61,5 %

Source : EIR 2004, calculs Cnav.
Champ : ensemble des pensionnés de droit direct et dérivé du régime général.
Remarque : les montants de pension indiqués sont avant prélèvements sociaux.

Un niveau global des pensions vieillesse plus faible pour les plus anciennes générations

Pour les femmes, les composantes et le niveau des pensions varient selon les générations. Pour les hommes, en revanche, la répartition de la composition de la pension de vieillesse reste globalement constante pour les différentes générations. La très grande majorité des retraités bénéficie de droits propres. C'est uniquement parmi les hommes de 80 ans et plus que la part de ceux cumulant droit propre et droit dérivé devient significative (13 %), ce qui est lié à la probabilité plus forte d'être veuf.

Pour les femmes, la situation est différente. Deux effets font évoluer la composition des pensions avec l'âge : l'acquisition croissante de droits personnels chez les plus jeunes retraitées et l'accroissement de situations de veuvage avec l'âge. En effet, alors que parmi les moins de 70 ans, seules 30 % des femmes bénéficient de droits dérivés, elles sont plus de

70 % parmi les femmes de 80 ans et plus (*cf.* tableau 4). Par ailleurs, un peu plus de 88 % des femmes de moins de 70 ans ont acquis des droits personnels, contre 85 % des femmes de 80 ans et plus.

Tableau 4. Répartition des retraités selon la comparaison de leur retraite, en fonction de leur âge et de leur genre (%)

	Homme			Femme		
	Moins de 70 ans	De 70 à 79 ans	80 ans et plus	Moins de 70 ans	De 70 à 79 ans	80 ans et plus
Pensionné de droit propre	97,5	95,2	86,5	69,4	53,5	28,3
Pensionné de droit dérivé	0,2	*	*	11,9	8,0	14,4
Pensionné de droit propre et de droit dérivé	2,3	4,8	13,3	18,7	38,5	57,3
Ensemble	100	100	100	100	100	100

Source : EIR 2004, calculs Cnav.

Champ : ensemble des pensionnés de droit direct et dérivé du régime général.

*Les effectifs correspondant aux hommes âgés d'au moins 70 ans uniquement pensionnés de droit dérivé sont insuffisants pour être mentionnés.

Cette variété dans la composition de la pension selon les générations se traduit, pour les femmes, par des différences de niveaux de pension. Avec l'amélioration des carrières féminines au fil des générations, les plus jeunes retraitées touchent des pensions en moyenne plus élevées que celles de leurs aînées. Par exemple, fin 2004, le montant moyen de pension globale perçu par les femmes pensionnées de droit propre et de droit dérivé de moins de 65 ans était de 1 334 euros par mois, et de 1 106 euros pour celles de 85 ans et plus (*cf.* graphique 1, p. 210). Cependant, il faut noter que les femmes retraitées de moins de 65 ans ont, en moyenne, des pensions plus élevées que les femmes des mêmes générations qui n'ont pas encore pris leur retraite. En raison de conditions de durée d'assurance non remplies, de nombreuses femmes attendent en effet 65 ans pour prendre leur retraite et bénéficier ainsi du taux plein[11]. Le niveau supérieur de la pension de droit propre des femmes de moins de 65 ans, par rapport à celui des retraitées de 65 à 69 ans, est donc le résultat à la fois de l'amélioration des carrières des femmes et d'un effet de structure.

---

[11] D'après les données de la Cnav, au sein de la génération 1941, 52 % des femmes ont pris leur retraite à 60 ans, et 31 % à 65 ans (respectivement 65 % et 15 % pour les hommes de cette même génération).

En ce qui concerne le niveau de pension des femmes ayant uniquement un droit dérivé, celui-ci est plus important parmi les plus anciennes générations, ce qui s'explique par un effet de composition de population selon les classes d'âge : les jeunes retraitées ayant uniquement des droits dérivés résident majoritairement à l'étranger et ont donc des pensions de réversion plus faibles du fait que leurs conjoints ont connu en France des carrières plus courtes et, le plus souvent, faiblement rémunérées. Les plus anciennes générations, quant à elles, appartiennent vraisemblablement aux catégories socioprofessionnelles caractérisées par une plus grande espérance de vie, celles qui, généralement, ont eu les rémunérations les plus élevées. Parmi les femmes plus âgées, on retrouve des veuves n'ayant jamais cotisé et qui perçoivent comme seule retraite des pensions de réversion.

Graphique 1. Montant moyen mensuel de pension vieillesse globale selon le genre et l'âge

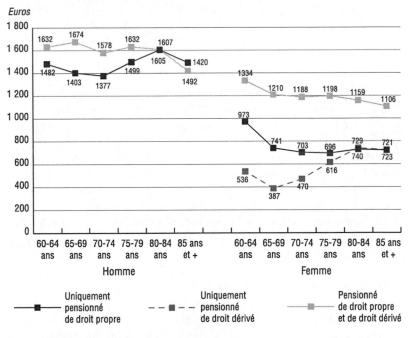

Source : EIR 2004, calculs Cnav.

Champ : ensemble des pensionnés de droit direct et dérivé du régime général. Les effectifs correspondant aux hommes uniquement pensionnés de droit dérivé sont insuffisants pour être mentionnés.

Remarque : les montants de pension indiqués sont avant prélèvements sociaux.

Le niveau de pension vieillesse des hommes, quant à lui, est plus stable sur l'ensemble des générations, principalement pour deux raisons jouant en sens opposé. En effet, même si les plus jeunes générations bénéficient de meilleures carrières, leurs retraites sont calculées selon des règles moins favorables, introduites par la réforme[12] de 1993.

Dans l'ensemble, les pensions de vieillesse des hommes sont relativement homogènes, notamment entre générations. Pour les femmes, en revanche, leurs niveaux sont variables et dépendent à la fois de l'âge et de la composition de la pension. Il apparaît, pour les hommes comme pour les femmes, que la majeure partie de la retraite est la contrepartie des cotisations versées aux régimes de base et complémentaires durant la vie active. En effet, en 2004, les pensions de droit propre représentaient, en moyenne, 93 % de la pension vieillesse. Les femmes étant plus nombreuses que les hommes à bénéficier de pensions de droits dérivés, leur pension de droit propre constitue une part moindre de leur pension vieillesse (80 %, contre 99 % de celle des hommes). La suite de l'analyse s'intéressera à cette composante principale de la pension vieillesse : les pensions de droit propre (partie grisée du schéma 2). Dans un premier temps, nous étudierons la pension de droit propre versée par le régime général (partie grisée 1) puis, dans un deuxième temps, le poids de cette pension dans l'ensemble des droits personnels tous régimes (partie grisée 1 + 2 + 3).

Schéma 2. Partie du système de retraite français étudié

	Pensions de base obligatoires	Pensions complémentaires obligatoires
Droit propre		
Régime général	1	3
Autres régimes	2	
Droit dérivé		

---

[12] Augmentation de la durée d'assurance pour l'obtention du taux plein, augmentation du nombre d'années prises en compte dans le calcul du salaire annuel moyen et indexation des salaires portés au compte sur les prix et non plus sur les salaires.

La composante principale des droits personnels

Les retraités reçoivent, en moyenne, 1 069 euros par mois au titre des pensions acquises en contrepartie de cotisations versées, avec une forte différence entre les hommes et les femmes puisque les premiers perçoivent en moyenne 1 449 euros par mois, contre 713 euros pour les femmes. Cette pension moyenne de droit propre est composée à près de 60 %[13] par la retraite versée par le régime général, soit un poids important de ce dernier dans les pensions des retraités. Elle est en moyenne de 504 euros bruts[14] par mois. Comme pour la pension globale, la pension de droit propre versée par le régime général est en moyenne plus élevée pour les hommes que pour les femmes : 598 euros contre 417 euros, mais avec un écart moindre (écart de 30 % contre 50 % pour la pension totale).

Seulement 30 % des femmes ont une pension versée par le régime général supérieure au niveau de pension minimal (c'est-à-dire le minimum contributif) assuré par le régime général pour une carrière complète. Au régime général, les assurés bénéficiant du taux plein[15] qui ont, du fait de carrières courtes et/ou de faibles rémunérations, une pension faible, bénéficient du minimum contributif. L'objectif de ce dispositif est d'assurer un minimum de pension aux assurés ayant *a priori* une carrière longue mais faiblement rémunérée. Lorsque le retraité bénéficie du minimum contributif sans avoir une durée d'assurance complète au régime général, le minimum contributif est servi au prorata de la durée d'assurance validée dans le régime, ce qui explique la faiblesse des pensions des femmes, qui sont souvent bénéficiaires de ce dispositif[16], et qui ont rarement la durée d'assurance nécessaire au taux plein. Pour les hommes, c'est la moitié des retraités qui ont une pension versée par le régime général supérieure au minimum contributif.

---

13 La part présentée ici correspond à la moyenne de la part de la pension du régime général qui, du fait de variabilités importantes entre individus, est différente du ratio des pensions moyennes. Celui-ci est, en effet, proche de 50 %. Dans la suite de ce travail, tous les ratios auxquels il est fait référence correspondent à des moyennes de ratios.

14 Les montants présentés dans cet article sont bruts. La part des prélèvements sociaux ainsi que les montants nets sont présentés dans l'annexe 1, p. 223.

15 Pour rappel, le taux plein peut être acquis : par la durée d'assurance lorsque la durée tous régimes est supérieure ou égale à la durée d'assurance nécessaire pour le taux plein (160 trimestres par exemple pour la génération 1948) ; par l'âge de liquidation, lorsque l'assuré prend sa retraite à partir de 65 ans ; par la catégorie, lorsque l'assuré est reconnu inapte.

16 55 % des femmes retraitées du régime général en 2004 bénéficient du minimum contributif, contre 24 % des hommes (Bac, Couhin, 2008).

Graphique 2. Distribution de la pension de droit propre mensuelle versée par le régime général (euros 2004)

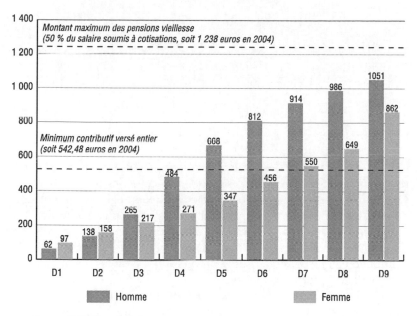

Source : EIR 2004, calculs Cnav.

Champ : bénéficiaires d'un droit direct du régime général.

Note : les montants présentés correspondent aux bornes supérieures de chacun des déciles.

Remarque : les montants de pension indiqués sont avant prélèvements sociaux.

Le niveau de la pension de droit propre du régime général dépend, pour une bonne part, de la durée d'assurance au régime général, mais également du niveau des salaires annuels obtenus en tant que salarié du secteur privé. Aussi, dans l'analyse, pour intégrer la dimension durée d'assurance, il convient de distinguer les monopensionnés des polypensionnés, qui ont en moyenne des durées d'assurance au régime général plus faibles dans la mesure où ils ont été affiliés à d'autres régimes au cours de leur carrière. D'après l'EIR, en 2004, parmi les retraités ayant au moins un droit personnel issu du régime général, 38 % sont polypensionnés. Cette proportion est de 46 % pour les hommes, contre 29,5 % pour les femmes (*cf.* tableau 5, p. 214).

Tableau 5. Répartition des bénéficiaires d'une pension de droit direct du régime général selon le genre (en %)

	Monopensionné	Polypensionné	Total
Homme	54	46	100
Femme	70,5	29,5	100
Ensemble	62	38	100

Source : EIR 2004, calculs Cnav.
Champ : bénéficiaires d'un droit direct du régime général.

Quel que soit le genre, les monopensionnés perçoivent une pension de droit propre du régime général supérieure à celle des polypensionnés. Ces derniers ayant en effet cotisé dans plusieurs régimes, ils ont une durée d'assurance au régime général en moyenne plus faible que les monopensionnés : 20 ans, contre 30 ans pour les monopensionnés, ce qui représente 61 % de la durée d'assurance totale leur ayant permis l'attribution d'une pension de droit propre. Ainsi, pour les hommes, alors que 70 % des monopensionnés perçoivent une pension supérieure à 600 euros, 40 % des polypensionnés ont une pension du régime général supérieure à 535 euros. Pour les femmes, on retrouve ces différences, mais avec des niveaux de pension plus faibles : la moitié des femmes monopensionnées ont une pension supérieure ou égale à 436 euros, contre une médiane à 229 euros pour celles qui sont polypensionnées.

Graphique 3. Distribution de la pension de droit propre mensuelle versée par le régime général selon le genre et le statut de pensionné

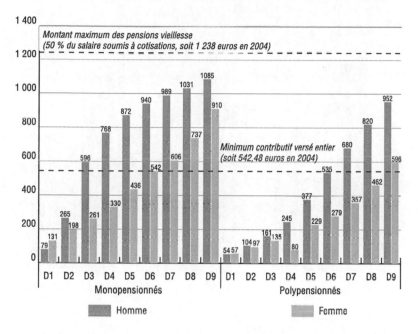

Source : EIR 2004, calculs Cnav.
Champ : bénéficiaires d'un droit direct du régime général.
Note : les montants présentés correspondent aux bornes supérieures de chacun des déciles.
Remarque : les montants de pension indiqués sont avant prélèvements sociaux.

Le second facteur permettant d'expliquer les niveaux de pension est le salaire annuel moyen servant au calcul de la pension. Au régime général, pour les femmes, il est inférieur de plus de 30 % à celui des hommes (en moyenne, respectivement 935 euros contre 1 395 euros), reflétant des niveaux de rémunération moindres pour les femmes, ainsi que des carrières plus courtes. Enfin, on note que le salaire moyen perçu durant la partie de carrière cotisée au régime général est plus faible pour les polypensionnés que pour les monopensionnés du fait, entre autres, de carrières plus limitées en tant que salarié (*cf.* graphique 4, p. 216).

Graphique 4. Salaire annuel moyen retenu pour le calcul de la pension selon le genre et le statut de pensionné (euros 2004)

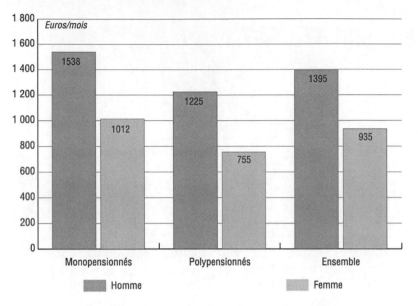

Source : EIR 2004, calculs Cnav.
Champ : bénéficiaires d'un droit direct du régime général.

Le poids prépondérant de la pension du régime général, particulièrement pour les femmes

Bien que la pension moyenne de droit direct versée par le régime général aux femmes soit plus faible que celle des hommes, elle représente une part plus importante de leurs droits personnels, tant pour les monopensionnées que pour les polypensionnées. Ainsi, la pension du régime général représente en moyenne 71 % de leurs droits personnels, contre seulement 52 % pour les hommes.

Ce constat est renforcé pour les monopensionnés (*cf.* graphique 5). En effet, pour les trois quarts des femmes monopensionnées, la pension du régime général représente entre 80 % et 90 % de leurs droits personnels tous régimes alors qu'elle n'atteint jamais ce niveau pour les femmes polypensionnées (*cf.* graphique 6, p. 218). Pour deux tiers des hommes monopensionnés, et la totalité des hommes polypensionnés, en revanche, elle ne dépasse pas 70 % de la pension de droit propre globale.

Les parts restantes proviennent des régimes complémentaires auxquelles s'ajoute la part correspondant aux autres régimes de base pour les polypensionnés. S'agissant des régimes complémentaires, il convient de préciser que les situations en termes de contribution à la pension globale sont empruntes d'une certaine hétérogénéité. Celle-ci s'explique à la fois par des réglementations variables selon les régimes et par les différentes trajectoires des assurés. Ainsi, les prestataires du régime général bénéficiant uniquement de l'allocation de vieillesse des parents au foyer (AVPF) ne percevront aucune prestation en provenance des régimes complémentaires, alors que les anciens cadres bénéficieront de pensions complémentaires issues d'au moins deux régimes différents, l'Arrco et l'Agirc.

Graphique 5. Pension de droit propre de base et complémentaire et poids de la pension du régime général

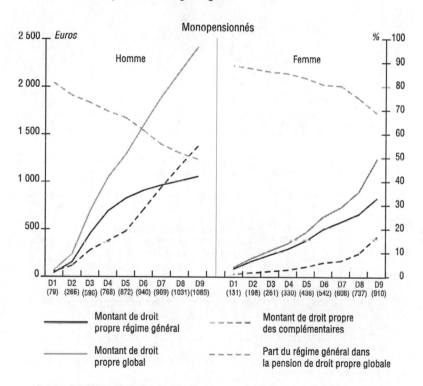

Source : EIR 2004, calculs Cnav.
Champ : monopensionnés de droit direct du régime général.
Remarque : les montants de pension indiqués sont avant prélèvements sociaux.
Note : les montants présentés correspondent aux montants moyens par décile, de même que la part du régime général correspond à la part moyenne par décile.

Graphique 6. Pension de droit propre issue des différents régimes de base et complémentaires et poids de la pension du régime général en fonction de la distribution de cette pension

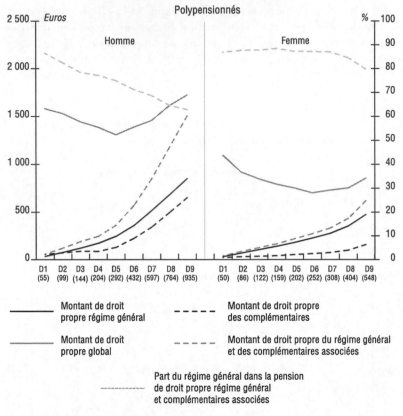

Source : EIR 2004, calculs Cnav.

Champ : polypensionnés d'un droit direct du régime général.

Remarque : les montants de pension indiqués sont avant prélèvements sociaux.

Note : parmi les pensions de droit propre des régimes de base autres que le régime général sont incluses également les pensions des régimes complémentaires des anciens fonctionnaires civils et militaires. En effet, les pensions des régimes de base et complémentaires de ces assurés sont regroupées et non différentielles.

Remarques : les déciles de pension sont fixés sur la base de la distribution de la pension de droit propre du régime général.

Pour les monopensionnés, le poids relatif de la pension du régime général baisse avec l'augmentation de son niveau : plus la pension de droit propre du régime général est élevée, plus sa contribution au niveau global de la pension de droit propre diminue par rapport au poids des pensions complémentaires (*cf.* graphique 5, p. 217). Ce résultat est plus marqué pour les hommes du fait de leur niveau de pension plus élevé.

Cette relation négative entre poids de la pension du régime général et niveau de pension s'explique par le plafonnement de la pension de base, qui est en adéquation avec le plafonnement du salaire soumis à cotisation vieillesse[17]. Les retraites complémentaires étant plus contributives, et les cotisations assises sur l'ensemble de la rémunération, avec la pension Agirc qui s'ajoute pour les cadres, leur part est plus importante pour les retraités ayant eu des rémunérations élevées durant leur vie active.

Pour les polypensionnés, du fait de la présence, dans la pension globale, de régimes de base autres que le régime général, et des complémentaires qui leur sont associés, la relation est différente : la part de la pension de droit direct du régime général dans la pension de droit propre globale des polypensionnés augmente avec le niveau de la pension du régime général (*cf.* graphique 6). Ainsi, la pension de droit propre du régime général représente en moyenne 11 % de la pension de droit propre globale pour les 10 % d'hommes percevant la plus faible pension du régime général, alors qu'elle représente près de 60 % pour les 10 % percevant la plus forte pension (respectivement 12 % et 70 % pour les femmes). Cette augmentation correspond à la part décroissante prise par les autres régimes de base dans la pension globale. Les pensionnés des plus bas déciles sont ceux qui ont cotisé au régime général pour les durées les plus courtes, ce qui explique leur faible montant de pension au régime général (*cf.* graphique 7, p. 220). Ces courtes durées d'assurance sont compensées par des durées d'assurance plus longues dans les autres régimes de base, conduisant à des montants de pensions relativement élevés dans ces régimes, et qui contribuent ainsi, davantage que le régime général, à la pension de droit propre globale. À titre d'exemple, les hommes se situant dans le premier décile de la distribution perçoivent, en moyenne, 1 260 euros par mois au titre des pensions de droit propre provenant des régimes de base autres que le régime général, contre 150 euros pour ceux se situant dans le dernier décile de la distribution. Le cumul des durées d'assurance au régime général à celles des autres régimes de base conduit à un niveau de durée d'assurance globale variable selon la distribution de la pension du régime général. Cela explique par ailleurs le fait que l'évolution de la pension globale ne soit pas linéaire relativement à celle de la pension du régime général.

---

17 En 2008, le taux de cotisation de l'assurance vieillesse du régime général est de 14,95 % pour la partie du salaire inférieur au plafond de la Sécurité sociale, et de 1,7 % sur le salaire total. En comparaison, les cotisations Arrco (7,5 %) s'appliquent sur la rémunération plafonnée à 3 fois le plafond de la Sécurité sociale et pour l'Agirc, les cotisations s'appliquent par tranche de rémunération, de 1 à 8 fois le plafond.

Graphique 7. Durée de cotisation et pension de droit propre des régimes de base selon le genre pour les polypensionnés

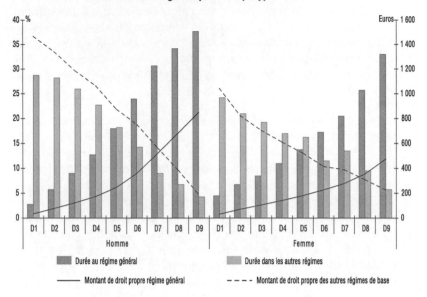

Source : EIR 2004, calculs Cnav.

Champ : polypensionnés du régime général.

Remarque : les montants de pension indiqués sont avant prélèvements sociaux.

La redistribution intragénérationnelle : une particularité du régime général

Le principe de plafonnement des salaires soumis à cotisations vieillesse et, en conséquence, le plafonnement de la pension de base, impliquent une progressivité limitée de celle-ci contrairement aux pensions complémentaires. L'assiette de cotisation est en effet plus large dans les régimes complémentaires qu'au régime général, ce qui entraîne une relation linéaire entre niveau de rémunération et niveau de pension. Il apparaît bien que pour les pensions les plus élevées, la partie complémentaire est plus conséquente (50 % de la pension des 10 % des hommes monopensionnés ayant les pensions les plus élevées).

Le régime général, comme les autres régimes de base alignés, se caractérise par sa redistribution, du fait du lien moins strict entre niveau de pension et niveau de cotisation que dans les régimes complémentaires. Il existe en effet des dispositifs permettant aux assurés de valider des trimestres pendant des périodes où ils ne sont pas actifs occupés (chômage indemnisé, invalidité, maladie, etc.). Suivant la même logique, un minimum de pension, le minimum contributif, est servi aux retraités dont la base salariale de cotisation était trop faible pour atteindre un niveau de pension jugé suffisant. Il y a également des avantages familiaux qui visent à compenser, pour les parents, l'incidence de leur charge familiale sur leur carrière et à terme leur pension (allocation vieillesse des parents au foyer, majoration de durée d'assurance pour les femmes, et bonification de pension pour les parents de trois enfants et plus). Des dispositifs visant à une plus grande redistribution parmi les retraités existent également dans les régimes complémentaires, mais ils sont de moindre ampleur, tant en termes de conditions d'attribution que de réglementation.

La dimension redistributive du régime général est une caractéristique que l'on retrouve dans les résultats présentés ci-dessus, avec un poids relatif de la pension de droit propre versée par le régime d'autant plus important que l'assuré a une pension tous régimes faible, et en particulier chez les femmes : pour 9 femmes sur 10, la pension du régime général représente plus de 80 % de la pension globale. On retrouve finalement des résultats déjà mis en évidence dans d'autres travaux selon lesquels les femmes, en raison de carrières courtes et plus faiblement rémunérées, mais également des conséquences des charges de famille sur leur activité professionnelle, bénéficieraient plus de l'aspect redistributif du système de retraite que les hommes (Vincent, Walraet, 2003).

Ces différences entre régimes, tant en termes de mécanismes de redistribution qu'en termes de plafonnement d'assiette de cotisation, peuvent s'illustrer par la comparaison des distributions de pension entre régimes. En effet, la différence des rapports interdéciles entre régime général et régimes complémentaires est forte : alors que la pension moyenne des 10 % de pensionnés percevant les plus faibles pensions du régime général représente un neuvième de celle perçue en moyenne par les 10 % d'assurés aux pensions les plus élevées, le rapport est de 41 pour les pensions complémentaires (cf. tableau 6).

Tableau 6. Rapport interdécile de la distribution des pensions des monopensionnés du régime général et des complémentaires selon le genre

	Rapport interdécile des pensions du régime général des monopensionnés	Rapport interdécile des pensions complémentaires des monopensionnés
Homme	13,7	27,5
Femme	6,9	27,0
Ensemble	9,0	41,4

Source : EIR 2004, calculs Cnav.
Champ : monopensionnés du régime général.
Exemple de lecture : les monopensionnés du régime général se situant dans le 9e décile de la distribution des pensions complémentaires perçoivent en moyenne une pension complémentaire supérieure de plus de 41 fois à celle perçue en moyenne par ceux se situant dans le 1er décile.

Ainsi, la pension de droit propre du régime général joue un rôle variable dans la pension de droit propre globale, selon son niveau et les caractéristiques des assurés. Le régime général joue non seulement un rôle « assurantiel », mais aussi un rôle de redistribution non négligeable. Pour les niveaux de pension les plus élevés, la part du régime général demeure conséquente (50 % de la pension des hommes monopensionnés ayant les pensions les plus élevées) et elle est essentielle pour les autres niveaux de pension (la pension du régime général représente au moins 70 % de la pension globale des femmes monopensionnées). Si la fonction redistributive du régime général était moins marquée, la proportion de pensions qui en sont issues par rapport aux pensions globales serait plus stable selon le niveau de pension et suivrait une évolution semblable à celle des régimes complémentaires. L'ensemble des dispositifs du régime général peut finalement être perçu comme un tout cohérent, dont la frontière avec les mécanismes dits assurantiels n'est par ailleurs pas si évidente : *« il n'y a en effet pas d'obstacle conceptuel à considérer des dispositions non contributives comme des instruments d'un mécanisme d'assurance des aléas de carrière »* (Caussat, 1996).

Conclusion

Si le régime général occupe une place importante en termes d'effectifs dans le système de retraite français, juger de sa contribution à la pension vieillesse des assurés n'est pas aisé, du fait de la diversité des situations individuelles. Les disparités de parcours professionnels conduisent en effet à une architecture de la pension globale variable, à laquelle s'ajoutent également des effets de structure liés principalement au sexe et à l'âge des assurés. Ainsi, le régime général contribue davantage à la pension des assurés ayant de faibles niveaux de pensions. C'est particulièrement le cas, du fait de carrières plus courtes et moins rémunérées, des générations les plus anciennes de femmes. En revanche, le régime général contribue dans une moindre mesure, en termes relatifs, à la pension des assurés ayant de hauts niveaux de pensions.

Cette analyse des composantes des pensions des retraités aura également montré qu'en ce qui concerne le niveau des pensions il est important d'analyser les implications de chacune des composantes, de même que la question de réformer les régimes indépendamment les uns des autres mérite d'être étudiée.

■ Annexe

Les prélèvements sociaux sur les retraites

Les montants présentés dans cet article sont bruts, les prélèvements obligatoires n'ayant en effet pas été déduits. Les prélèvements obligatoires sur les retraites sont constitués de la Contribution sociale généralisée (CSG), de la Contribution au remboursement de la dette sociale (CRDS) et de la Cotisation assurance maladie (Cot AM). Ils s'appliquent aux montants bruts des différents avantages vieillesse. Cependant, certains avantages complémentaires ne sont pas soumis à prélèvement : la majoration pour tierce personne n'est pas assujettie à la CSG ni à la CRDS et la majoration pour enfants est exemptée de cotisation maladie.

Par ailleurs, selon le lieu de résidence et le type de pension perçu, l'assujettissement à prélèvement varie. En effet, sont assujettis à la CSG et la CRDS les retraités fiscalement domiciliés en France et à la charge d'un régime obligatoire français d'assurance maladie. Depuis le 1er janvier 2008 sont assujettis à la cotisation d'assurance maladie les retraités fiscalement domiciliés hors de France et relevant à titre obligatoire d'un régime français d'assurance maladie, et les personnes de nationalité étrangère qui ne relèvent pas à titre obligatoire d'un régime français d'assurance maladie, mais qui réunissent au moins quinze années d'assurance en France. Sont exonérés des trois types de cotisations les retraités titulaires d'une prestation non contributive ou de l'allocation veuvage.

Enfin, les taux de prélèvement de la CSG et de la CRDS dépendent du revenu fiscal de référence du retraité :
– si le revenu fiscal de référence est inférieur au seuil d'assujettissement, il y a exonération ;
– si le revenu fiscal de référence est supérieur au seuil d'assujettissement, il y a prélèvement.

Les taux prélevés au titre de la CSG et de la CRDS, en 2004, étaient fixés respectivement à 6,2 % et à 0,5 %. Toutefois, les personnes dont la cotisation d'impôt due au titre de l'année précédente était inférieure au seuil de recouvrement (environ 60 euros) bénéficiaient d'un taux réduit de CSG de 3,8 %.

En 2004, d'après l'EIR, seuls 2 % des pensionnés de droit direct du régime général étaient assujettis à la cotisation maladie, contre 64 % à la CRDS. 51,7 % étaient assujettis au taux plein de CSG et 12,4 % au taux minoré.

Part des assurés assujettis aux prélèvements sociaux sur leur pension de droit propre du régime général

	Taux de prélèvement en 2004	Proportion d'assurés du régime général assujettis
Assurance maladie	1 %	1,9 %
CSG taux plein	6,2 %	48,4 %
CSG taux minoré	3,8 %	12,9 %
CSG totale	-	61,3 %
CRDS	0,5 %	61,3 %

Source : EIR 2004, calculs Cnav.
Champ : bénéficiaires d'un droit direct du régime général.

Dans l'ensemble, c'est près de 37 % des assurés de droit propre du régime général qui sont exonérés des prélèvements sociaux (40,4 % des femmes contre 32,7 % des hommes).

En 2004, la somme prélevée au titre des prélèvements obligatoires représentait en moyenne un peu plus de 6,2 % de la pension brute moyenne des seuls assurés assujettis, et 4,5 % de la pension brute moyenne de droit propre sur l'ensemble des retraités. La pension nette mensuelle de droit propre du régime général des hommes assujettis à prélèvement était de 654 euros, contre 688 euros en brut. Ces montants sont respectivement de 448 euros et 477 euros pour les femmes concernées.

■ Bibliographie

Bac C., Couhin J., 2008, « L'apport du minimum contributif : entre redistribution et contributivité », *Cadr@ge*, n° 3, Cnav, 6 p.

Burricand C., 2007, « Les pensions de réversion en 2004 », *Études et Résultats*, n° 606, Drees, 8 p.

Burricand C., Deloffre A., 2006, « Les pensions perçues par les retraités fin 2004 », *Études et Résultats*, n° 538, Drees, 8 p.

Caussat L., 1996, « Retraite et correction des aléas de carrière », *Économie et Statistique*, n° 291-292, Insee, p. 186.

Dupeyroux J.-J., 2005, *Droit de la Sécurité sociale*, 15e éd. par Rolande Ruellan *et al.*, Dalloz-Sirey, 1243 p.

Vincent A., Walraet E., 2003, « La redistribution intragénérationnelle dans le système de retraite des salariés du privé : une approche par microsimulation », *Économie et Statistique*, n° 366, Insee, p. 31-56.

Les pensions des régimes complémentaires Agirc et Arrco en 2007

Stanislas Bourbon, Direction technique, Agirc-Arrco

En France, un retraité peut percevoir plusieurs types de prestations de vieillesse. S'il a travaillé, le nombre de retraites de droits directs dépendra des secteurs d'activité dans lesquels il a exercé et de sa catégorie professionnelle. À ce titre, il percevra dans la grande majorité des cas au moins une pension de base et une pension complémentaire. Il pourra percevoir en plus une ou plusieurs pensions de droits dérivés si son conjoint est décédé. Enfin, si son niveau de revenus n'est pas suffisant, il pourra bénéficier d'une allocation au titre du minimum vieillesse.

Pour les salariés du secteur privé, les allocations versées par l'Association pour le régime de retraite complémentaire des salariés (Arrco) et par l'Association générale des institutions de retraite des cadres (Agirc) complètent les pensions attribuées par les régimes de base de la Caisse nationale d'assurance vieillesse (Cnav) et de la Mutualité sociale agricole (MSA). L'Arrco et l'Agirc gèrent ainsi la retraite complémentaire obligatoire de l'ensemble des salariés du secteur privé de l'industrie, du commerce, des services et de l'agriculture. Ils concernent pour l'Arrco les salariés non cadres et cadres, et pour l'Agirc, les seuls salariés cadres.

Le taux de couverture de ces régimes est relativement étendu parmi les retraités. En 2004, selon l'Échantillon interrégimes de retraités (EIR)[1], environ 72 % des retraités percevaient ainsi au moins une pension de droit direct de l'Arrco, éventuellement complétée par une pension de l'Agirc pour les salariés ayant été cadres. Leur pension globale de vieillesse s'élevait à 1 278 euros par mois fin 2004, en montant brut[2] (tous avantages et tous régimes confondus, soit 1 342 euros 2007). La part de l'Agirc et de l'Arrco dans l'ensemble de cette pension était de 33 %. Elle variait entre 23 % pour les non-cadres et 53 % pour les cadres ayant cotisé à l'Agirc.

1 Voir à ce sujet Burricand, Deloffre, 2006.

2 Tous les montants sont mentionnés bruts de prélèvements obligatoires.

L'Arrco et l'Agirc

L'Agirc et l'Arrco sont les fédérations des caisses de retraite complémentaire du secteur privé, créées respectivement en 1947 pour les cadres et en 1961 pour l'ensemble des salariés. Ces régimes sont obligatoires depuis 1972. Ils fonctionnent selon un mode paritaire, et leur rôle est de mettre en œuvre les décisions prises dans le cadre d'accords interprofessionnels *« par les représentants des employeurs et salariés signataires de ces accords, réunis à cet effet en commission paritaire »* (Dupeyroux, 2005). Ces commissions sont les véritables législateurs de la retraite complémentaire des salariés du secteur privé qui décident du contenu des droits et obligations des membres des régimes. À titre de comparaison, c'est l'État qui est le législateur pour la Cnav.

Les modalités de cotisation (taux et assiette) varient entre l'Arrco et l'Agirc. Pour l'Arrco, l'assiette de cotisation est équivalente à celle du régime de base, c'est-à-dire le plafond de la Sécurité sociale pour les cadres ; elle est limitée à trois plafonds pour les non-cadres. Pour l'Agirc, les cadres cotisent sur la partie différentielle de leur salaire comprise entre une et huit fois le plafond de la Sécurité sociale[3] (*cf.* encadré 1, p. 228). À la fin 2007, plus de 18,3 millions de salariés, dont 3,8 millions de cadres, cotisent et acquièrent des droits auprès des régimes Agirc et Arrco.

L'Arrco et l'Agirc versent à leurs retraités des pensions de droits propres ainsi que des pensions de droits dérivés au conjoint survivant. En 2007, 11,4 millions d'allocataires perçoivent une pension de l'Arrco, dont 2,3 millions d'anciens cadres qui reçoivent en plus une pension de l'Agirc (tous droits confondus). Les allocations versées par ces deux régimes représentent près de 25 % des allocations versées par l'ensemble des régimes obligatoires de retraite, soit environ 220 milliards d'euros annuellement. Ces retraites complémentaires sont soumises à la Contribution sociale généralisée (CSG) aux taux de 7,1 %, 3,8 % ou 0 % – selon les revenus fiscaux du ménage du pensionné – à la Contribution au remboursement de la dette sociale (CRDS) au taux de 0,5 %, et à l'assurance maladie au taux de 1 %.

---

[3] En 2007, le plafond de la Sécurité sociale est fixé à 32 184 euros par an, soit 2 682 euros par mois.

Encadré 1. Régimes complémentaires Arrco et Agirc et assiettes de cotisation

L'Arrco et l'Agirc sont les régimes complémentaires obligatoires des affiliés du régime général et de la MSA. L'affiliation à l'Arrco est systématique pour tous les salariés du privé et les salariés agricoles. Quant à l'affiliation à l'Agirc, elle est conditionnelle au statut professionnel. Seuls les cadres et assimilés cotisent à l'Agirc. Ces deux régimes ont des assiettes de cotisation différentes précisées dans le tableau ci-dessous.

Régimes	Total
1er niveau - Pour les non-cadres et les cadres **Arrco**	**Tranche A** 0 à 1 plafond de la Sécurité sociale *À noter, pour les non-cadres ayant une rémunération supérieure au plafond de la Sécurité sociale, l'assiette de cotisation est portée à 3 plafonds.*
2e niveau - Pour les cadres uniquement **Agirc**	**Tranche B** 1 à 4 plafonds de la Sécurité sociale **Tranche C** 4 à 8 plafonds de la Sécurité sociale *À noter, les cadres ayant une rémunération inférieure à 1,1 plafond de la Sécurité sociale cotisent à la garantie minimale de points (GMP). En contrepartie d'une cotisation forfaitaire, les cadres à la GPM obtiennent 120 points annuels.*

En 2007, 79 % des cotisants à l'Arrco sont non-cadres et 21 % sont cadres. Parmi les cadres, 30,4 % des affiliés à l'Agirc cotisent à la GMP en 2005, et moins de 1 % cotisent à l'assiette maximale, soit 8 fois le plafond de la Sécurité sociale.

En 2007, la moyenne des pensions versées par l'Arrco et l'Agirc aux allocataires est de 411 euros par mois (droits directs, droits dérivés et avantages annexes[4]). Elle est de 562 euros pour les hommes et de 279 euros pour les femmes. Les retraités de moins de 65 ans perçoivent en moyenne une pension de 448 euros, 1,3 fois plus élevée que celle des retraités de plus de 85 ans.

Dans la suite de l'article, nous nous intéresserons plus spécifiquement aux seuls retraités de droits directs, soit 85 % des retraités de l'Arrco. Après l'analyse de la pension Arrco, nous nous intéresserons à la pension Agirc, et pour finir à la pension complémentaire totale versée aux retraités du secteur privé. Enfin, nous terminerons par un éclairage sur les majorations familiales. Les différents résultats présentés dans la suite sont issus de la base individuelle « allocataires » Agirc-Arrco (*cf.* encadré 2).

---

4 Les avantages annexes concernent les majorations familiales et les majorations pour ancienneté.

Encadré 2. Régimes complémentaires Arrco et Agirc

L'Agirc et l'Arrco sont les fédérations des caisses de retraite complémentaire du secteur privé. Elles ne gèrent pas directement les cotisations encaissées, ni les allocations versées. Les statistiques sont donc propres à chaque institution.

Le système d'information Agirc-Arrco

Le système d'information statistique Agirc-Arrco est directement alimenté par les institutions des régimes. Celles-ci fournissent un certain nombre d'états statistiques, ventilés principalement par âge et par genre. Structuré par un cahier des charges validé chaque année, l'ensemble de ces données est centralisé, contrôlé et exploité par l'Agirc-Arrco. Ces éléments servent de base aux redressements des données issues des bases individuelles.

La mise en place d'un service unique d'information dans le cadre de l'Usine retraite va permettre, à terme, d'uniformiser les données statistiques transmises par les caisses *via* leur plate-forme informatique et de simplifier la collecte et l'exploitation de celles-ci.

La base individuelle « allocataires » Agirc-Arrco : principale source de données sur les retraités

La base individuelle « allocataires » est la principale source d'informations sur les retraités.

Cette nouvelle base statistique, directement alimentée par les institutions des régimes, représente en 2007 environ 90 % des allocataires de l'Agirc et de l'Arrco. Grâce à sa montée en charge, le champ de la base portant sur l'exercice 2008 devrait couvrir 96 % des allocataires et être, à court terme, exhaustif.

Par ailleurs, l'amélioration des systèmes d'information des institutions permet de limiter d'éventuelles exclusions de lignes et ainsi d'élargir encore plus le champ d'exploitation.

En 2007, la base allocataires centralise environ 16 millions de lignes par exercice et concerne près de 14 millions d'allocataires à l'Arrco et près de 2 millions à l'Agirc, tous droits confondus.

La richesse de la base permet de larges possibilités d'exploitation : études sur les droits directs ou dérivés, sur les majorations familiales et l'ancienneté, par génération, par âge, par date de liquidation, par date d'ouverture ou de fermeture de droits, par tranche, par catégorie, par taux d'abattement, par situation familiale, par type et périodicité de paiement, par découpage géographique, etc.

Une pension moyenne Arrco de droits directs qui cache de fortes disparités

En 2007, la pension mensuelle brute moyenne des 9,7 millions de retraités de droits directs[5] à l'Arrco s'élève à 271 euros[6]. Ce montant, comme ceux indiqués par la suite, est exprimé en euros courants bruts mensuels et il tient compte des majorations familiales et des majorations pour ancienneté. En revanche, il ne tient pas compte des éventuels droits dérivés.

---

5 Dont 54 % d'hommes, soit 5,2 millions d'hommes et 4,5 millions de femmes.

6 Soit 237 points.

Le niveau de la pension a progressé ces dernières années suite à l'arrivée à l'âge de la retraite de «nouveaux retraités»[7] nombreux ayant des droits plus élevés (*cf.* graphique 1). Ce montant moyen cache de fortes disparités de situation: la pension perçue par les 10% de retraités Arrco les mieux servis est 24 fois plus importante que celle perçue par les 10% de retraités les moins bien servis. Cette amplitude importante est le reflet de carrières très différentes tant entre les hommes et les femmes qu'entre les cadres et les non-cadres et entre générations. Non seulement les salaires ne sont pas les mêmes, mais les durées de cotisation sont également très variables.

Graphique 1. Pensions moyennes par genre à l'Arrco entre 2002 et 2007

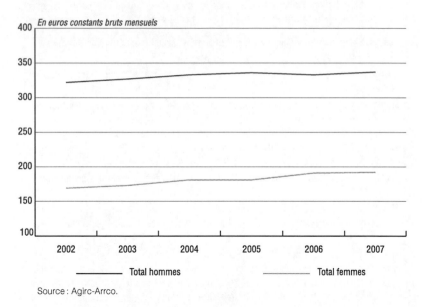

Source: Agirc-Arrco.

Une pension moyenne Arrco deux fois moins élevée pour les femmes que pour les hommes

Parmi l'ensemble de retraités Arrco de droits directs, la pension Arrco des femmes (192 euros) représente 57% de celle des hommes (337 euros). L'écart entre hommes et femmes se resserre sur les nouvelles générations: la pension moyenne des femmes ayant liquidé leur retraite dans l'année (256 euros) représente 68% de celle des hommes (378 euros).

7 Les nouveaux retraités correspondent aux personnes ayant liquidé leur retraite au cours de l'année.

Les fortes dispersions de niveaux de pension sont aussi importantes pour les femmes que pour les hommes. Les 10% d'entre elles ayant les pensions les plus faibles perçoivent moins de 21 euros par mois, contre 479 euros pour les 10% qui perçoivent les pensions les plus élevées (soit un rapport de 1 à 23). Ces chiffres s'établissent respectivement à 37 euros et 699 euros pour les hommes (soit un rapport de 1 à 19).

Ces écarts entre genres s'expliquent par des carrières plus heurtées pour les femmes. En effet, à diplôme égal ou comparable, les niveaux de salaires entre hommes et femmes diffèrent dès le début de la carrière. Entre la difficulté à trouver un poste, la précarité de leur emploi, l'importance des périodes de cotisation incomplètes ou la faiblesse de leur mobilité en interne, les femmes ont des salaires qui demeurent plus bas que ceux des hommes et l'écart ne s'est que très peu resserré ces dernières années, à l'exception des non-cadres, pour lesquels l'amélioration est notable en fin de carrière (Berton, Huiban, Nortier, 2008).

Graphique 2. Pensions moyennes de droits directs versées par l'Arrco en 2007 par genre et tranche d'âge

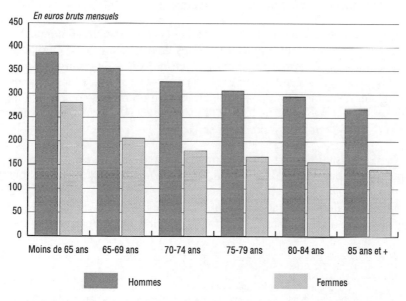

Source : Agirc-Arrco.

L'impact de la carrière sur le niveau des pensions

Outre la différence selon le genre, la dispersion des pensions Arrco s'explique par la diversité des situations en termes de durée de cotisation. Certains allocataires ont eu une carrière incomplète, c'est-à-dire une durée d'assurance au régime de base inférieure à la durée nécessaire à l'obtention du taux plein (160 trimestres depuis 2003). Dans ce cas, la retraite complémentaire de ces allocataires a également subi un abattement au moment de la liquidation[8]. Environ 10 % des allocataires du régime Arrco ont un abattement sur leur pension complémentaire (9 % des femmes contre 10 % des hommes) et leurs pensions ont tendance à tirer la moyenne vers le bas. En ne prenant en compte que les seules pensions sans abattement, les hommes perçoivent 363 euros en moyenne, contre 337 euros pour l'ensemble de la population Arrco. Pour les femmes, les pensions moyennes s'établissent respectivement à 199 euros contre 192 euros pour l'ensemble des retraitées. De plus, la dispersion des pensions des carrières sans abattement est beaucoup plus mesurée que pour l'ensemble de la population Arrco. Les intervalles interdéciles par genre sont proches, ce qui confirme bien que le fait de subir un abattement sur la pension complémentaire est un facteur jouant fortement sur le niveau de la pension, et qui explique en grande partie les différences de pension des allocataires.

Ensuite, un pensionné peut avoir effectué toute sa carrière en dehors du secteur privé après un bref passage dans celui-ci (emplois d'étudiants, prestations salariées ponctuelles, etc.). En moyenne, environ 97 % des actifs passent ainsi au moins une fois dans le secteur privé, plus ou moins longtemps. Au moment de la liquidation, si le nombre de points acquis durant ce passage dépasse 100[9], l'allocataire percevra alors une pension Arrco, quelle que soit sa durée de cotisation[10].

Les outils statistiques actuels dont disposent l'Agirc et l'Arrco ne permettent pas encore de connaître les durées de cotisation par régime. Les allocataires ayant effectué toute leur carrière dans le secteur privé ont été évalués par rapport à un nombre de points minimum par génération de liquidants[11]. Ainsi, la pension moyenne des seules

---

8 Cependant, il faut noter que certains retraités n'ont pas d'abattement même s'ils ont une carrière inférieure à cette durée du fait d'une liquidation de pension à 65 ans ou bien de la reconnaissance de l'invalidité.

9 En 2007, un salaire annuel égal au Smic confère 68 points Arrco au taux obligatoire (6 %).

10 En dessous, il percevra un versement unique (VU) calculé selon son âge au moment de la liquidation.

11 Soit le nombre de points cumulés après 40 ans de carrière au Smic au taux Arrco minimum obligatoire.

populations estimées selon ce critère, que l'on peut qualifier de
«monopensionnées», s'établit à 379 euros mensuels en 2007, soit 40%
de plus que pour l'ensemble des pensionnés du régime (271 euros).
Les femmes sont particulièrement concernées par cet écart puisque
la pension moyenne de ces monopensionnées s'élève à 336 euros,
c'est-à-dire presque deux fois plus que pour l'ensemble des pensionnées
du régime (192 euros). Pour les hommes, la différence est moins
importante (400 euros contre 337 euros). Cela confirme que les femmes
retraitées possèdent moins de carrières continues dans le secteur privé
que les hommes: elles sont proportionnellement deux fois moins
nombreuses que les hommes à bénéficier de carrières continues à
l'Arrco.

**Graphique 3. Pensions moyennes versées par l'Arrco en 2007 par genre
et tranche d'âge pour les carrières complètes dans le régime***

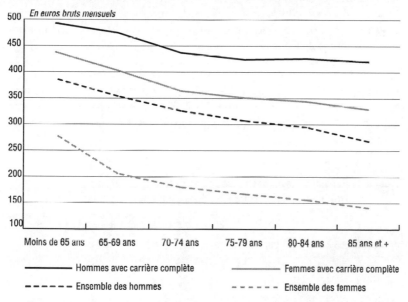

Source : Agirc-Arrco.

* Note : par carrière complète, on entend carrière continue dans le régime Arrco ; pour
l'ensemble, il s'agit de tous les retraités Arrco quel que soit leur type de carrière.

30 % des femmes allocataires à l'Arrco qualifiées de « monopensionnées » à carrière complète ont une pension limitée

En prenant comme borne supérieure le deuxième décile des pensions Arrco de droits directs versées aux bénéficiaires qualifiés de « monopensionnés » avec carrière complète[12], 30 % des femmes allocataires à l'Arrco ayant une carrière complète sont concernées par une pension inférieure à ce niveau, contre 15 % des hommes.

Des pensions plus élevées pour les jeunes retraités

Le niveau des pensions Arrco, et plus particulièrement de celles des femmes, croît au fil des générations, ce qui reflète l'amélioration des carrières salariales, les plus grandes durées d'assurance féminines, mais aussi l'augmentation des taux de cotisation obligatoire à l'Arrco. L'allocation moyenne Arrco des hommes de moins de 65 ans (387 euros) est 1,5 fois plus élevée que celle des hommes de 85 ans et plus (268 euros). Pour les femmes, elle passe du simple au double (respectivement 281 euros et 141 euros).

Conséquence, l'écart de pensions entre hommes et femmes se réduit sensiblement aux âges plus jeunes. La pension moyenne des retraitées de moins de 65 ans représente 75 % de la pension moyenne des hommes du même âge, contre seulement 53 % pour les allocataires de 85 ans et plus.

Tableau 1. Pensions moyennes versées par l'Arrco en 2007 par genre, type d'allocataire et tranche d'âge (en euros bruts mensuels)

	Hommes	Femmes	Ensemble	Non-cadres	Cadres
Moins de 65 ans	387	281	347	295	550
65 à 69 ans	354	206	291	233	530
70 à 74 ans	326	180	262	214	507
75 à 79 ans	307	167	240	195	501
80 à 84 ans	295	156	222	178	499
85 ans et plus	268	141	190	155	478

Source : Agirc-Arrco.

12 Soit les allocations Arrco ne dépassant pas 196 euros bruts mensuels.

Des différences notables de pensions à l'Arrco entre cadres et non-cadres

Environ 80% des allocataires Arrco n'ont pas été affiliés à l'Agirc. Autrement dit, huit retraités sur dix n'ont jamais été cadres[13] au cours de leur vie salariée. Pour les anciens salariés du privé, l'absence de passage dans le régime cadre est beaucoup plus fréquente chez les retraitées femmes que chez les hommes : parmi elles, 90% n'ont jamais été affiliées à l'Agirc, contre 74% des hommes.

En moyenne, la pension Arrco d'un non-cadre s'élève à 221 euros et représente 82% de la pension moyenne Arrco toutes catégories confondues. Ce taux est légèrement plus élevé pour les femmes que pour les hommes (87% contre 82%). À l'inverse, la pension Arrco d'un ancien cadre s'établit à un niveau beaucoup plus élevé que celle d'un non-cadre (soit 520 euros) et représente le double de la pension moyenne Arrco globale. Ce constat est plus marqué pour les femmes cadres, avec une pension Arrco 2,5 fois plus élevée que la pension moyenne des femmes retraitées. De la même façon, pour les nouveaux retraités, et même si les écarts se resserrent, la pension Arrco d'un cadre liquidant sa retraite est très nettement supérieure à celle d'un non-cadre (548 euros contre 284 euros).

Tableau 2. Pensions moyennes versées par l'Arrco en 2007 selon le genre et le statut (en euros bruts mensuels)

	Non-cadres	Cadres	Ensemble
Hommes	276	530	337
Femmes	166	476	192
Ensemble	221	520	271

La pension moyenne des non-cadres s'améliore nettement. En 2007, les retraités de moins de 65 ans perçoivent en moyenne 295 euros, contre 155 euros pour les retraités de 85 ans et plus, soit un rapport de 1 à 2. L'écart intergénérationnel est plus favorable aux femmes (le double ; contre un rapport de 1 à 1,6 pour les hommes).

Le constat est identique pour les pensions des cadres à l'Arrco mais dans des proportions moindres. Les pensions moyennes Arrco des plus jeunes cadres retraités restent supérieures à celles des plus anciens : 550 euros contre 478 euros. Comme pour les non-cadres, ce sont les femmes qui bénéficient de l'amélioration la plus nette, avec un rapport de 1 à 1,25 entre les deux tranches d'âge, contre 1 à 1,1 pour les hommes.

---

13 Est comptée comme cadre toute personne ayant cotisé au moins une fois au régime Agirc, quelle que soit sa durée d'affiliation à ce régime.

Ces écarts constatés entre catégories proviennent des différences de rémunération au cours de la carrière et de taux de cotisation entre cadres et non-cadres, mais aussi des fréquences de carrières incomplètes.

Les différences de retraite reflètent les différences de carrière entre cadres et non-cadres...

L'assiette de cotisation Arrco des cadres est égale à celle du régime de base, soit la partie du salaire comprise sous le plafond de la Sécurité sociale[14]. À partir de données de long terme sur les déclarations annuelles de données sociales, on constate ainsi que le salaire des non-cadres (principalement des ouvriers et des employés) représente au mieux 95 % du salaire moyen toutes catégories (entre 30 et 50 ans) tandis que celui des cadres cotisant à l'Agirc atteint 190 % du salaire moyen à ces âges (Koubi, 2003). La plupart des cadres (environ 70 %) cotisent ainsi à l'Arrco au plafond de la Sécurité sociale – soit à l'assiette Arrco maximale – pendant une bonne partie de leur carrière. Les amplitudes de pensions Arrco sont alors nettement plus faibles pour les allocataires cadres que pour les autres, qu'il s'agisse d'ailleurs des hommes (rapport interdéciles de 3,3 contre 18,7) ou des femmes (3,5 contre 22,9).

...mais aussi des différences de taux de cotisation

Dans les régimes par points, les droits acquis sont directement dépendants du taux de cotisation (*cf.* encadré 3). Jusqu'en 1993, les taux de cotisation étaient au choix de l'entreprise : à l'Arrco, celles-ci pouvaient ainsi cotiser entre 4 % (taux minimum obligatoire) et 12 %, voire plus. Ces taux pouvaient être variables selon les catégories professionnelles. De plus, les entreprises pouvaient souscrire des contrats dits « opérations supplémentaires » en plus des cotisations obligatoires pour tout ou seulement partie de leurs salariés. Même si peu de données statistiques historiques existent sur les différences de taux de cotisation et les opérations supplémentaires, on peut supposer que les cadres ont plus souvent bénéficié hier de ce type de contrats augmentant d'autant leurs droits à retraite aujourd'hui[15].

Les femmes retraitées non cadres, qui ont cotisé durant toute leur carrière au régime Arrco, perçoivent en moyenne 310 euros, contre 361 euros pour les hommes, soit, quel que soit le genre, 1,5 fois plus que l'ensemble des non-cadres à l'Arrco. En revanche, les écarts sont minimes chez les cadres. La principale explication à ce décalage de niveau réside dans la présence, récurrente parmi les cadres, de carrières continues à l'Arrco, contre seulement une sur deux pour les non-cadres.

---

14 Les non-cadres ayant un salaire supérieur au plafond de la Sécurité sociale cotisent à l'Arrco dans la limite de trois plafonds.

15 Ce type de contrat n'est plus autorisé depuis le 2 janvier 1993. En revanche, un assuré qui en bénéficiait avant 1993 et qui est toujours dans la même entreprise continue d'en profiter.

Encadré 3. L'Agirc et l'Arrco : des régimes par points

Chaque année, un salarié du secteur privé acquiert deux types de droits à la retraite : des droits dits « en annuités » au régime général et des droits « en points » aux régimes de retraite complémentaire, Arrco pour la partie de son salaire sous le plafond de la Sécurité sociale, et Agirc s'il est cadre, pour la partie de son salaire comprise entre 1 et 8 fois le plafond de la Sécurité sociale.

Dans les régimes en points, les cotisations versées chaque année par les salariés sont converties en points de retraite en divisant leur montant par le montant du « salaire de référence » (prix d'achat du point) selon la formule suivante :

Transformation des cotisations en points

Points = Cotisation / salaire de référence

Avec : pour l'Arrco : Cotisation = Salaire (< PSS) * taux de cotisation contractuel (6 %)

pour l'Agirc : Cotisation = (salaire − plafond de la Sécurité sociale) * taux de cotisation contractuel (16,24 %)

En 2008, le plafond de la Sécurité sociale est de 33 276 euros, le salaire de référence Arrco de 13,9684 euros, le salaire de référence Agirc de 4,8727 euros.

Le taux de cotisation contractuel est celui qui donne lieu à acquisition de points. Depuis le début des années 1990, ces cotisations sont prélevées avec un taux d'appel (actuellement de 125 %) visant à assurer l'équilibre des régimes.

Les droits acquis sont proportionnels au salaire. Pour les cadres, ils sont également le reflet des évolutions relatives des salaires et du plafond de la Sécurité sociale, qui modifient les assiettes de cotisation aux différents régimes de retraite. Tendanciellement, du fait de l'augmentation du plafond de la Sécurité sociale supérieure à celle du salaire des cadres, ces évolutions sont favorables à la tranche A (régime général et régime Arrco) et, par là, défavorables à la tranche B (régime Agirc).

Les points obtenus annuellement sont cumulés tout au long de la carrière dans le secteur privé. À la liquidation des droits, le montant de la retraite est calculé en multipliant l'ensemble des points accumulés par la valeur de service du point.

En 2008, la valeur du point Arrco est de 1,1648 euro, celle du point Agirc de 0,4132 euro.

Les régimes par points sont par nature contributifs puisque le montant de la retraite servie est directement proportionnel aux salaires perçus par le salarié tout au long de sa carrière (effort contributif). Cependant, cette contributivité est modulée par l'introduction d'une certaine dose de solidarité. Ainsi, des points « gratuits », c'est-à-dire sans contrepartie de cotisations, peuvent être attribués pour compenser certaines périodes non travaillées (chômage, maladie, etc.).

Parmi eux, les femmes sont particulièrement concernées, puisque seulement 36 % des femmes retraitées non cadres à l'Arrco possèdent une carrière continue dans le régime complémentaire des salariés, contre 83 % des hommes.

237

Tableau 3. Pensions moyennes Arrco en euros bruts mensuels versées en 2007 et répartition des effectifs

	Hommes	Femmes	Pension F/ pension H
Pension moyenne ensemble des retraités	337	192	57 %
Effectifs	5,2 millions	4,5 millions	
Pension moyenne par sous-population			
Nouveaux retraités 2007	378 €	256 €	68 %
Effectifs	366 000	266 000	
Retraités sans abattement	363 €	199 €	55 %
Retraités assimilés monopensionnés avec carrières complètes	400 €	336 €	84 %
Retraités Arrco non cadres	276 €	166 €	60 %
Retraités Arrco cadres	530 €	476 €	90 %

Une pension moyenne Agirc de 750 euros par mois

20 % des allocataires des régimes complémentaires perçoivent une pension Agirc en plus de leur pension Arrco[16]. La part des hommes dans le régime des cadres est beaucoup plus importante qu'à l'Arrco (77 % contre 54 %). La pension moyenne Agirc d'un ancien cadre s'élève à 750 euros par mois en 2007.

Les différences entre genres sont encore plus marquées qu'à l'Arrco et n'évoluent guère. En 2007, le régime des cadres verse en moyenne 869 euros par mois aux hommes contre 350 euros aux femmes, soit un montant 2,5 fois plus important.

Malgré une très légère amélioration, le niveau de pension des femmes ayant liquidé leur retraite en 2007 est toujours plus bas que celui des hommes : avec des allocations de 311 euros contre 741 euros, il ne représente que 42 % des prestations versées aux hommes.

Des pensions moyennes Agirc plus faibles pour les plus jeunes retraités

Par ailleurs, et contrairement à ce que l'on constate à l'Arrco, les pensions moyennes des anciens cadres ont tendance à se dégrader au fil des générations. La baisse importante du rendement Agirc[17] ces dernières

---

16 L'Agirc compte 1,8 million de retraités de droits directs anciens cadres à la fin 2007.

17 Le rendement d'un régime par points exprime le rapport entre le prix d'achat d'un point et sa valeur de service. Il était de 9,8 % à l'Agirc en 1990 ; il est de 6,9 % en 2007.

années et l'évolution du plafond de la Sécurité sociale expliquent cette évolution. En effet, les cadres cotisent à l'Agirc sur la partie différentielle de leur salaire située au-dessus du plafond de la Sécurité sociale. Celui-ci évolue sur le long terme tendanciellement plus que le salaire moyen des cotisants à l'Agirc, notamment du fait de la qualification accrue de la population salariée. L'assiette Agirc se réduit en corollaire, alors que l'assiette Arrco augmente.

Avec une pension moyenne mensuelle s'élevant à 920 euros, ce sont les allocataires de 80 à 84 ans qui ont les pensions Agirc de droits directs les plus élevées, aussi bien pour les hommes (1 070 euros) que pour les femmes (395 euros). Au contraire, ce sont les retraités les moins âgés qui, avec un versement moyen de 593 euros, perçoivent les pensions les moins élevées. L'écart entre ces deux générations est, cependant, moins important pour les femmes que pour les hommes. En effet, la pension des femmes de moins de 65 ans représente 80 % de celle des femmes de 80 à 84 ans, alors que la proportion est de 64 % pour les hommes aux mêmes âges. Pour ces derniers, la baisse du rendement et l'augmentation du plafond de la Sécurité sociale n'ont pas été compensées par l'amélioration de leurs carrières, contrairement à ce qui est constaté pour les femmes.

Graphique 4. Pensions moyennes versées par l'Agirc en 2007 par genre et tranche d'âge

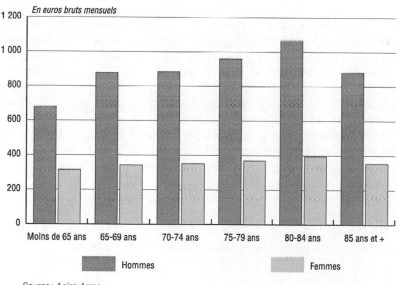

Source : Agirc-Arrco.

Une disparité des retraites Agirc très importante

L'amplitude des allocations est également très marquée à l'Agirc et, contrairement au régime Arrco, les écarts y sont plus importants chez les hommes. Ainsi, 10 % d'entre eux perçoivent moins de 66 euros par mois contre plus de 2 166 euros pour les plus hautes pensions (soit un rapport de 1 à 33). Pour les femmes, les chiffres s'établissent respectivement à 35 euros et 850 euros, soit un rapport de 1 à 24. Au final, le rapport interdécile de l'ensemble de la population est de 37.

Ces données doivent également être relativisées au regard de la diversité des carrières cadres. Nombre d'allocataires enregistrent des carrières courtes dans le régime des cadres, tandis que d'autres bénéficient de cotisations à des niveaux très élevés pendant toute leur carrière. Une partie de ces écarts entre hommes et femmes se réduit pourtant au fil des générations : la plupart des nouvelles retraitées cadres ont en effet des carrières plus longues à l'Agirc : les femmes de moins de 65 ans ex-cadres ont en moyenne cotisé 8 ans de plus à l'Agirc que celles de plus de 80 ans, contre 5 ans pour les hommes[18]. En outre, l'assiette de cotisations Agirc est très étendue : 20 % des cadres statutairement affiliés à l'Agirc avaient une assiette inférieure au plafond de la Sécurité sociale en 2005 et cotisaient à ce titre à la GMP (garantie minimale de points)[19] tandis que 0,4 % avaient un salaire supérieur à huit plafonds et cotisaient à ce titre à l'assiette maximale.

Les pensionnés bénéficiaires de la tranche C

Les allocations servies au titre de la tranche C correspondent aux cotisations perçues par le régime Agirc pour la tranche des salaires situés entre quatre et huit fois le plafond de la Sécurité sociale, c'est-à-dire pour des salaires très élevés (entre 10 700 et 21 400 euros par mois en 2007).

En 2007, près de 150 000 personnes sont concernées par ce type de pensions, ce qui représente environ 8 % des retraités Agirc et moins de 2 % de l'ensemble des retraités anciens salariés du privé. Il s'agit en très grande majorité d'hommes (93 %), même si la part des femmes a tendance à augmenter ces dernières années. En moyenne, ces allocataires perçoivent 379 euros par mois uniquement au titre de leur tranche C, principalement au bénéfice des hommes : leur pension moyenne sur cette assiette est 2,5 fois plus élevée que celle des femmes.

---

18 Source : EIR 2004.

19 Créée en 1989, la GMP donne droit, en contrepartie d'une cotisation forfaitaire, à 120 points annuels à l'Agirc. Elle concerne l'ensemble des participants ayant un salaire inférieur à 1,1 plafond en 2007 (cf. encadré 1, p. 228).

Pour les pensionnés seuls bénéficiaires de la tranche C, la somme des allocations moyennes[20] servies par les régimes de retraite complémentaire est très élevée. Un retraité percevant une allocation au titre de la tranche C reçoit une pension complémentaire moyenne de 3 322 euros, tous versements complémentaires confondus. L'attribution moyenne pour les femmes s'établit à 2 185 euros, contre 3 409 euros pour les hommes.

Une pension moyenne complémentaire totale de 1 270 euros par mois pour les cadres

Tableau 4. Pensions mensuelles moyennes complémentaires totales de droits directs par genre et type d'allocataire en 2007

| | | Pensions moyennes de droits directs en € | | |
		Tranche A	Tranche B et C	Total
Non-cadres	Hommes	276	0	276
	Femmes	166	0	166
	Ensemble	221	0	221
	dont nouveaux retraités	284	0	284
Cadres	Hommes	530	869	1 398
	Femmes	476	350	825
	Ensemble	520	750	1 270
	dont nouveaux retraités	548	625	1 173

Source : Agirc-Arrco

Tranche A : 0 au plafond de la Sécurité sociale, soit 2 682 € bruts par mois en 2007.

Tranche B : de 1 à 4 fois le plafond de la Sécurité sociale, soit de 2 682 € à 10 728 €.

Tranche C : de 4 à 8 fois le plafond de la Sécurité sociale, soit de 10 728 € à 21 456 €.

Au total, la pension moyenne d'un cadre (Arrco + Agirc) est près de six fois plus importante que celle d'un non-cadre (1 270 euros mensuels contre 221 euros). Le niveau de la pension complémentaire globale d'un cadre demeure beaucoup plus élevé pour les hommes (1 398 euros) que pour les femmes (825 euros).

Au regard de la baisse du rendement Agirc, de l'augmentation du plafond de la Sécurité sociale et de la hausse importante des pensions moyennes Arrco, l'écart entre nouveaux retraités de ces deux catégories est plus resserré, avec un rapport de 1 à 4.

---

20 Tranche A de l'Arrco + tranches B et C de l'Agirc.

Les amplitudes de pension entre cadres et non-cadres sont ici très fortement marquées. Il faut noter que la prise en compte des pensions Arrco réduit très sensiblement la dispersion des pensions des cadres.

Tableau 5. Écarts interdéciles des pensions moyennes totales de droits directs par genre et type d'allocataire en 2007

		D9	D1	D9/D1
Non-cadres	Hommes	590	31	19,1
	Femmes	401	20	20,0
	Ensemble	514	24	21,6
Cadres	Hommes	2 803	394	7,1
	Femmes	1 521	244	6,2
	Ensemble	2 550	343	7,4

Source : Agirc-Arrco.

Des pensions de droits directs complétées par des avantages familiaux

Les majorations familiales dans les régimes de retraite complémentaire du secteur privé désignent l'ensemble des dispositifs mis en place afin d'améliorer les pensions des allocataires ayant eu ou élevé des enfants ou ayant des enfants à charge[21]. À l'origine, ces attributions devaient servir à compenser les charges liées à la naissance et à l'éducation des enfants et pallier ainsi les absences de périodes d'activité et donc d'acquisition de droits à retraite, ou du moins de moindre acquisition.

À l'Arrco, l'ensemble des majorations familiales concerne environ trois millions de retraités de droits directs, soit près d'un retraité sur trois. La plupart des bénéficiaires des majorations familiales le sont au titre des enfants nés ou élevés[22].

---

21 Les réglementations varient selon les régimes : à l'Arrco, il existe une distinction entre les droits acquis avant 1999 (mise en place du régime unique), et ceux acquis après cette date, pour lesquels les mécanismes de calcul ont été unifiés. Actuellement, le régime attribue soit une majoration de 5 % des pensions servies pour un allocataire ayant eu ou élevé trois enfants ou plus, soit une majoration de 5 % des pensions servies pour enfant à charge. À l'Agirc, le régime attribue une majoration de 10 % des pensions (hors taux de service) à partir de trois enfants élevés, et jusqu'à 30 % pour sept enfants et plus.

22 Seulement 3,2 % des retraités bénéficient d'une majoration pour enfants à charge à l'Arrco. Le dispositif de majoration pour enfant à charge n'existe pas à l'Agirc.

En 2007, 31 % des hommes retraités sont concernés, contre 23 % des femmes. Ces écarts vont en se réduisant au fil des générations. À l'Arrco, 15 % des femmes de plus de 85 ans bénéficient d'une majoration pour enfants nés ou élevés, contre 29 % des hommes. Ces chiffres sont respectivement de 34 % et 36 % pour les moins de 65 ans.

La pension moyenne des retraités masculins bénéficiaires de ce dispositif est de 350 euros, soit un montant pratiquement équivalent à la pension moyenne des non-bénéficiaires (écart de 5 %). En revanche, pour les femmes, les majorations ne compensent pas le déficit de droits acquis consécutif au statut de mère de famille nombreuse : avec 160 euros après majoration, les retraitées bénéficiaires de ce dispositif à l'Arrco perçoivent en moyenne une pension égale à 80 % de celle des non-bénéficiaires.

Graphique 5. Pensions moyennes par genre des bénéficiaires et des non-bénéficiaires de la majoration pour enfants élevés à l'Arrco en 2007

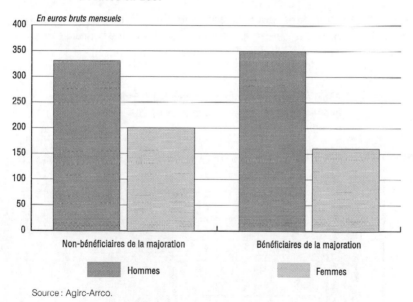

Source : Agirc-Arrco.

Un dispositif qui contribue plutôt à améliorer les pensions des hommes, surtout à l'Agirc

Côté Agirc, les différences entre hommes et femmes sont encore plus marquées pour les 0,54 million de retraités de droits directs concernés par ce dispositif. Ainsi, 34 % des hommes à l'Agirc bénéficient de la majoration pour enfants nés ou élevés, contre seulement 18 % des femmes.

243

L'accès au statut cadre semble encore peu répandu chez les mères de famille nombreuse pour les générations récentes : si la part des hommes cadres bénéficiant de majorations familiales baisse régulièrement (40 % des anciens cadres masculins de plus de 85 ans bénéficient de cette majoration contre seulement 28 % des moins de 65 ans), ce taux demeure stable chez les femmes, entre 14 et 20 % selon les générations.

Pour les nouvelles générations, être mère de famille nombreuse a moins d'incidences sur la durée de carrière que pour les anciennes générations, même s'il reste encore des écarts importants en termes salariaux entre hommes et femmes.

À l'Agirc, pour les retraités hommes bénéficiaires de ce dispositif, les pensions moyennes sont de 1 057 euros, soit 137 % de celle des non-bénéficiaires. À l'Agirc, les femmes retraitées disposant de la majoration pour enfants perçoivent des allocations plus faibles que celles n'en bénéficiant pas : avec 316 euros après majoration, leur pension représente 89 % de celle des non-bénéficiaires.

Ainsi, les majorations pour enfants élevés améliorent les pensions masculines de droits directs alors qu'en moyenne leurs droits bruts ne sont pas minorés par le statut de père de famille nombreuse.

Graphique 6. Pensions moyennes par genre des bénéficiaires et des non-bénéficiaires de la majoration pour enfants élevés à l'Agirc en 2007

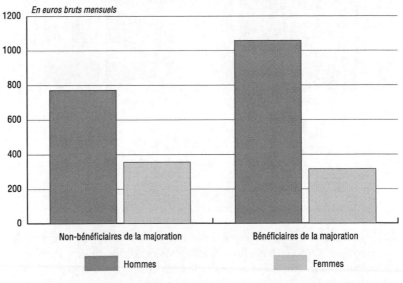

Source : Agirc-Arrco.

Conclusion

L'Arrco et l'Agirc gèrent la retraite complémentaire obligatoire de l'ensemble des salariés du secteur privé. En 2007, 11,4 millions d'allocataires perçoivent une pension de l'Arrco, dont 2,3 millions d'anciens cadres, qui perçoivent en plus une pension de l'Agirc. La moyenne des pensions versées par l'Arrco et l'Agirc aux allocataires est de 411 euros par mois (droits directs, droits dérivés et avantages annexes). Elle est de 562 euros pour les hommes et de 279 euros pour les femmes.

Outre la différence selon le genre, la dispersion des pensions Arrco s'explique par la diversité des situations en termes de durée de cotisation dans le régime. Ainsi, la pension moyenne des seules populations «monopensionnées» du régime Arrco s'établit à 379 euros mensuels en 2007, soit 40% de plus que pour l'ensemble des pensionnés du régime (271 euros), les femmes étant particulièrement concernées par cet écart (rapport de 1 à 2).

Ces écarts s'expliquent également par la diversité des carrières entre cadres et non-cadres. Ainsi, huit retraités sur dix n'ont jamais été cadres. En moyenne, la pension Arrco d'un non-cadre s'élève à 221 euros et représente 82% de la pension moyenne Arrco toutes catégories confondues. À l'inverse, la pension Arrco d'un ancien cadre s'établit à un niveau beaucoup plus élevé que celle d'un non-cadre (soit 520 euros) et représente le double de la pension moyenne Arrco globale.

Par ailleurs, les pensions des cadres sont très nettement améliorées par le régime Agirc. Au total, la pension moyenne d'un cadre (Arrco+Agirc) est près de six fois plus importante que celle d'un non-cadre (1 270 euros mensuels contre 221 euros).

Enfin, le dispositif des majorations familiales contribue plutôt à améliorer les pensions des hommes, surtout à l'Agirc, alors qu'en moyenne, leurs droits bruts ne sont pas minorés par le statut de père de famille nombreuse. En revanche, pour les femmes, les majorations ne compensent pas le déficit de droits acquis consécutif au statut de mère de famille nombreuse.

L'amélioration générale des pensions à l'Arrco s'accompagne d'une réduction de l'écart entre hommes et femmes. Dans le même temps, le niveau des allocations Agirc baisse, réduisant ainsi l'écart entre cadres et non-cadres. Depuis 1993, plusieurs accords paritaires ont été signés par les partenaires sociaux. La baisse des rendements programmée par ces accords a, pour le moment, été compensée par l'augmentation des taux de cotisation, au moins à l'Arrco. À l'avenir, cette baisse des rendements devrait peser plus négativement sur le niveau des nouvelles pensions liquidées.

■ Bibliographie

BERTON F., HUIBAN J.-P., NORTIER F., 2008, « Les carrières salariales françaises du secteur privé sur longue période : des fonctions de gains aux carrières types », Caisse des dépôts et consignations, séminaire scientifique international, Bordeaux, 17 novembre, 28 p.

BOURBON S., 2008, « Majorations familiales Agirc et Arrco : quelles conséquences pour les retraites ? », *Revue Retraite Complémentaire Agirc-Arrco*, n° 17, 1er trimestre, 3 p.

BURRICAND C., DELOFFRE A., 2006, « Les pensions perçues par les retraités fin 2004 », *Études et Résultats*, n° 538, 8 p.

DUPEYROUX J.-J., 2005, *Droit de la Sécurité sociale*, Éditions Dalloz.

KOUBI M, 2004, « Les carrières salariales par cohorte de 1967 à 2000 », *Économie et Statistique*, n° 369-370.

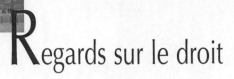

Regards sur le droit

Indexation des pensions du régime général

Isabelle Bridenne, Cécile Brossard,
Sylvie Chaslot-Robinet, Cnav

À l'instar des autres régimes de retraite obligatoires de base et complémentaires, le régime général dispose d'un arsenal juridique varié concernant les revalorisations en matière de retraite. En effet, plusieurs types de revalorisations sont mis en œuvre : la revalorisation des prestations servies, pensions et minima sociaux ; celle des salaires reportés au compte de l'assuré, qui servent de base de calcul de la pension[1] ; ou encore celle du salaire plafond, qui constitue l'assiette maximum de cotisations. La revalorisation des pensions, désormais inscrite dans le Code de la Sécurité sociale en son article L.161-23-1, prévoit que l'indice de référence retenu est celui de l'évolution des prix. Le même indice est utilisé pour revaloriser les salaires au compte de l'assuré[2]. En revanche, le salaire plafond est revalorisé selon l'évolution du salaire annuel moyen. Seule la revalorisation des pensions servies sera examinée ici.

Cette disposition réglementaire, qui consiste à revaloriser les pensions versées aux retraités peut, *a priori*, apparaître comme une simple procédure technique. Néanmoins, elle conditionne l'évolution du niveau de vie des retraités et ses modalités de mise en œuvre ne sont pas neutres. La revalorisation des pensions servies répond à des objectifs précis et est soumise à des logiques et contraintes qui ont évolué au fil du temps.

Du fait de l'inflation, une retraite non revalorisée perdrait de sa valeur et entraînerait une baisse de pouvoir d'achat pour les pensionnés au cours de leur retraite. Pour éviter ce phénomène, le principe de la revalorisation des pensions a été introduit

---

1 Calcul du salaire annuel moyen en application de l'article R.351-29 du Code de la Sécurité sociale.

2 L'article L.351-11 relatif aux salaires servant de base au calcul des pensions énonce qu'ils sont revalorisés chaque année, par application du coefficient visé à l'article L.161-23-1.

dans la législation par la loi du 23 août 1948[3], modifiée par la loi du 3 février 1950[4]. Cependant, derrière un même principe de revalorisation, les objectifs peuvent différer.

Il peut s'agir d'assurer la parité de pouvoir d'achat entre actifs et retraités. Dans cette optique, les gains de productivité dont bénéficient les salariés à travers la progression de leur salaire sont en partie redistribués aux retraités. L'objectif est de maintenir ainsi le niveau de vie des retraités au regard de la croissance et de l'enrichissement de la société : « en redistribuant une fraction des gains de productivité annuels *via* la revalorisation, il s'agit de préserver la capacité de consommation des retraités tant par rapport à leur niveau antérieur durant leur vie que par rapport à celle de leurs contemporains actifs » (Vernière, 2001). Selon cette logique de redistribution, les pensions suivent l'évolution des salaires perçus par les cotisants.

Un autre objectif peut être visé, consistant à maintenir le pouvoir d'achat de la pension versée tout au long de la retraite, sans connexion avec l'évolution des salaires perçus par les actifs cotisants. Dans ce cas, les pensions suivent l'inflation.

La revalorisation des pensions peut donc se faire selon des modalités très diverses en fonction des objectifs poursuivis et du contexte. Depuis la création du régime général, une grande diversité de clauses d'indexation des pensions a été appliquée, non sans effet sur le niveau de vie des retraités. Pour bien comprendre l'évolution de l'indexation des pensions versées par le régime général, il est intéressant d'identifier, dans une première partie, les différents facteurs qui déterminent les clauses d'indexation. Dans une seconde partie seront analysées les incidences de ces revalorisations sur l'évolution du niveau de vie des retraités.

La diversité des clauses d'indexation des pensions au cours du temps

Les clauses d'indexation sont définies par différents facteurs : la base juridique qui encadre ces revalorisations, leur date d'effet, le mode de calcul du coefficient de revalorisation, et les règles d'ajustement de ces coefficients. Selon les périodes, ces différents

---

3 Articles 71 et 120 de la loi n° 48-1306 du 23 août 1948 portant modification du régime de l'assurance vieillesse.

4 L'application stricte de la loi conduisait à des anomalies du fait que les pensions déjà attribuées ne pouvaient être revalorisées que sous condition d'âge. Cette dernière a été supprimée par la loi du 3 février 1950.

éléments ont évolué de façon non négligeable. Un certain flou a été maintenu durant de nombreuses années, avec des règles d'indexation non systématiques, fixées par arrêté et parfois complétées par des coups de pouce, et des modalités de calcul de l'indice de référence parfois peu explicites. Depuis la loi de 1993, le mécanisme de l'indexation des pensions a été précisé ; il suit à présent l'indice prévisionnel des prix à la consommation (hors tabac), avec un ajustement compensant les éventuels écarts entre prévision et réalisation.

Un principe de revalorisation des pensions assis sur des bases juridiques variables

Les premiers textes législatifs prévoyaient la revalorisation des pensions par application de coefficients fixés par arrêté ministériel, après consultation du Conseil supérieur de la Sécurité sociale. Ces dispositions ont été codifiées aux termes de l'ancien article L.351-11 du Code de la Sécurité sociale. Le principe de revalorisation par arrêté a été appliqué jusqu'en 1986, excepté dans certains cas où le législateur a estimé devoir décider lui-même des revalorisations. Il en a été ainsi entre 1949 et 1951[5].

De 1987 à 1992, l'indexation des pensions a été fixée par la loi. En effet, le Conseil d'État a annulé le 25 juin 1986 un arrêté de revalorisation du 28 décembre 1984, en fondant sa décision sur l'absence de décret définissant l'indice de revalorisation.

Depuis 1993, les revalorisations successives ont à nouveau été fixées par arrêté, excepté de 1999 à 2003, années durant lesquelles le dispositif de revalorisation a été régi par les lois de financement de la Sécurité sociale[6]. Depuis 2004, les textes prévoient une revalorisation fixée par arrêté, soumis pour avis aux seuls conseils d'administration des caisses nationales de Sécurité sociale.

Les revalorisations ont été effectuées tantôt par des lois, simples ou de financement de la Sécurité sociale, tantôt par de simples arrêtés. Selon les moyens juridiques utilisés, la procédure implique plus ou moins de discussions, ce qui n'a pas été sans incidence sur les revalorisations décidées au cours du temps.

---

5 Lois des 24 février 1949, 3 février 1950 et 27 mars 1951.

6 Lois de financement de la Sécurité sociale, n° 98-1194 du 23 décembre 1998 et suivantes.

La date d'effet (ou périodicité) de la revalorisation

La périodicité des revalorisations a été variable selon les époques : parfois une seule revalorisation avait lieu dans l'année, alors qu'à d'autres périodes, deux revalorisations étaient réalisées. Cette périodicité ainsi que la date d'effet de la revalorisation ont également été déterminantes.

La loi de 1948 précitée prévoyait que la revalorisation soit fixée au 1er avril de chaque année. À compter de 1974, à la revalorisation annuelle du 1er avril s'est substituée une double revalorisation, la première prenant effet au 1er janvier et la seconde au 1er juillet[7].

La loi du 22 juillet 1993[8] a de nouveau modifié le système de revalorisation : les pensions sont revalorisées au 1er janvier de chaque année. Et récemment, la loi de loi de financement de la Sécurité sociale de 2009 a changé la date d'effet de la revalorisation, celle-ci étant décalée au 1er avril de chaque année, afin de garantir une réactivité et une précision plus importantes vis-à-vis des taux d'inflation (cf. encadré 1, p. 252).

Le passage d'une revalorisation unique à des revalorisations multiples ainsi que les changements de date d'effet ne sont pas neutres sur le montant des pensions annuelles perçues par un retraité. Ainsi, un retraité percevant 1 000 euros par mois au 31 décembre de l'année n-1, percevra au total sur l'ensemble de l'année n, 12 240 euros dans le cas d'une revalorisation de 2 % au 1er janvier contre 12 120 euros dans le cas d'une revalorisation de 2 % au 1er juillet. Les dates et la fréquence des revalorisations influent sur les montants perçus dans l'année.

---

7 Principe introduit par le décret n° 73-1212 du 29 décembre 1973, modifiant certaines dispositions relatives à la Sécurité sociale, modifié par le décret du 29 décembre 1982.

8 Loi n° 93-936 du 22 juillet 1993 et décret n° 93-1023 du 27 août 1993 codifiés aux articles L.351-11 et R.351-29-2 du Code de la Sécurité sociale.

Encadré 1. D'un indice prévisionnel à un véritable principe d'ajustement

Un principe d'ajustement a été introduit par le décret du 29 décembre 1973 par le biais de deux revalorisations dans l'année. Le taux de revalorisation prenant effet au 1er janvier est égal à la moitié du taux global intervenu au cours de l'année précédente. Au 1er juillet, le coefficient est fixé d'après le salaire moyen des assurés. Le coefficient du 1er janvier ne constitue qu'une avance sur la revalorisation à intervenir au 1er juillet.

Le décret du 29 décembre 1982 prévoit que la revalorisation intervient chaque année à titre provisionnel avec un ajustement : si le taux s'avère inférieur ou supérieur à la prévision, il est procédé à un ajustement au 1er janvier de l'année suivante.

La loi du 22 juillet 1993[9] a modifié l'indice de référence, comme indiqué précédemment, mais également le système d'ajustement : si l'évolution prévisionnelle des prix est différente de celle initialement prévue, il est procédé à un ajustement pour garantir la parité entre l'évolution des pensions et celle des prix.

Cela se traduit par une double revalorisation : dans la mesure où il n'est pas possible de connaître avec exactitude l'évolution des prix pour l'année à venir, le second coefficient de revalorisation permet de tenir compte de l'écart constaté entre l'évolution prévisionnelle du 1er janvier et l'évolution réelle des prix.

Ce dispositif devait être applicable pour cinq ans à compter du 1er janvier 1994. Au terme de ce délai, le Parlement se trouverait obligatoirement saisi pour apprécier s'il convenait de modifier ou proroger ce mode d'indexation. En outre, le même texte prévoyait la possibilité d'un ajustement exceptionnel au 1er janvier 1996 afin de faire participer les retraités aux progrès de l'économie.

Le dispositif actuel issu de la loi de 2003 a maintenu le mécanisme d'ajustement : si l'évolution constatée des prix est différente de celle initialement prévue, il est procédé à un ajustement pour l'année suivante.

Mais, pour mettre en œuvre cet engagement, un indicateur rapproche l'évolution des prix et la revalorisation des pensions des principaux régimes de base et complémentaires. Cette garantie a été effective dans le régime général et la Fonction publique entre 2003 et 2007, ainsi que dans les deux régimes complémentaires de salariés Agirc et Arrco[10].

De plus, le législateur peut déroger à ces mécanismes comptables, sur proposition d'une conférence nationale réunissant les partenaires sociaux, en proposant une correction du taux de revalorisation dans le cadre du Projet de loi de financement de la Sécurité sociale suivant.

La loi prévoit, en effet, qu'une correction puisse être proposée au Parlement par une conférence tripartite se réunissant tous les trois ans, et dont l'objectif est de faire le point sur l'application des règles de revalorisation des pensions. Celle-ci s'est tenue pour la première fois le 20 décembre 2007 : il est apparu que la revalorisation initiale de 1,1 % au 1er janvier 2008 était insuffisante pour couvrir l'inflation. Sans attendre le 1er janvier 2009, tel que prévu par les textes, la règle de revalorisation avec ajustement en fonction des erreurs passées de prévision a donc été appliquée avec effet au 1er septembre 2008 (revalorisation de 0,8 %). En outre, la loi de financement de la Sécurité sociale pour 2009 a modifié la date de revalorisation en la décalant au 1er avril de l'année[11].

---

9 Loi n° 93-936 du 22 juillet 1993 et décret n° 93-1023 du 27 août 1993 codifiés aux articles L.351-11 et R.351-29-2 du Code de la Sécurité sociale.

10 « Programmes Retraites-indicateur n° 1-3 : évolution des prix et revalorisation des pensions » ; Conférence tripartite du 20 décembre 2007.

11 Loi n° 2008-1330 du 17 décembre 2008 de financement de la Sécurité sociale pour 2009.

Le choix du coefficient de revalorisation

Le facteur le plus déterminant dans l'indexation est le coefficient de revalorisation. Celui-ci est fixé en fonction de deux paramètres: l'indice choisi comme référence, dont le rôle est prépondérant, et la période de référence prise en compte pour mesurer l'évolution dudit indice. Depuis 1948, il se dégage deux périodes de revalorisation: celle qui va de 1948 à la fin des années 1980, où l'indice de référence est globalement l'évolution du salaire moyen des cotisants; puis celle où l'inflation sert de référence.

Le législateur entendait dès 1948 donner « des garanties positives tout en ne compromettant en rien l'équilibre financier de l'assurance vieillesse, puisque la revalorisation est directement fonction des cotisations encaissées et donc des recettes même de l'assurance vieillesse, cette mesure n'[étant] du reste qu'une application normale des principes de répartition »[12]. L'indice de référence a ainsi été fixé sur l'évolution du salaire moyen des assurés, considérée comme celle du rapport entre la masse salariale et l'effectif des assurés.

Après plusieurs décrets modificatifs, ce sont véritablement ceux des 26 et 28 avril 1965 qui ont défini précisément le mode de calcul de l'indice de référence. Le salaire annuel moyen des assurés correspondait au salaire qui entre en compte pour le calcul des cotisations, à savoir le salaire plafond soumis à cotisations. Le calcul s'effectuait en fonction du montant moyen des indemnités journalières de l'assurance maladie services au cours de la période du 1er janvier au 31 décembre de chacune des années de référence[13].

Le décret du 29 décembre 1982[14] a supprimé la référence au salaire moyen plafonné des assurés sociaux, pour retenir le salaire brut moyen annuel par tête versé par les entreprises non financières non agricoles (ENFNA) prévu pour l'année considérée par le rapport annexé à la loi de finances.

---

12 Exposé des motifs de la loi n° 48-1306 du 23 août 1948 portant modification du régime de l'assurance vieillesse, à propos de l'institution des revalorisations.

13 Ces indemnités correspondent nécessairement sur une année civile à des arrêts de travail inférieurs ou égaux à trois mois. La modification des dates de revalorisation par le décret du 29 décembre 1973 a impliqué ensuite de retenir les 12 mois précédant le 1er avril des années de référence.

14 Décret n° 82-1141 du 29 décembre 1982 modifiant les modalités de revalorisation de divers avantages de vieillesse, d'invalidité et d'accident du travail.

De 1983 à 1986, les pensions ont donc été revalorisées en fonction du taux d'évolution de l'indice précité. Néanmoins, le décret de 1982 susmentionné comportait une lacune dans la mesure où il ne précisait pas comment devait être déterminée l'évolution du salaire brut moyen par tête. C'est la raison pour laquelle le Conseil d'État a considéré qu'en l'absence de décret définissant le salaire annuel moyen, l'arrêté de revalorisation du 28 décembre 1984 était entaché d'incompétence[15]. Suite à cet arrêt, la revalorisation du 1er juillet 1986 prévue par arrêté du 27 juin 1986 a été annulée par décret[16].

C'est au moment de cette annulation que les pouvoirs publics ont substitué une nouvelle indexation basée sur les prix. Cette substitution a été opérée sans que soient modifiées les règles législatives et réglementaires. Ainsi, de 1987 à 1992, les coefficients applicables aux 1er janvier et 1er juillet ont été fixés par des lois, en valeur absolue, sans que soient précisées les modalités de calcul, par référence à l'évolution prévisionnelle des prix à la consommation[17]. Dans les faits, la revalorisation s'est trouvée inférieure à ce qu'elle aurait dû être en application du décret du 29 décembre 1982[18]. D'ailleurs, une analyse du rapport de la Cour des Comptes de juillet 1992 montre que l'évolution des pensions de 1983 à 1992 a été inférieure aussi bien à celle des salaires nets[19] qu'à celle des prix.

Face aux pratiques des années 1987 à 1992 et à l'érosion du pouvoir d'achat des retraités, le législateur a défini de nouvelles règles d'indexation lors de la réforme des retraites de 1993 : à partir de 1994, les pensions[20] ont été revalorisées en fonction de l'indice prévisionnel des prix à la consommation (hors tabac) déterminé par l'Insee.

---

15 Voir décision du 25 juin 1986 précitée.

16 Décret n° 86-783 du 27 juin 1986.

17 Lois n° 87-39 du 27 janvier 1987, n° 88-16 du 5 janvier 1988, n° 89-18 du 13 janvier 1989.

18 Intervention au Sénat de Guy Besse le 8 juin 1989.

19 Voir analyse figurant dans le rapport Jacquat n° 1152.

20 Ainsi que les salaires portés au compte servant de base au calcul des pensions.

De 1999 à 2003, le dispositif de revalorisation a été régi par les lois de financement de la Sécurité sociale[21]. Puis, la loi portant réforme des retraites de 2003[22] a modifié le mécanisme de revalorisation en créant un article L.161-23-1 dans le Code de la Sécurité sociale. Il prévoit que le coefficient annuel de revalorisation des pensions du régime général et des régimes alignés soit fixé par arrêté du ministre chargé de la Sécurité sociale, conformément à l'évolution prévisionnelle des prix à la consommation hors tabac, prévue dans le rapport économique, social et financier annexé à la loi de finances.

Ainsi, depuis le 1er janvier 2004, la revalorisation des pensions est identique chaque année pour les régimes de base, les régimes alignés et la Fonction publique. Elle est ajustée au 1er janvier sur l'évolution prévisionnelle des prix (hors tabac) annexée à la loi de finances.

Du fait d'écarts entre l'évolution prévisionnelle des prix et l'évolution finalement constatée, un principe d'ajustement a été introduit à partir de 1993 (*cf.* encadré 1, p. 252). Ces dernières années, au regard de l'évolution des prix et de la procédure d'ajustement, la revalorisation des pensions du régime général a été la suivante.

Tableau 1. Coefficient de revalorisation des pensions et évolution annuelle des prix

	2004	2005	2006	2007	2008
Coefficient de revalorisation des pensions au titre de l'année *n*	1,017	1,02	1,018	1,018	1,011 et 1,008*
Évolution annuelle des prix hors tabac définitifs pour l'année *n* (Insee)					
Évolution de l'indice moyen annuel (moyenne des douze indices mensuels)	1,7%	1,7%	1,7%	1,5%	n.d
Évolution de l'indice de décembre *n* par rapport à l'indice de décembre *n-1*	1,9%	1,6%	1,5%	2,5%	1,0%

Source : Insee et Cnav.

* Revalorisation anticipée effectuée en septembre 2008 dans la mesure où la revalorisation effectuée au 1er janvier 2008 a été jugée insuffisante au regard de l'inflation constatée dans le courant de l'année 2008.

N.d : non disponible.

---

21 Loi n° 98-1194 du 23 décembre 1998.

22 Loi n° 2003-775 du 21 août 2003 portant réforme des retraites.

La diversité des clauses d'indexation au cours du temps révèle une hétérogénéité des pratiques et illustre la diversité des objectifs poursuivis. Les changements ne sont évidemment pas sans conséquences sur le niveau de pension des retraités.

Les impacts des règles d'indexation sur le niveau de vie des retraités

Depuis la mise en place du régime général, les règles d'indexation ont évolué. Outre la période charnière 1987-1992, deux périodes apparaissent compte tenu des dispositifs juridiques mis en place : avant 1987, l'indexation des pensions a été supérieure à l'inflation et après, elle a été proche de l'évolution des prix (*cf.* graphique 1).

Graphique 1. Évolution comparée des revalorisations annuelles des pensions, du plafond de la Sécurité sociale et de l'indice des prix (hors tabac – Insee)

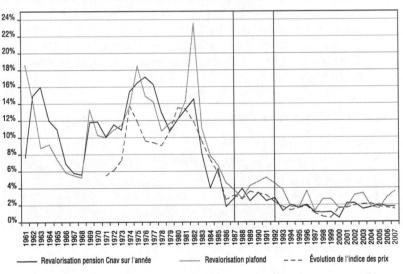

Source : Cnav.

L'évolution du niveau de vie des retraités au cours de leur retraite va être dépendante de ces règles d'indexation. D'autres éléments influencent ce niveau de vie, tels que l'évolution des autres sources de revenu, mais qui demeure limitée, ou encore le décès d'un des conjoints (*cf.* avant-propos du numéro). Dans la suite, par simplification, l'évolution du niveau de vie des retraités sera assimilée à celle de l'indexation des pensions.

Objectif de la parité de niveau de vie entre retraités et actifs

Jusqu'en 1986, la revalorisation des pensions était globalement indexée sur l'évolution du salaire des cotisants, avec des nuances selon les périodes en fonction de l'indice de référence fixé. La philosophie de ce principe était de considérer les retraités de la même manière que les actifs en vertu du principe de solidarité entre actifs et retraités et de redistribuer ainsi une partie de la croissance à ces derniers par le biais des revalorisations de pension. Dans cette optique, leur pouvoir d'achat progresse à un rythme parallèle à celui des actifs. Il apparaît ainsi dans le graphique 1 que sur la période allant de 1948 à 1987, la revalorisation annuelle des pensions de la Cnav est supérieure à l'évolution des prix et relativement proche, parfois même supérieure, à la revalorisation annuelle du plafond de la Sécurité sociale. Ce plafond, fixant l'assiette de cotisation à l'assurance vieillesse, progresse globalement comme le salaire moyen des cotisants du régime général (*cf.* encadré 2, p. 258) et donne donc une approximation de l'évolution du pouvoir d'achat des salariés.

Ainsi, le salaire moyen évoluant plus rapidement que les prix sur cette période, la retraite du régime général a crû plus fortement que l'inflation : entre 1970 et 1985, l'inflation annuelle moyenne a été de l'ordre de 9 % contre, sur la même période, une évolution annuelle moyenne de 12 % de la pension et du plafond de la Sécurité sociale. C'est dans ces conditions qu'un mécanisme provisionnel a été mis en place[23] en 1982 pour finalement conduire, en 1986, à l'abandon de l'indexation sur le salaire moyen. Ceci a constitué une rupture avec l'ancienne référence.

---

23 Décret du 29 décembre 1982 précité.

> ### Encadré 2. Indexation du plafond de la Sécurité sociale
>
> Les salariés cotisent à l'assurance vieillesse sur leur salaire limité au plafond de la Sécurité sociale. La règle d'un maximum d'assiette de cotisations appelé communément « plafond » a été instituée en 1935 et reprise en 1945. Ce texte a subi plusieurs modifications[24]. Un décret de 1962 a repris les principes de consultation des organisations syndicales et d'une variation en fonction de l'indice général des salaires mis en place en 1952[25] en en précisant les modalités. Un nouveau principe est posé : la révision annuelle du plafond.
>
> L'indexation n'a été respectée que jusqu'en 1973, l'indice général des salaires n'étant pas considéré comme représentatif.
>
> En 1982, de nouvelles dispositions sont prises[26] : le plafond annuel applicable est fixé par décret au 1er janvier et 1er juillet de chaque année, compte tenu de l'évolution annuelle des salaires. Cette indexation n'est pas mesurée par un indice ; elle peut être estimée en fonction de l'évolution du taux de salaire horaire des ouvriers ou de l'évolution prévisionnelle du salaire moyen par tête des salariés des entreprises non financières non agricoles. En général, c'est ce dernier critère qui a été retenu, par lettre ministérielle.
>
> Actuellement, les textes prévoient une revalorisation annuelle unique[27], fixée depuis 2005 par arrêté, soumis pour avis aux seuls conseils d'administration des Caisses nationales de Sécurité sociale[28]. Le montant annuel du plafond est fixé pour chaque année civile en fonction de l'évolution moyenne des salaires *(n-1)* avec un mécanisme d'ajustement lors de la détermination du plafond pour l'année suivante *(n+1)*. L'évolution des salaires retenue correspond à celle prévue dans le rapport économique et financier annexé au projet de loi de finances, remplacée en 2003 par l'évolution attendue dans un rapport sur la situation et les perspectives sociales et financières de la Nation. En 2008, le plafond annuel a été revalorisé de +3,4 %. Il était fixé à 33 276 euros.

Obectif de la garantie du pouvoir d'achat

De 1987 à 1992, période charnière, les coefficients de revalorisation de la pension ont été fixés par référence à l'évolution prévisionnelle des prix à la consommation, sans procédure d'ajustement au regard de l'inflation constatée. Les revalorisations se sont finalement trouvées très proches de l'évolution des prix, avec même une légère érosion des pensions sur la période.

---

24 Ainsi, en 1946 il a été prévu que le plafond serait désormais fixé par décret. La loi du 23 août 1948 a lié les variations du plafond à celles de la législation sur les salaires mais cette disposition n'a jamais été appliquée.

25 Loi n° 52-401 du 14 avril 1952 – ancien article L.119 du Code de la Sécurité sociale.

26 Loi n° 82-1 du 4 janvier 1982 et décret n° 82-542 du 29 juin 1982 repris aux articles L.241-3 et D.242-16 à D.242-19 du Code de la Sécurité sociale.

27 Décret n° 96-1169 du 27 décembre 1996.

28 Ordonnance 2005-804 du 18 juillet 2005 (article 7).

Pour cette raison, la loi de 1993 précitée a garanti la parité d'évolution entre les taux prévisionnels et les évolutions constatées des prix, en mettant en place un système d'ajustement en cas d'écart. Depuis cette réforme, les revalorisations appliquées entre 1994 et 2003 ont entraîné une augmentation des pensions de 1,6 % par an en moyenne, contre une progression annuelle moyenne de l'inflation de 1,5 %. Cet objectif de maintien du pouvoir d'achat, à travers le choix de l'indexation sur les prix, a été confirmé par la loi du 21 août 2003[29] et réaffirmé récemment par la loi de financement de Sécurité sociale pour 2009. Afin de garantir davantage de réactivité pour mettre fin aux possibles décalages entre prévision et inflation réelle, cette loi a modifié la date de revalorisation en la décalant au 1er avril de l'année[30]. En effet, des imperfections ont été mises en évidence en 2007[31] : l'inflation réalisée pour une année donnée n'étant constatée qu'en début d'année suivante, l'ajustement demeure fondé sur une prévision d'inflation et ne permet pas de garantir le maintien du pouvoir d'achat. À noter que cette nouvelle date de revalorisation coïncide avec celle des régimes complémentaires des salariés Arrco et Agirc.

Comparativement à une indexation sur le salaire moyen, l'indexation sur les prix provoque un décrochage de l'évolution des pensions par rapport aux revenus des actifs. Dans un contexte où le salaire moyen augmente plus vite que les prix, la revalorisation des pensions se révèle moindre que la croissance du salaire moyen et donc de la richesse nationale. Les retraités ont ainsi la garantie d'obtenir un niveau de pension absolu en euros constants identique tout au long de leur retraite, mais leur position relative en terme de revenus au sein de la société n'est plus assurée.

Ainsi, après quatorze années passées en retraite, la pension versée par le régime général d'un retraité parti en 1994, à l'origine égale à 50 % de la valeur du plafond de la Sécurité sociale au moment du départ en retraite, n'en représente plus que 44 % en 2007. Sur la période 1994 à 2007, la revalorisation cumulée de la pension a été de 23 %, contre 37 % pour l'évolution du plafond (*cf.* graphique 2, p. 260).

---

29 Article 27 de la loi du 21 août 2003 portant réforme des retraites.
30 Loi n° 2008-1330 du 17 décembre 2008 de financement de la Sécurité sociale pour 2009 précitée.
31 Conférence tripartite du 20 décembre 2007.

Graphique 2. Évolution comparée de l'évolution d'une pension liquidée
en 1994 et du plafond de la Sécurité sociale, base 100 en 1994

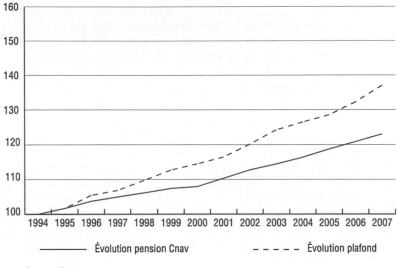

Source : Cnav.

Conclusion

Dans un régime par répartition, l'indexation des prestations traduit une solidarité entre actifs et retraités. Dans un contexte démographique favorable, il apparaissait comme « une application normale des principes de répartition »[32] de faire évoluer les pensions comme les cotisations encaissées et donc les salaires des actifs. Cette situation a été assurée jusqu'à la fin des années 1980. Depuis 1987, les coefficients de revalorisation des pensions du régime général ont plutôt suivi l'évolution des prix à la consommation.

C'est un choix qui n'est pas neutre sur le positionnement relatif des retraites dans la distribution des revenus de la société. Il conduit à une baisse relative du niveau de vie des retraités par rapport à celui des actifs. Il y a ainsi au fil du temps passé à la retraite une modification « du classement des ménages » (Blanchet, 2007). Pour illustrer ce changement de classement, Didier Blanchet a estimé, sur la base d'une croissance annuelle

[32] Exposé des motifs de la loi n° 48-1306 du 23 août 1948 portant modification du régime de l'assurance vieillesse, à propos de l'institution des revalorisations.

du salaire moyen de 1,6 % en réel, qu'une pension qui se situerait « environ 40 % au-dessus du seuil de pauvreté serait rattrapée par ce seuil en à peine plus de vingt ans ». Une revalorisation à long terme des pensions sur les prix, combinée à un taux de remplacement en baisse lors du passage à la retraite du fait des réformes, risque d'induire le mouvement inverse de celui qui s'est produit au cours des années 1970 et 1980, c'est-à-dire conduire à un décrochage du niveau de vie des retraités par rapport à celui des actifs.

« Faut-il maintenir la perspective d'une baisse tendancielle des pensions par rapport aux salaires ? » (Cornilleau, Sterdyniak, 2008) et ne pas redistribuer les gains de productivité à la population inactive des retraités ? Ou bien faut-il concevoir des clauses d'indexation au-delà de la seule fonction d'assurance qui garantit le maintien du pouvoir d'achat ? Telles sont les questions soulevées actuellement. Les réponses qui seront données se doivent d'être explicites afin de permettre aux retraités et futurs retraités d'anticiper l'évolution de leurs ressources au cours de leur retraite.

Les enjeux de l'indexation sont importants pour le niveau de vie des retraités mais aussi pour la situation du système de retraite. La revalorisation des pensions influe considérablement sur le coût des retraites. Ainsi, selon les dernières projections à long terme du Conseil d'orientation des retraites (Cor), une indexation sur les prix majorés de 0,9 point[33] conduirait à augmenter de 10 % la masse des pensions versées par les régimes. Le Cor considère que l'opportunité d'une revalorisation plus forte que l'inflation doit être appréciée en tenant compte d'une part de la situation des retraités et des actifs, et d'autre part de celle des régimes : « compte tenu de la situation financière actuelle et projetée des régimes de retraite, une mesure générale de correction du taux de revalorisation des pensions devrait être accompagnée de mesures de financement afin de ne pas compromettre le nécessaire retour à l'équilibre financier » (Cor, 2007).

L'évolution du niveau de vie et du pouvoir d'achat des retraités reste une préoccupation majeure. Le suivi de cette évolution est une des missions du Cor définies par la loi du 21 août 2003. En outre, lors de la conférence du 20 décembre 2007[34], a été

---

33 Ce qui correspond globalement à l'évolution des salaires nets.

34 Conférence tripartite précitée sur les revalorisations de pensions telle que prévue par la loi du 21 août 2003.

évoquée la possibilité de mettre en place des indicateurs pertinents de ces évolutions, dont le suivi pourrait être partagé entre le Cor et les programmes de qualité et d'efficience annexés au projet de loi de financement de la Sécurité sociale.

S'agit-il de laisser ces prérogatives à la négociation mais aussi à l'appréciation du Parlement dans le cadre des lois de financement de la Sécurité sociale, compte tenu des objectifs poursuivis et des contraintes financières du régime ? Ou serait-ce à considérer que l'indexation puisse devenir une variable d'ajustement pour maîtriser l'équilibre financier du régime à plus ou moins long terme, comme en Suède[35] ? Cependant, dans un contexte où les taux de remplacement des pensions nouvellement liquidées ont tendance à baisser du fait des différentes réformes entreprises dans les régimes de base et complémentaires[36], des choix pouvant entraîner de moindres revalorisations ne seraient pas sans conséquences sur d'autres dépenses publiques. Une érosion des pensions versées pourrait avoir des incidences sur les dépenses, à travers l'accroissement du nombre de ménages de retraités vivant sous le seuil de pauvreté ou encore des besoins de financement liés à la dépendance. Ainsi, la question de l'indexation des pensions, question au premier abord technique, est loin d'être anodine et se doit d'être considérée dans sa globalité, au-delà des régimes d'assurance vieillesse.

---

35 En Suède, « la clause d'indexation des pensions est ajustée automatiquement à la baisse quand l'équilibre actuariel du régime n'est plus assuré » (Cor, 2002).

36 Voir à ce sujet le rapport du Cor de 2006.

■ Bibliographie

BLANCHET D., 2007, « Évolution de la pauvreté et des inégalités parmi les retraités en France », *Santé, société et solidarité*, n° 1, p. 107-114.

CONSEIL D'ORIENTATION DES RETRAITES, 2007, « Retraites – Questions et orientations pour 2008 », *Quatrième rapport*, La Documentation française, 211 p.

CONSEIL D'ORIENTATION DES RETRAITES, 2002, « Exemples étrangers en matière d'indexation des pensions », document de travail pour la réunion plénière du 4 avril 2002, 2 p.

CORNILLEAU G., STERDYNIAK H., 2008, « Retraites, les rendez-vous de 2008 », *Lettre de l'OFCE*, n° 297, 8 p.

VERNIÈRE L., 2001, « Le choix des clauses d'indexation des pensions de retraite », *Questions retraite*, n° 2001-1944, 25 p.

Décret n° 86-783 du 27 juin 1986.

Décret n° 73-1212 du 29 décembre 1973 modifiant certaines dispositions relatives à la Sécurité sociale par le décret n° 82-1141 du 29 décembre 1982 modifiant les modalités de revalorisation de divers avantages de vieillesse, d'invalidité et d'accident du travail.

Lois n° 87-39 du 27 janvier 1987, n° 88-16 du 5 janvier 1988, n° 89-18 du 13 janvier 1989.

Loi n° 93-936 du 22 juillet 1993 et décret n° 93-1023 du 27 août 1993.

Loi n° 2008-1330 du 17 décembre 2008 de financement de la Sécurité sociale pour 2009.

Loi n° 2003-775 du 21 août 2003 portant réforme des retraites.

Loi n° 98-1194 du 23 décembre 1998 de financement de la Sécurité sociale pour 1999.

Loi n° 48-1306 du 23 août 1948 portant modification du régime de l'assurance vieillesse.

Notes de lecture...

■ Analyses critiques

Les Années fragiles. La vie au-delà de quatre-vingts ans

Christian LALIVE D'ÉPINAY, Dario SPINI (dir.), Québec,
Les **Presses de l'Université Laval**, 2008, 347 p.

Cet ouvrage collectif, publié sous la direction de Christian Lalive d'Épinay et Dario Spini avec la collaboration de Franca Armi, Jean-François Bickel, Stefano Cavalli, Myriam Girardin, Paolo Ghisletta, Luc Guillet et Édith Guilley, présente les résultats d'une étude de la *Swiss Interdisciplinary Longitudinal Study on the Oldest Old* (Swilsoo)[1]. *Les Années fragiles* font état de cinq années de recherche menées auprès d'une population d'octogénaires helvétiques du canton de Genève et du canton du Valais. Au total, 340 personnes âgées de 80 à 84 ans vivant dans un logement privé ont participé à cette étude. Au terme de cette recherche, 111 personnes sont décédées et 172 octogénaires, âgés de 85 à 89 ans, ont collaboré jusqu'à la toute fin.

À l'inverse de plusieurs travaux abordant la vieillesse exclusivement sous l'angle des pathologies, les auteurs proposent, par le biais de l'étude des parcours de vie, une monographie détaillant les diverses facettes de la vie quotidienne de personnes âgées. Cette recherche longitudinale menée chez les individus de 80 ans ne peut être comparée qu'à cinq autres études sur le sujet : l'*Octogenarian Twin Studies*, le *Kungsholmen Project* et la *Lund 80+ Study* en Suède ; la *Nuns Study* aux États-Unis ; le *Melton Mowbray Ageing Project* en Angleterre. D'un point de vue global, ces cinq études mettent en évidence des facteurs biologiques, psychologiques ou environnementaux de la vie d'octogénaires, mais aucune de ces recherches n'a étudié l'ensemble de ces facteurs. Or, les résultats publiés dans *Les Années fragiles* englobent les multiples facettes de la vie des octogénaires.

---

1 Swilsoo est réalisée par le Centre interfacultaire de gérontologie de l'Université de Genève, sous la direction de Christian Lalive d'Épinay.

Les auteurs revisitent certaines théories et hypothèses géronto-logiques. Ainsi, l'originalité de cet ouvrage réside dans la conceptualisation du grand âge en trois temporalités différentes : l'indépendance, la fragilité et la dépendance (elles seront détaillées un peu plus loin). Cette conceptualisation du grand âge s'appuie sur une analyse diachronique des trajectoires de vie et sur une analyse synchronique des *mondes de la vie quotidienne*[2]. Les auteurs présentent également à l'aide de vignettes des extraits de 29 entrevues qualitatives. En somme, ces croisements d'analyses comportent, théoriquement et empiriquement, un intérêt nouveau pour les chercheurs qui souhaiteraient approfondir cette notion de fragilité chez les vieillards.

Sommairement, l'ouvrage est divisé en trois parties, contenant dix chapitres au total. La première partie, « Le grand âge », traite d'abord de l'émergence de la grande vieillesse dans la recherche, en s'inspirant de la métathéorie du développement humain proposée par Baltes et Baltes[3]. Les auteurs décrivent ensuite leur canevas de recherche (conception et réalisation) avant de conclure sur la trajectoire historique et socio-économique de cette cohorte d'octogénaires. Cela étant, certaines questions liminaires orientent, en quelque sorte, l'architecture de l'ouvrage : « *La vieillesse débouche-t-elle aujourd'hui inexorablement sur des formes pathologiques durables ? Dans quelle mesure la recherche sur la vieillesse avancée permet-elle de produire des théories ou des hypothèses dominantes sur ces questions ?* » (p. 29).

La deuxième partie, « L'architecture du grand âge », constitue le cœur de l'ouvrage. Elle définit les notions d'indépendance, de fragilité et de dépendance. L'indépendance caractérise une personne capable d'accomplir les activités normales de la vie courante, tandis que la dépendance s'établit lorsque la présence d'incapacités fonctionnelles est décelée à travers la réalisation des actes quotidiens. Quant à la fragilité, elle constitue un état situé entre l'indépendance et la dépendance. Pour plusieurs personnes âgées, la fragilité est synonyme d'état normal pour la grande vieillesse, mais cet état n'est pas assimilable à la sénescence. Concrètement, l'état de fragilité « *affecte la résilience d'une personne* […] *et se caractérise, entre autres, par un risque plus*

---

2 Les auteurs empruntent cette notion à Schütz A. et Luckmann T., où ils définissent le *monde de vie quotidienne* par l'espace spatial et temporel au sein duquel une personne vit, s'organise et échange avec autrui.

3 Baltes P.B. et Baltes M.M. (dir.), *Successful Aging: Perspectives from the Behavioral Sciences*, New York, Cambridge University Press, 1990.

grand d'aggravation de l'état de santé» par la perte progressive des réserves physiologiques et sensorimotrices (p. 110). Ainsi définie, la fragilité s'évalue à l'aide de cinq critères : la mobilité, les troubles physiques, les capacités sensorielles, cognitives, et le potentiel énergétique. Le seuil de fragilité est déterminé selon les atteintes à ces cinq dimensions.

Sur ces bases, la première vague d'étude répertorie parmi les octogénaires 37 % d'indépendants, 51 % de fragiles et 12 % de dépendants. Cinq ans plus tard, alors que la cohorte est âgée de 85 à 89 ans, les trois statuts de santé se confirment à nouveau, bien que la population enquêtée se soit réduite de près de moitié en raison des décès et des désistements (de 340 octogénaires au début de l'étude à 172 personnes à la toute fin). Les pourcentages sont alors les suivants : 27 % indépendants, 46 % fragiles, 27 % dépendants. Selon cette étude, les trajectoires de santé ont tendance à se poursuivre à l'intérieur d'un même statut, mais pas de la même manière, ni au même rythme. En témoignent la diminution de 10 % d'octogénaires indépendants et l'augmentation de 15 % de dépendants sur une période de cinq ans. Cela dit, la fragilité est réaffirmée comme un état et non pas comme une transition brève vers la dépendance.

Toujours dans cette deuxième partie, les trajectoires de vie et les transitions de santé sont détaillées dans une perspective du paradigme des parcours de vie[4]. Finalement, les déterminants (inégalités sociales, genre, modes de vie) s'ajoutent à l'explication des transitions à l'intérieur des trajectoires de vie. En d'autres termes, les trajectoires de vie se particularisent même à l'intérieur de chacun des statuts de santé.

La troisième et dernière partie, «Les mondes de la vie quotidienne», étudie divers aspects de la vie sociale des octogénaires comme la vie familiale et relationnelle, l'entraide familiale et amicale et le recours aux services institutionnels dans la structure de l'échange, de dons et de contre-dons, ainsi que les activités de loisir et les pratiques religieuses. Finalement, les auteurs articulent la notion de fragilité avec la perception de la santé (dimension cognitive qui renvoie à l'auto-évaluation) et du bien-être (dimension affective qui englobe les affects positifs et négatifs).

4 Pour une présentation détaillée de ce paradigme, voir Lalive d'Épinay C., Bickel J.-F., Cavalli S., Spini D., 2005, « De l'étude des personnes âgées au paradigme du parcours de vie », in Mercure D. (dir.), L'analyse du social : les modes d'explication, Québec, Les Presses de l'Université Laval, p. 141-167.

Quelles que soient ses qualités, ce livre comporte des limites, dont certaines sont d'ailleurs indiquées par les auteurs eux-mêmes. Nous soulignons pour notre part que le plan d'échantillonnage ne permet pas de comparer les différentes cohortes de la vieillesse et ne permet donc pas de dresser un paysage complet des 60 ans et plus, pour ainsi repérer dans les trajectoires de vie les effets liés à l'avancement en âge. De plus, les résultats présentés ne concernent que la première étape d'une étude quinquennale. Une deuxième étape est en voie d'achèvement, qui comprend le suivi de cinq ans supplémentaires de cette cohorte.

Malgré ces réserves, on notera que les auteurs ne sombrent pas dans un discours pessimiste à l'égard de ceux qui franchissent la *barrière psychologique* des 80 ans. Ils regardent positivement le grand âge, sans pour autant d'ailleurs en avoir une vision idyllique. Il ne faut pas oublier que cette cohorte est constituée de survivants nés au début du siècle passé. À leur naissance, l'espérance de vie se situait à 60 ans pour les hommes et autour de 68 ans pour les femmes. Aujourd'hui, dans la plupart des pays industrialisés, l'espérance de vie, à la naissance, se prolonge en moyenne jusqu'à 80 ans. Rappelons que pour les auteurs, *« ce n'est pas l'âge, mais le statut de santé qui qualifie chacune de ces étapes : indépendance préservée, fragilisation, dépendance »* (p. 329). Alors, les probabilités de franchir ce seuil – en indépendance et en fragilité et, dans une moindre mesure, en dépendance – apparaissent grandes pour les futures cohortes d'octogénaires.

Par Christian Bergeron,
Université Laval, Québec

Les politiques publiques de prise en charge de la vieillesse. Une comparaison France-Japon (1962-2005)

Miyako Nakarumara Fujiromi,
Thèse de sociologie, **Université Paris 5**, 2008

Le 28 février 2008, Miyako Nakamura Fujimori soutenait, à l'Université Paris 5 Descartes, sa thèse de sociologie dirigée par Anne-Marie Guillemard. Il s'agit d'un remarquable travail de comparaison entre les politiques publiques de prise en charge de la vieillesse menées en France et au Japon depuis 1962.

Avant d'aborder cette comparaison proprement dite, l'auteur, dans son introduction générale, insiste sur la situation particulière du Japon en matière d'emploi après la retraite. Un chiffre est à cet égard très parlant. Entre 1971 et 2001, le taux d'emploi masculin du groupe des 55-64 ans est passé en France de 73 % à 41,4 %, alors qu'au Japon il est passé de 85,3 % à 77,5 %.

Ce chiffre traduit la différence de conception de la vieillesse entre les deux pays, qui se concrétise par des logiques d'action contrastées. Contrairement à la France, au Japon, la pension de retraite des travailleurs n'est considérée ni comme une garantie de ressources pour « leurs vieux jours » ni comme une régulation de la cessation de l'activité professionnelle. Cela veut dire, entre autres, que depuis les années 1960, le cumul entre travail et retraite est tout à fait légal. L'auteur affirme nettement que le mode de vie des Français implique « une vieillesse au repos » alors qu'au Japon s'est imposé le modèle d'un cumul retraite emploi qui allège le poids des dépenses sociales.

L'essentiel de cette thèse porte donc sur la comparaison des politiques de la vieillesse menées en France et au Japon, d'abord au niveau national, et ensuite à partir de leur mise en application à l'échelon local. Elle insiste aussi particulièrement sur les différences concernant la prise en charge de la « dépendance » en France et au Japon.

Du point de vue des politiques de prise en charge de la vieillesse, vue du Japon, la France apparaît comme un État-providence développé, mais considérablement moins unifié et bismarckien que ce qu'en disent les analyses qui en sont généralement présentées. Le Japon, de son côté, qui a longtemps été considéré comme un État-providence faible et surtout un État libéral dans la typologie d'Esping Andersen, apparaît comme un État-providence considérablement fort dans le domaine de la vieillesse et particulièrement dans la prise en charge de la « dépendance ». Il semble plus axé que le modèle français sur une mise à disposition de services pour la population âgée. L'auteur apporte une restriction à cette vision d'un État-providence fort au Japon : elle vaut surtout pour le « médical », le social étant davantage du ressort d'une « famille providence ».

Selon l'auteur, le Japon a mené des politiques en faveur du médical car celui-ci permet une analyse dépenses/recettes que ne permet pas le social, censé ne pas faire de bénéfices. En clair, l'investissement est plus rentable dans le médical que dans le social, d'autant plus que le médical contribue au développement de l'industrie pharmaceutique et de l'appareillage. D'où des excès de médicalisation des politiques publiques dans le champ de la prise en charge des populations vieillies, et notamment une présence importante de cette population dans les hôpitaux généraux, inadéquats à son mode de vie.

En ce qui concerne la question de la prise en charge de la « dépendance », l'auteur rappelle qu'une assurance dépendance, promulguée le 17 décembre 1997 comme cinquième mesure de sécurité sociale, est entrée en vigueur le 1er avril 2000 dans tout le pays.

Rappelons à cet égard que le vieillissement du Japon connaît un rythme accéléré depuis les années 1980. Les 75 ans et plus représentaient en 2005 10 % de la population totale, contre 8 % seulement en France.

L'originalité du Japon est que cette assurance « dépendance » a été en grande partie obtenue sous la pression des femmes revendiquant le développement des services à domicile pour les soulager dans leur rôle d'aidant et sous la pression des dirigeants d'entreprise, qui y ont vu un nouveau gisement d'investissements pour relancer l'économie. Ces entreprises ont d'ailleurs réussi à entraver la distribution des prestations en espèces destinées aux « aidants informels » au sein de la famille, prestations que délivre par exemple l'assurance dépendance allemande, et qui se concrétisent en France par l'allocation personnalisée d'autonomie (Apa). Soulignons que le mot « dépendance » se traduit et signifie en Japonais « prise en charge des personnes en perte d'autonomie ». La particularité de l'assurance japonaise, au-delà

269

de la prise en compte d'un risque mutualisé de sécurité sociale, est de couvrir tous les niveaux d'incapacité, y compris les plus faibles, permettant ainsi des actions de prévention. Alors que son niveau supérieur de financement était en 2007 de 2 279 euros par mois, contre seulement 1 190 euros pour l'Apa, le niveau le plus faible était de 316 euros par mois, contribuant à ces actions préventives que ne prévoit pas l'Apa. Il y a huit niveaux de « dépendance » dans la grille nationale du Japon.

L'assurance dépendance est gérée par les municipalités. Elle est destinée aux personnes de 40 ans et plus réparties en deux catégories : 40 à 64 ans, et 65 ans et plus. Toutes les personnes de plus de 40 ans cotisent, mais à des taux différents selon la catégorie. La prestation est demandée à la mairie de la résidence de la personne. La « dépendance » est ensuite évaluée et un plan d'aide établi par un *care manager*. Les services d'aide et de soins comportent douze catégories de services possibles, du secteur social, médicosocial ou médical. Le ticket modérateur est de 10 % du coût des prestations. Les cotisations des 65 ans et plus (environ 25 euros par mois) sont fixées par les municipalités et sont déduites des pensions de retraite. 50 % du coût total des prestations sont financés par les cotisations des retraités, les 50 % restants sont pris en charge par l'État (25 %), les départements (12,5 %) et les communes (12,5 %). En 2004, environ 3,1 millions de personnes de 65 ans et plus bénéficiaient de cette assurance, soit environ 12,5 % de cette population.

Dernière partie de cette recherche, une comparaison des politiques vieillesse à partir des politiques locales. À l'issue d'un travail minutieux d'appariement pour comparer des municipalités aux populations similaires, l'auteur a choisi deux communes plutôt favorisées, Musashino et Rueil Malmaison, et deux communes plus ouvrières, Kiryu et Sotteville-lès-Rouen.

De cette comparaison méticuleuse entre les services mis en place par ces communes, il ressort que les municipalités japonaises sont beaucoup plus innovantes dans le domaine de l'action gérontologique grâce aux mécanismes de financement. L'essentiel des services rendus par la municipalité sont les services nationaux financés conjointement par l'État, le département et la commune. Le système japonais se caractérise à la fois par une centralisation forte et une autonomie des municipalités, qui effectuent 70 % des activités de service en direction des populations âgées. Il y a donc à la fois centralisation et décentralisation, grâce notamment aux mécanismes d'autofinancement des municipalités en fonction de leurs recettes propres, provenant des taxes locales.

Les municipalités élaborent en particulier des schémas globaux qui visent à établir une société communautaire urbaine permettant aux vieilles personnes de « résider dans la joie de vivre au sein de cette commune » (Musashino). À Kiryu, le développement du soutien à domicile s'est appuyé sur les services d'aide ménagère, les centres de jour et les hébergements temporaires.

L'auteur souligne que le défi commun à venir des communes françaises et japonaises est la participation des citoyens à la vie sociale. Il semble que, tout comme en France, la loi sur les collectivités locales renforce leurs compétences et que la tendance générale à la participation des intéressés au choix des programmes de service qui les concernent se développe au Japon.

En conclusion, l'auteur affirme que les défis lancés par le vieillissement constituent un gisement d'emplois neufs et une nouvelle chance de relance économique et de développement industriel. C'est cette direction que le Japon a clairement choisie au tournant des années 1990. C'est ainsi que la loi de 1997 sur l'assurance dépendance constitue une étape importante, voire fondatrice, puisqu'elle conforte l'idée que le vieillissement est une chance et non un handicap. Ce n'est pas, semble-t-il, la position française si l'on considère les discussions actuelles sur la création d'un cinquième risque de protection sociale et, d'une façon générale, le regard négatif de la société française sur son vieillissement.

Par Bernard Ennuyer,
Directeur d'un service d'aide à domicile,
docteur en sociologie,
enseignant à l'Université Paris 5

Penser les politiques sociales. Contre les inégalités : le principe de solidarité

Pierre STROBEL, La Tour d'Aigues,
Éditions de l'**Aube**, 2008, 254 p.

Cet ouvrage rend hommage à Pierre Strobel, décédé en novembre 2006. Depuis 1999, il occupait les fonctions de chef de la MiRe (Mission Recherche, Drees, ministère en charge des Affaires sociales et de la Santé), après avoir été responsable du bureau de la recherche de la Caisse nationale des allocations familiales (1992-1998), adjoint au chef du département scientifique « Homme, travail et technologie » au ministère de la Recherche (1984-1991) et spécialiste des questions de logement à la Délégation à la recherche et à l'innovation du ministère de l'Équipement (1972-1984). Diplômé d'HEC en 1971, Pierre Strobel s'est donc très vite engagé dans une carrière d'animateur de la recherche en sciences sociales et de spécialiste des politiques sociales dans les champs de la famille, de l'exclusion et de la pauvreté, de la protection et de l'action sociales. Chemin faisant, il s'est activement investi dans la valorisation de la recherche – notamment, dans le cadre de revues telles que *Recherches et Prévisions* (Cnaf) ou la *Revue française des affaires sociales* (Drees) – dans des fonctions d'expertise au sein d'instances françaises ou européennes, ainsi que dans le soutien aux jeunes chercheurs, par divers canaux, par exemple celui de l'enseignement (Pierre Strobel a été professeur associé à l'université de Marne-la-Vallée). Dans toutes les fonctions qu'il a assurées avec la conscience, la rigueur et la grande culture générale et professionnelle qui le caractérisaient, Pierre Strobel a brillamment tenu un rôle de passeur-traducteur entre les mondes de l'administration sociale et ceux de la recherche en sciences sociales. Présenté, selon les époques et les circonstances, comme sociologue, politologue, économiste ou spécialiste en sciences juridiques, il a incarné une certaine acception de la multidisciplinarité, pensée et pratiquée sur la base d'ancrages disciplinaires spécifiés tout autant que complémentaires et en confrontation-dialogue permanent.

Une dizaine de publications de Pierre Strobel, parues entre 1995 et 2006 dans divers ouvrages ou revues, se trouvent regroupées dans ce livre conçu et réalisé grâce à l'investissement scientifique et amical de Sandrine Dauphin (adjointe au chef de la MiRe de

2003 à 2007), Lise Mingasson (rédactrice en chef de la revue *Informations sociales*) et Martine Sonnet (chargée de mission à la MiRe de 2004 à 2007). Ces auteurs ont rédigé une présentation informative et sensible du parcours, de l'œuvre et du style de Pierre Strobel dont les publications retenues ont été ordonnées en quatre parties thématiques, chacune donnant lieu à deux commentaires émanant de chercheurs et de responsables institutionnels. Ont ainsi été sollicités Étienne Marie et Jean Gadrey pour les textes relatifs à « Usagers et services », Robert Castel et Julien Damon pour les publications se rapportant à « Pauvreté et exclusion », Claude Martin et Jacques Commaille pour la partie « Les politiques familiales », Mireille Elbaum et Marie-Thérèse Letablier pour les articles abordant « La dimension sociale de l'intégration européenne ». L'ouvrage comporte également un document « militant » signé du pseudonyme de Pierre Choubersky, paru dans les *Cahiers du communisme* en 1977 et traitant de la propriété et du droit au logement (trente ans avant l'institutionnalisation du droit opposable). Suit une biographie « Pierre Strobel par lui-même » rédigée à l'occasion de la sortie de son seul écrit littéraire, *À la santé*, où il a donné libre cours à sa plume, à sa finesse d'observation, à son érudition et à son humour pour parler de son territoire urbain de proximité, le 13e arrondissement de Paris (éditions l'Escampette, 2006). Une bibliographie thématique et chronologique de ses écrits scientifiques et une bibliographie générale des auteurs cités dans les différents textes publiés clôturent le livre, en outre documenté par un consistant ensemble de notes fort éclairantes, regroupées en fin d'ouvrage.

La lecture des textes de Pierre Strobel ainsi rassemblés revêt un réel intérêt scientifique et informatif et témoigne d'une forme peu courante de densité de la pensée et d'amplitude de la réflexion. Elle incite à développer des voies et des postures de recherche synthétiques, distanciées et critiques ; de ce fait, cette lecture procure également enthousiasme et réconfort.

Penser les politiques sociales comporte un sous-titre fort adéquat : « Contre les inégalités : le principe de solidarité ». Telle est bien une des lignes de force de la réflexion déployée de texte en texte. Pierre Strobel rappelle et analyse ce que la gestion politique et technique des « affaires sociales » doit aux valeurs de solidarité et de justice redistributive historiquement instituées et en permanence débattues et reconfigurées. Plutôt que d'affirmer de manière doctrinale la primauté de ces valeurs, il s'attache à les replacer au cœur des difficultés que leur mise en application ne manque pas de susciter, tant aux échelons macro (les politiques

273

publiques) que méso (les pratiques institutionnelles) et micro (les relations « au guichet » entre employés et bénéficiaires des allocations familiales ou d'autres « services publics »). En outre, ce qui fonctionnait aux époques de mise en place des dispositifs de protection sociale (à la Libération notamment) se trouve mis en tension depuis les années 1980, du fait notamment des évolutions structurelles dans les champs de l'emploi et du travail, puis de la montée des phénomènes de précarité, de pauvreté, d'exclusion. C'est également sur un mode réaliste et pragmatique que Pierre Strobel s'interroge sur les grandes logiques à l'œuvre en matière de protection sociale : logiques assurantielle/assistancielle, publique/privée, transferts sociaux généralisés ou capitation individualisée, prestations universelles ou activées par des mécanismes de contrepartie. Quelles options retenir, à quels arbitrages procéder, que nous enseignent quant à leur bilan et leurs effets dérivés les politiques sociales mises en œuvre en France à différentes époques ou dans tel ou tel pays européen ? Autant de questionnements développés sans jamais perdre le fil d'un argumentaire profondément ancré dans une éthique politique de promotion de la solidarité et de lutte contre les inégalités. Les rapports sociaux, de classe et de place, sous-tendent toujours sa pensée, en filigrane ou en temps d'arrêt explicités. La tendance à l'instauration de dispositifs de protection sociale à deux ou trois vitesses – *a minima* pour tous – ciblés sur les plus pauvres ou les plus vulnérables – pour les classes moyennes et aisées (et à leur charge) – est présentée comme un risque pour l'assemblage républicain et citoyen des différents groupes composant la société, autrement dit pour la cohésion sociale.

Une autre ligne de force des écrits de Pierre Strobel présentés dans cet ouvrage réside dans ce que l'on pourrait nommer une pensée sociale désectorialisée (ou transectorialisée). Ainsi, les politiques familiales ne sauraient être analysées indépendamment des politiques de lutte contre la pauvreté et l'exclusion ou encore des politiques relatives aux droits des femmes et à l'égalité de traitement hommes-femmes dans les secteurs de l'emploi, de la vie publique en général, de la parenté et de la famille, de la sphère domestique et privée. De plus, elles doivent être pensées avec le souci constant de les référer à la réalité des faits et phénomènes sociaux qu'elles accompagnent et encadrent. Dans le même ordre de considérations, Pierre Strobel rappelle sans cesse la nécessité de se départir d'une vision naturalisante des « problèmes sociaux » tendant à faire porter aux individus la responsabilité de leur situation (de chômeur ou de Rmistes par exemple). C'est à ce propos notamment qu'il critique une certaine méthode dans l'approche des questions sociales portée par l'économétrie et appréciée des décideurs et des politiques. L'axe structurant de sa pensée est guidé par l'impératif de contextualisation des politiques publiques comme des comportements des individus et des groupes sociaux pour analyser, comprendre, et également pour agir. Tout en soulignant les effets pervers de certaines orientations gestionnaires des politiques sociales, Pierre Strobel adopte une position doublement engagée et concernée : en tant que promoteur-animateur de recherche en sciences sociales et en tant qu'expert-citoyen attaché à ne pas laisser se désagréger dans l'obsolescence historique les dispositifs de solidarité existants sans que des options socialement et politiquement satisfaisantes soient pensées et instituées. C'est en ouvrant sa pensée dans le temps (les évolutions amorcées et à venir) et dans l'espace (l'intégration européenne) que Pierre Strobel évoque les questions posées par l'accès aux droits sociaux, la contrepartie (le *workfare*), les inégalités, l'évolution des systèmes de protection sociale ou encore le vieillissement de la population et la prise en charge de la dépendance.

Le chercheur qui prend aujourd'hui connaissance de ces écrits et de cette pensée aux fortes vertus synthétiques et contextualisantes peut ressentir une certaine nostalgie. Ce type de plus-value analytique et scientifique ne tendrait-il pas en effet à se raréfier à une époque où les politiques tout autant que les pratiques de recherche connaissent de considérables évolutions ? Les écrits de Pierre Strobel auxquels ce livre donne accès sont d'une nature bien différente de la production actuelle caractérisant des pans entiers de la recherche en sciences sociales. Celle-ci se trouve, de fait, de plus en plus façonnée par les effets de la contractualisation, de la commande publique, des nouvelles modalités d'évaluation de la recherche et des rythmes resserrés et contraints présidant au recueil et au traitement des données empiriques. Paradoxe de ce constat (bien rapidement formulé ici), Pierre Strobel a occupé durant tout son parcours professionnel des fonctions institutionnellement inscrites dans les administrations d'État dédiées et à la recherche et aux politiques sociales, tout en ne cessant de « déboulonner » les cadrages de pensée politiquement et parfois scientifiquement (trop) corrects. D'où le sentiment d'enthousiasme et de réconfort que procurent la lecture de ses écrits et la référence à son modèle de pensée. Il revient alors aux chercheurs d'aujourd'hui et de demain de s'autoriser à naviguer « au large » et pas uniquement au plus près de démarches empiriques restreintes et plus ou moins hétéronomisées, et ce dans des contextes politico-institutionnels diversement « solidaires » (et consolidants) eu égard à la nature de leur travail : la production de connaissances construite sur

275

d'autres bases que celles propres aux acteurs des politiques sociales et à la discursivité qui est la leur. C'est bien à partir de là, comme nous l'enseignent les écrits de Pierre Strobel, que le dialogue social entre décideurs-acteurs des politiques sociales et décideurs-acteurs de la recherche peut être producteur d'une plus-value en matière de réflexion, d'analyse, de connaissance et d'action.

Les écrits de Pierre Strobel sont d'une portée scientifique précieuse et apparaissent sous-tendus par une « activation » citoyenne, dans ses composantes professionnelles et personnelles, dont on espère qu'elles ne sont pas que le produit des effets d'époque et d'appartenance générationnelle (même si elles sont aussi parcourues par tout cela). En outre, chaque texte et l'ensemble qu'ils constituent sont riches d'informations administratives et juridiques sur les politiques sociales (services publics, famille, pauvreté et exclusion, protection sociale, égalité homme-femme) aux échelons nationaux et européens, commentées et parfois actualisées par les autres contributeurs à cet ouvrage. Si ce livre n'a rien d'un manuel, il n'en détient pas moins de véritables et multiples vertus pédagogiques. Lisez-le et faites le lire autour de vous, à des étudiants, à des chercheurs juniors et seniors, à des acteurs en charge, à divers titres, des politiques sociales et des politiques de la recherche. Pour ces enseignements et cet héritage ainsi que pour l'élégance intellectuelle et humaine avec laquelle il les a formalisés et valorisés, merci à leur auteur.

Par Françoise Bouchayer[1],
Shadyc, UMR EHESS-CNRS, Marseille

1 Françoise Bouchayer, sociologue, a été chargée de mission à la MiRe jusqu'en 2003.

■ Les parutions

Philippe DAVEAU, Évelyne GUILVARD, Cnav

DE MONTALEMBERT (Marc)

La Protection sociale en France

La Documentation française, 5e édition revue et augmentée, juillet 2008, 200 p.

Les Français sont attachés à un modèle social qui a, dans une large mesure, atteint l'objectif fixé lors de la création de la Sécurité sociale en 1945. Synonyme d'accès aux soins garanti à toute la population et d'un meilleur niveau de vie pour les personnes âgées, la protection sociale s'est progressivement étendue à nombre domaines : politiques en faveur des travailleurs, de l'enfance et de la famille, des personnes handicapées ou dépendantes. Confrontée, comme l'action publique dans son ensemble, à des défis majeurs : inflation des dépenses, chômage persistant, montée de l'exclusion etc., elle n'échappe pas aux remises en question.

Mais comment s'y retrouver dans les débats, multiples, sur la protection sociale ? De nombreux enjeux : « flexisécurité », rôle respectif des différents acteurs (État, partenaires sociaux, collectivités, etc.), impact économique des politiques sociales, interrogent aujourd'hui les modalités, voire la légitimité même de la protection sociale.

Cette édition actualisée d'un ouvrage de référence se veut une synthèse, accessible et sans parti pris, sur les nombreuses réformes qui ont été opérées, ou sont à l'ordre du jour.

Bozio (Antoine), Picketty (Thomas)

Pour un nouveau système de retraite. Des comptes individuels de cotisations financés par répartition

Éditions **Rue d'Ulm**, octobre 2008, 98 p.

Le système de retraite français est morcelé, complexe, incompréhensible pour la majorité des citoyens, et sa stabilité financière à long terme est mise en cause. Il est source d'angoisse et d'incertitudes alors que sa raison d'être est d'offrir des garanties que les marchés financiers ne peuvent pas proposer. Cet opuscule part du constat que seule une remise à plat générale permettra de rétablir la confiance dans l'avenir du système public d'assurance vieillesse par répartition. Antoine Bozio et Thomas Piketty proposent une refonte complète des régimes actuels et la création d'un système unifié de comptes individuels de cotisations offrant les mêmes droits et les mêmes règles à tous les travailleurs (public, privé, non-salariés). Ce nouveau système facilite la mobilité professionnelle et garantit l'équilibre financier, grâce à une prise en compte progressive de l'augmentation de l'espérance de vie. Il avantage les plus modestes et permet de mieux cibler la solidarité vers ceux dont la carrière a subi des aléas. Les difficultés liées à la transition entre l'ancien et le nouveau système sont réelles, mais surmontables, pourvu qu'existe la volonté politique de préserver l'avenir à long terme du système public par répartition.

Quinodoz (Danielle)

Vieillir : une découverte

Presses universitaires de France, mai 2008, 303 p.

Il y a tellement de façons de vieillir ! Vieillir peut faire peur : les pertes de toute sorte à affronter, les défaillances et les êtres chers qui disparaissent. Pourtant, il y a des personnes qui donnent envie de vieillir. Elles n'ont pas été épargnées par l'existence, mais, pour elles, vieillir, c'est continuer l'aventure de la vie. Elles semblent conserver sous forme de richesse intérieure les richesses extérieures qu'elles ont perdues, et même découvrir de nouvelles libertés. À la limite, sauraient-elles tout perdre sans se perdre ? Et si vieillir était pour elles l'occasion d'apprendre à mieux s'aimer et à mieux aimer ? L'auteur a une longue expérience des psychanalyses et des psychothérapies de personnes âgées, qu'elle a transmises à travers des supervisions et des séminaires. Elle a attendu d'avoir elle-même pris de l'âge pour pouvoir parler en connaissance de cause afin de mettre en valeur les richesses de la vieillesse et lui redonner sa noblesse.

LE RU (Véronique)

La vieillesse : de quoi avons-nous peur ?

Éditions **Larousse Philosopher**, avril 2008, 224 p.

On nous présente souvent la vieillesse comme un problème médical ou économique. Pourtant, il s'agit de bien autre chose : une étape dans l'histoire individuelle d'une femme, d'un homme, dans son projet de faire sens jusqu'au dernier de ses jours.

Pourquoi distinguer les « seniors », qui ont droit à la parole et sont l'objet de sollicitations multiples, et les « vieux », relégués dans des résidences où on ne les voit plus, où on ne les entend plus ? Que cherchons-nous ainsi à nous cacher ? Entre Cicéron et Simone de Beauvoir, entre éloge de la vieillesse et crainte du naufrage, il est temps de retrouver les valeurs attachées à ce moment de l'existence. Et de se réapproprier, jusqu'au bout, le cours de sa propre vie.

BLOCH (Danièle), HEILBRUNN (Benoît), LE GOUÈS (Gérard)

Représentations du corps vieux

Fondation **Eisai** et **Presses universitaires de France**, avril 2008, 145 p.

Quelles sont les représentations du corps vieux dans l'art contemporain ? Est-il possible d'imaginer que traiter du corps revient à traiter de peinture et inversement ? Peut-on réduire une œuvre picturale à un commentaire philosophique ?

Quels sont les discours sur le vieillissement que déclinent les marques ? Le traitement du corps vieux dans la publicité introduit-il une rupture entre le visage et le reste du corps ?

Le rêve reproduit-il fidèlement notre âge civil? Comment l'appareil psychique intègre-t-il les transformations corporelles dues au vieillissement? D'où vient cette pensée biologisante désireuse de faire comme si les sujets vieillissants avaient définitivement perdu leur qualité sexuée?

Trois textes ouvrent ce livre sur le vieillissement, puis, dans une série d'aperçus, d'autres perspectives sont examinées et étoffent la réflexion sur les représentations du corps vieux.

GUÉRIN (Serge)

Habitat social et vieillissement : représentations, formes et liens

La Documentation française, 2008, 240 p.

Regards croisés sur les problématiques liant vieillissement et logement social : les contributions de chercheurs du Québec, de Belgique et de France avec des expérimentations innovantes.

L'élaboration d'un état de l'art de la recherche et des interrogations sur le lien entre vieillissement et logement social apparaît d'autant plus nécessaire qu'une bonne part de la politique de l'âge passera de plus en plus par la ville, la résidence et l'habitat. Le parc social a une responsabilité particulière de ce point de vue. Ce sont dix-sept chercheurs provenant de Belgique, de France et du Québec qui proposent différents regards croisés sur des problématiques liant vieillissement et logement social. Aussi, en France, au Québec ou en Belgique, les initiatives se sont multipliées pour proposer des solutions d'habitat prenant en compte l'évolution des attentes et des comportements. Il s'agit de proposer des solutions évolutives et modulaires, de permettre l'exercice de l'intergénération dans le respect des attentes de chacun, ou de favoriser un environnement permettant de produire une alternative à l'hospitalisation. Cet ouvrage regroupe pour la première fois les contributions des principaux chercheurs francophones travaillant sur ces domaines et constitue un premier projet d'envergure sur les effets du vieillissement de la population pour le logement social, accompagné d'études de cas et d'expérimentations innovantes.

BARTKOWIAK *(Nadège)*

L'accueil des immigrés vieillissants en institution

Presses de l'**EHESP**, octobre 2008, 128 p.

Les immigrés vieillissent aussi. Le vieillissement de la population immigrée est aujourd'hui en France une réalité sociale avérée. Surreprésentés chez les personnes âgées par rapport à l'ensemble de la population, les immigrés restent pourtant sous-représentés en institution. La question des immigrés âgés interroge ainsi notre contrat social au plus profond, et met en lumière une société plurielle et diversifiée. Le défi lancé par l'accueil des immigrés âgés en maison de retraite est celui de l'ouverture à l'interculturel, de l'alliance de l'égalité et de la différence dans une prestation de qualité.

Apprivoiser la différence culturelle et l'intégrer au quotidien tout en préservant la singularité des individus : tel est l'objectif des actions concrètes proposées dans cet ouvrage. Car l'individualité reste le maître mot. En ce sens, les améliorations préconisées par Nadège Bartkowiak sont susceptibles de bénéficier à tous les résidents des établissements pour personnes âgées.

GÉRARD *(Amandine)*

Le surendettement chez les personnes retraitées

Prix 2008 de mémoire de l'Observatoire des retraites, 44 p.

Après avoir évoqué la place des retraités au sein de la société de consommation actuelle, Amandine Gérard étudie les caractéristiques des personnes retraitées surendettées en dressant un possible profil de ce surendettement. Elle montre ensuite le rôle et les possibles actions du conseiller en économie sociale et familiale.

Le surendettement des personnes retraitées peut provenir, au-delà de l'influence des facteurs liés à la consommation actuelle, d'une méconnaissance des crédits à la consommation et/ou d'un événement bouleversant leur situation financière ou celle de leurs proches. Telle est la conclusion à laquelle est arrivée Amandine Gérard au terme d'entretiens exploratoires et de recherches théoriques menés dans le cadre de son mémoire clôturant des études en économie sociale et familiale.

EL MEKKAOUI DE FREITAS (Najat), DUC (Cindy), BRIARD (Karine), LEGENDRE (Bérangère), MAGE (Sabine)

Aléas de carrière, inégalités et retraite

Centre d'études de l'emploi, Rapport de recherche n° 47, juin 2008, 227 p.

La diversité des parcours de vie n'est pas sans incidence sur le niveau de vie des retraités. Cette diversité est devenue un thème central dans la réflexion sur les systèmes de retraite. Les parcours professionnels et familiaux sont-ils plus accidentés pour les femmes que les hommes ? Les aléas de carrière sont-ils plus nombreux pour certaines tranches d'âge ou générations ? Principalement touchés par ces aléas, les seniors font l'objet d'une étude spécifique qui fait le point sur les dispositifs d'emploi en leur faveur.

BUI QUANG (Hien), BUI QUANG (Miyako)

Les coûts des maisons de retraite

L'**Harmattan**, juin 2008, 314 p.

Ce livre, parfaitement actualisé, dresse une revue des évolutions historico-juridiques, combinée à une recension de la littérature de l'analyse des coûts. Il apporte, dans un contexte de mutation, d'actualité et d'innovation dans la prise en charge des personnes âgées, des explications et aussi des pistes de réflexion pour les futures recherches. Ce livre constitue une aide précieuse aux candidats aux concours de la santé et, plus généralement, aux professionnels qui travaillent dans le secteur médicosocial. Il est également accessible à un public de non-spécialistes qui s'intéressent au problème des dépenses de santé face à l'expansion démographique du quatrième âge ainsi qu'aux enjeux politiques qui en découlent.

ANTILOGUS *(Pierre)*, TRÉTIACK *(Philippe)*

Comment rester jeune après 100 ans

Éditions **Nil**, juin 2008, 155 p.

Vieillir n'est pas si terrible !

Rien n'est pris au sérieux. Alzheimer, ostéoporose, maltraitance, handicaps dus à l'âge deviennent une occasion de rire. Ce n'est pas l'âge qui est tourné en dérision, mais le rapport angoissé que chacun entretient avec l'idée de vieillir.

Résumés

Évolution de la pauvreté des personnes âgées et minimum vieillesse

par N. Augris, C. Bac

La mise en place du système de retraite depuis 1945 a permis d'augmenter le niveau de vie des retraités. En effet, les pensions de retraite représentent une part essentielle des ressources des personnes âgées. L'augmentation de la population couverte et du niveau des pensions a ainsi largement contribué à la baisse du taux de pauvreté des personnes âgées. En complément, le minimum vieillesse a été instauré comme filet de sécurité pour les personnes âgées n'ayant pu se constituer une pension suffisante pour subvenir à leurs besoins élémentaires. Les revalorisations successives n'ont pour autant pas toujours permis aux barèmes du minimum vieillesse de se situer au-dessus du seuil de pauvreté monétaire.

Le niveau de vie des retraités

Conséquences des réformes des retraites et influence des modes d'indexation

par E. Crenner

Les générations partant à la retraite dans les trente-cinq années à venir auront des histoires socio-économiques différentes des générations précédentes. Les femmes auront plus participé au marché du travail, les salaires perçus au cours de la carrière seront plus élevés, la durée des études sera plus longue. Mais ces générations auront aussi, sur le plan démographique, plus souvent connu des séparations. Surtout, elles sont concernées par d'importants changements en matière de calcul de la pension de retraite suite aux réformes de 1993 et de 2003.

Cet article a pour objectif d'évaluer l'évolution du niveau de vie des retraités pour les générations à venir, et de mesurer comment celle-ci est affectée par les changements socio-économiques et législatifs. Pour cela, nous avons simulé l'évolution du niveau de vie des individus nés entre 1945 et 1962 grâce au modèle de microsimulation Destinie.

Au fil des générations, le niveau de vie moyen des retraités au moment où ils liquident leur retraite devrait augmenter, mais de façon plus importante pour les hommes que pour les femmes. Plus tard, pendant les quinze premières années de la retraite, les écarts de niveau de vie entre les hommes et les femmes devraient augmenter pour toutes les générations : sous l'effet des événements démographiques, le niveau de vie des hommes augmente alors que celui des femmes stagne.

Les réformes de 1993 et 2003 auront pour conséquence, dès la liquidation de la pension, des niveaux de vie pour les retraités plus faibles que si les réformes n'avaient pas eu lieu. Mais surtout cet écart augmente au fur et à mesure de la retraite. Les changements de mode d'indexation des pensions expliquent 70 % de la perte de niveau de vie après quinze années de retraite par rapport à un scénario sans application des réformes.

Veuvage, pension de réversion et maintien du niveau de vie suite au décès du conjoint : une analyse sur cas types

par C. Bonnet, J.-M. Hourriez

Cet article examine les règles et les paramètres en vigueur dans le système français de pensions de réversion. Il étudie sur cas types la variation du niveau de vie des retraités en couple à la suite du décès de leur conjoint. Au préalable, les auteurs s'interrogent sur le concept de niveau de vie, en examinant la pertinence de l'échelle d'équivalence standard pour la population des retraités, et plus particulièrement pour les personnes veuves. En effet, dans la mesure où ces dernières conservent souvent le logement du couple, leurs besoins pourraient être jugés plus importants que ceux prédits par l'échelle d'équivalence standard, qui considère que le niveau de vie est maintenu si le survivant dispose des deux tiers des revenus du couple.

Avec l'échelle standard, les dispositifs français de réversion permettent globalement de maintenir en moyenne le niveau de vie des veuves issues des couples actuels de retraités. Seules les veuves n'ayant pas ou peu travaillé voient leur niveau de vie baisser – une situation qui devrait devenir de moins en moins fréquente au fil des générations. Pour les hommes veufs, qui disposent de droits propres élevés par rapport à leur conjointe, ils permettent d'aller au-delà du maintien du niveau de vie. On peut penser qu'il en sera de même pour certaines veuves dans les futures générations de retraités.

Enfin, cet article met en évidence le fait que si l'objectif poursuivi est de maintenir le niveau de vie quels que soient les niveaux de pension de retraite de l'homme et de la femme, il apparaît souhaitable d'aménager le dispositif de réversion du secteur privé. Le taux de réversion serait alors plus élevé que dans le système actuel mais compensé par une condition de ressources dégressive et non plus différentielle comme celle qui existe dans le régime de base des salariés du secteur privé.

Quelle variation du niveau de vie suite au décès du conjoint?

par C. Bonnet, J.-M. Hourriez

L'évolution des revenus après le départ en retraite est une thématique encore peu abordée en France, ces revenus, essentiellement des pensions de retraite, étant censés connaître peu de variations. Pourtant, un certain nombre d'événements au cours de la retraite peuvent affecter le niveau de vie des individus. En particulier, le décès du conjoint s'accompagne en général d'une baisse des ressources, plus ou moins amortie par le dispositif de la pension de réversion. Nous étudions dans cet article la variation du niveau de vie des retraités en couple suite au veuvage, laissant ainsi de côté la question du veuvage précoce. Deux méthodes sont utilisées pour estimer la perte moyenne ou médiane de revenus lors du décès, en utilisant les données des enquêtes «Revenus fiscaux» 1996-2001. Elles conduisent à des résultats très proches, la différence n'étant pas significative. En utilisant l'échelle d'équivalence standard, on montre que pour les femmes, la variation du niveau de vie suite au décès du conjoint est faible, mais légèrement négative en moyenne comme en médiane: environ −3%. Cette baisse est cependant de plus de 8% pour un quart d'entre elles. Pour les hommes, la variation moyenne ou médiane du niveau de vie est clairement positive: entre +14% et +22%. Les dispositifs français de réversion permettent donc globalement de maintenir à peu près le niveau de vie des veuves. L'écart que l'on constate une année donnée entre ces dernières et les femmes mariées du même âge tient ainsi pour une part importante à des effets de structure, essentiellement liés à la mortalité différentielle. Les hommes veufs, quant à eux, disposant de droits propres élevés, ont presque toujours un niveau de vie supérieur après le décès de leur conjointe, la diminution de la taille des ménages étant à leur avantage.

Voyages organisés à la retraite et lien social

par V. Caradec, S. Petite

En se fondant sur une enquête par questionnaires (N=549) et par entretiens (N=21) réalisée auprès de retraités qui ont participé, en 2004, à un voyage proposé par la Cram Nord-Picardie, cet article se propose d'étudier dans quelle mesure et de quelle manière les voyages organisés constituent un contexte favorable au développement et au raffermissement des liens sociaux. Quatre aspects de cette sociabilité de voyage sont tour à tour examinés : la nature des « configurations de départ » ; les modalités de la cohabitation avec autrui pendant le voyage ; le devenir, après le retour, des relations qui se sont nouées au cours du périple ; l'éloignement temporaire comme occasion d'activer certains liens familiaux et amicaux.

À la lumière des données recueillies, il apparaît que, contrairement aux espoirs parfois placés en eux, les voyages organisés ne permettent qu'assez rarement de créer des relations qui se maintiennent durablement après le retour. En fait, l'essentiel se joue pendant les vacances elles-mêmes : dans les rencontres avec des personnes que l'on ne connaissait pas et avec lesquelles on passe de bons moments sans nécessairement vouloir maintenir les contacts au-delà du temps des vacances, ainsi que dans les relations que l'on vit avec les proches avec lesquels on participe au voyage. L'enquête invite notamment à souligner l'intérêt de ces voyages pour les femmes qui vivent seules : ils leur donnent l'occasion de nouer et de maintenir une relation privilégiée avec une « amie de voyage ». Ce phénomène des « amies de voyage » apparaît remarquable, donnant à voir une forme de soutien mutuel entre femmes âgées, trop rarement souligné dans les travaux francophones.

Les personnes âgées face à la dépendance culinaire: entre délégation et remplacement
par P. Cardon, S. Gojard

Les pratiques alimentaires se modifient au fil du vieillissement. Parmi les nombreux facteurs qui peuvent rendre compte de ces modifications (transformations physiologiques, dégradation de l'état de santé, etc.) nous insistons ici sur les effets de la dépendance culinaire conduisant des personnes âgées ne pouvant plus assurer approvisionnement et/ou préparation des repas à les déléguer à un tiers. On distingue différentes configurations selon les liens entre aidé et aidant: conjoint, enfant, professionnel. L'analyse se base sur une enquête effectuée en 2001 par questionnaire auprès de personnes âgées de 60 ans et plus (N=800) et sur une cinquantaine d'entretiens effectués en 2006 auprès de personnes de 70 à 90 ans vivant à domicile. Les résultats statistiques montrent que la délégation du ravitaillement, totale ou partielle, augmente avec l'âge et s'exerce de plus en plus hors du cercle du ménage et de la parenté. Il s'ensuit une moindre maîtrise du choix des produits par les personnes concernées, et leur alimentation s'en trouve modifiée. Ce constat nous amène à approfondir, via des études de cas, l'impact de l'organisation domestique sur l'alimentation et à examiner de plus près la délégation de tout ou partie de la chaîne culinaire. L'analyse montre notamment que la dépendance culinaire conduit à une redéfinition des rôles conjugaux (variable selon le type d'incapacité et le sexe du dépendant) et à la nécessité dans certaines situations du recours à un tiers non conjugal (enfant, professionnel). Le sexe et le statut de l'aidant (mari/épouse; fils/fille; professionnel) et la relation entre l'aidant et la personne âgée dépendante jouent de manière centrale dans le maintien ou non des habitudes alimentaires, au regard notamment du rôle crucial de la décision féminine en matière de contenu des approvisionnements et des menus.

Abstracts

Poverty of the Elderly and the Minimum Old-age Pension

by N. Augris, C. Bac

Since its introduction in 1945, the pension system has increased the living standard of retirees. Retirement pensions make up an essential share of elderly people's resources. The broadening of the population covered and the increase in the level of pensions have strongly contributed to bringing down the poverty rate among elderly people. To round out the system, a minimum old-age pension was introduced as a safety net for elderly people who have not been able to earn a sufficient pension to cover their basic needs. However, successive adjustments have not always kept the minimum old-age pension brackets above the monetary poverty line.

The Living Standard of Retirees

Effects of the Pension Reform and Impact of Indexation Methods

by E. Crenner

The cohorts retiring in the next 35 years will have different socio-economic histories from the previous cohorts. More women will have participated in the workforce, wages earned over careers will have been higher, and the period spent in education will have been longer. In demographic terms, more people in these cohorts will have experienced separation. Most importantly, they are concerned by major changes in the way pensions are calculated after the reforms of 1993 and 2003.

This paper aims to evaluate the change in standard of living for future cohorts, and to measure how that change is affected by socio-economic and legislative developments. To do so, we simulated the change in the standard of living of people born between 1945 and 1962 using the Destinie micro-simulation model.

Over the cohorts, the mean standard of living of retirees at retirement should increase, but more for men than for women. Then, during the first 15 years of retirement, the gaps in living standard between men and women are likely to increase for all cohorts: as a result of demographic events, men's standard of living improves while women's remains stable.

As a result of the reforms of 1993 and 2003, at retirement, living standards for retirees will be lower than if the reforms had not been introduced. But, more importantly, that gap widens over retirement. The changes to the indexation method for pensions account for 70% of the loss in standard of living after 15 years' retirement compared with the scenario without the reforms.

Widowhood, the Survivor's Pension and Maintaining a Standard of Living After the Death of a Spouse: an Analysis of Type Cases

by C. Bonnet, J.-M. Hourriez

This paper examines the rules and parameters currently used in the French system of survivors' pensions. It uses type cases to study the change in the standard of living of married retirees after the death of their spouse. As a preliminary, the authors examine the concept of standard of living, by discussing the relevance of the standard equivalence scale for the population of retirees, and particularly for widowed retirees. Indeed, since most widowed retirees keep the marital home, their needs might be considered greater than those predicted by the standard equivalence scale, which considers that the standard of living is maintained if the survivor receives two-thirds of the couple's income.

With the equivalence scale, a French survivor's pension maintains the average living standard of widows from the current population of married retirees overall. Only widows who have never or rarely worked experience a decline in their standard of living – a situation that is likely to become less common over the cohorts. Widowers, who have high earned entitlements compared with their wives, actually improve their standard of living. It is conceivable that the same will apply to some widows in future cohorts of retirees.

Lastly, this article suggests that if the aim is to maintain standards of living regardless of the pension levels of the husband and wife, survivors' pensions for private-sector workers should be reformed. The survivor's pension rate would be higher than in the current system but offset by a graduated means test rather than a differential one as it is now the case in the basic scheme for private-sector employees.

Change in Living Standard After the Death of a Spouse

by C. Bonnet, J.-M. Hourriez

Changes in income during retirement is an issue that has received little attention in France. That income, consisting chiefly of retirement pensions, is assumed not to change much. However, various events during retirement can affect individuals' standard of living. In particular, the death of a spouse is usually concomitant with a decline in resources, offset to some extent by a survivor's pension. This paper studies the change in living standard of married retirees after widowhood, thus leaving aside the question of early widowhood. Two methods are used to estimate the mean or median loss in income after the death of a spouse, by using data from the 1996-2001 tax revenues surveys. Both methods produce similar results; the difference between them is not significant. By using the standard equivalence scale, we show that for women, the change in living standard at the death of the spouse is small but slightly negative as a mean and median: around −3%. However, for more than one-quarter of widows, the decrease is more than 8%. For men, the mean or median change in living standard is strongly positive: between +14% and +22%. French survivors' pensions therefore make it possible to maintain roughly overall the living standard of widows. The gap observed in a given year between widows and married women of the same age can be partly attributed to structure effects, mainly due to the mortality differential. Widowed men, who have high earned entitlements, nearly always have a higher standard of living after the death of their wives, because the smaller size of the household is to their advantage.

Organised Travel After Retirement and Social Ties

by V. Caradec, S. Petite

Drawing on a survey using questionnaires (N=549) and interviews (N=21) of retirees who participated in a trip organised by the Nord-Picardie regional health insurance scheme (CRAM) in 2004, this paper attempts to ascertain to what extent and in what way organised travel offers a favourable context for the development and strengthening of social ties. Four aspects of this travel sociability are examined: the types of "departure configuration"; the kinds of cohabitation with others during the trip; what happens to friendships formed during the trip after the return home; the temporary absence as an opportunity to activate ties with family and/or friends.

In the light of the data collected, it appears that, unlike the hopes placed in them, organised travel only fairly rarely creates ties that are maintained in a lasting way after the return. In fact, most social contact occurs during the actual holiday: through meetings with new people with whom participants have a nice time without necessarily wanting to maintain the ties after the holiday, as well as through the relationship with family and friends also participating in the trip. The survey highlights the positive aspects of these trips for women living alone: they give them an opportunity to form and maintain a special relationship with a "travel friend". This trend of "travel friends" seems noteworthy, as a form of mutual support between older women, too rarely mentioned in research in French.

Elderly People and Dependency on Others for Food Preparation: Between Delegation and Replacement

by P. Cardon, S. Gojard

Eating habits change with old age. Of the many factors behind these changes (physiological changes, a deterioration in health, etc.), this paper stresses the effects of dependency that causes elderly people who can no longer shop and cook for themselves to delegate those tasks to other people. Different configurations are identified depending on the relationship between the dependent and the carer: spouse, child or professional. The analysis is based on a survey of people aged 60 and over (N=800) conducted by questionnaire in 2001 and on around 50 interviews of people aged between 70 and 90 living at home conducted in 2006. The statistical results show that delegation of all or some shopping increases with age and is increasingly delegated outside the household and family circle. Consequently, the people concerned have less control over the choice of products, and their diet changes as a result. Case studies are then used to investigate the impact of household organisation on diet and to examine more closely the delegation of the whole or part of the food preparation chain. The analysis shows that dependency on others for cooking leads to a redefinition of marital roles (variable depending on the type of incapacity and gender of the dependent) and to the need in some situations to rely on someone other than the spouse (a child or a professional). The gender and status of the carer (husband/wife; son/daughter; professional) and the relationship between the carer and the dependent elderly person are crucial to whether or not eating habits are maintained, especially given the pivotal role of women in decisions about the content of shopping and meals.

■ Note aux auteurs

Outil de réflexion et d'analyse, *Retraite et Société* est une revue pluridisciplinaire qui a pour vocation de traiter des questions relatives à la retraite et au vieillissement.

Chaque numéro porte sur un thème particulier. Les auteurs qui contribuent à un numéro thématique reçoivent une présentation détaillée des angles d'approche définis par le comité éditorial.

Cependant, la rubrique « Hors thème » peut accueillir des articles qui ne relèvent pas de la partie thématique.

Toute proposition d'article est examinée par le comité éditorial ; l'article, qui doit être inédit, est soumis à l'appréciation et à la validation d'experts, français et étrangers, des questions du vieillissement. La rédaction informe l'auteur de la décision du comité ; en cas de rejet, ou de demande de modifications, les remarques des lecteurs sont transmises à l'auteur.

La rédaction de la revue prend en charge financièrement les traductions : les articles doivent être rédigés dans la langue maternelle de l'auteur.

Les auteurs s'engagent à ne pas proposer leur article à une autre revue avant la réponse du comité.

Pour tout texte publié, le comité de rédaction se réserve le droit de proposer des modifications portant sur la forme, en concertation avec l'auteur, qui recevra dans tous les cas un bon à tirer.

Présentation des manuscrits

Les articles doivent comporter environ 8 000 mots (soit environ 60 000 signes ou 15 à 20 pages A4 dactylographiées). Sur la première page sont précisés : le titre, les noms et fonctions des auteurs. Les articles sont accompagnés d'un résumé de 280 à 320 mots environ (ou 100-150 mots si le résumé est en anglais).

Pour les graphiques et tableaux : les numéroter, leur donner un titre et une légende claire et courte. Pour les graphiques, fournir en plus et à part les données chiffrées.

Les notes de bas de page sont numérotées et ne comportent ni tableaux, ni graphiques.

Les références bibliographiques sont rassemblées en fin d'article.

Elles sont classées dans l'ordre alphabétique et, si nécessaire, pour un même auteur, du plus récent au plus ancien. Préciser en plus du titre et des auteurs, l'éditeur, le lieu et l'année d'édition. Quand il s'agit d'un chapitre dans un ouvrage, préciser également les pages concernées. Lorsqu'il s'agit d'une revue, indiquer son numéro.

Elles doivent donc être présentées ainsi :

Ouvrage

ATTIAS-DONFUT C., SEGALEN M., 1998, *Grands-parents : la famille à travers les générations*, Paris, Odile Jacob, 330 p.

Article dans un ouvrage

DANDURAND R., 1992, « La famille n'est pas une île. Changements de sociétés et parcours de vie familiale », *in* Daigle G. (dir.), *Québec en jeu*, Montréal, Presses universitaires de Montréal, p. 200-220.

Article dans une revue

GALLENGA G., 1999, « Usagers âgés, billettique et transports en commun », *Retraite et Société*, n° 34, Paris, Cnav, p. 39-53.

Les auteurs ne sont pas rémunérés. Ils reçoivent trois exemplaires de la revue à laquelle ils ont contribué.

Pour soumettre un article

Par internet à .
alix.robineau@cnav.fr
raphaelle.frija@cnav.fr
philippe.daveau@cnav.fr

ou adresser un CD avec une copie papier à :
Cnav
Service Édition/publications – 121
110, avenue de Flandre
75951 Paris Cedex 19

Merci d'utiliser si possible
les logiciels Word 2000 pour PC - Excel 2000 pour PC.

Pour toute information complémentaire, n'hésitez pas à contacter :
Alix Robineau au 33 (0)1.55.45.51.31
Raphaëlle Frija au 33 (0)1.55.45.52.87
Fax : 33 (0)1.55.45.81.84

Informations
... | sociales

Créée en 1946, la revue *Informations sociales* est éditée par la Caisse nationale des allocations familiales (Cnaf). Outil de réflexion et d'information pour les praticiens du social, *Informations sociales* est également un lieu de synthèse et de débat pour les chercheurs et les décideurs. La revue est construite sur des **dossiers thématiques** qui associent les spécialistes et les acteurs d'une question sociale. Cette revue, **avec six numéros dans l'année**, accompagne acteurs, chercheurs et décideurs dans leurs analyses, leurs expertises et leurs actions.

Pour découvrir la revue, nous vous proposons de choisir un exemplaire **à titre gracieux** parmi nos dernières livraisons :

▶ Réseaux sociaux : théories et pratiques - n° 147

▶ Politiques de lutte contre les discriminations - n° 148

▶ Nouvelles figures de la parentalité - n° 149

▶ Évaluation des politiques familiales et sociales - n° 150

Pour le recevoir, vous pouvez soit faire votre demande par mail (ysabelle.michelet@cnaf.fr), soit par un courrier adressé à la Cnaf.

RETROUVEZ LES SOMMAIRES DES NUMÉROS SUR www.caf.fr,
Qui sommes-nous ? rubrique Publications

Abonnement - commande
01.45.65.53.34
numéro simple : 6,5 €
6 numéros (1 an) : 33 €
12 numéros (2 ans) : 58 €

Cnaf
Informations sociales
Y. Michelet
32 avenue de la Sibelle
75685 Paris cedex 14

Revue française des Affaires sociales

n° 4 • octobre-décembre 2008

Pour commander ce numéro en ligne :
www.ladocfrancaise.gouv.fr
Prix du numéro : 20,50 euros (TTC) + frais de port

Numéros déjà parus :

À paraître *(titres provisoires)* **:**

Trois fois par an, ne manquez pas votre rendez-vous avec Retraite et Société

À retourner à La Documentation française 124 rue Henri Barbusse 93308 Aubervilliers Cedex France

➡ **Acheter un numéro, s'abonner, c'est simple :**

@ En ligne :
www.ladocumentationfrancaise.fr
(paiement sécurisé)

✉ Sur papier libre ou en remplissant ce bon de commande
à retourner à l'adresse ci-dessus.

En librairies (achat d'un n°)
et à La Documentation française :

- 29-31 quai Voltaire
  75344 **Paris** Cedex 07
  01 40 15 71 10

- 124 rue Henri Barbusse
  93308 **Aubervilliers** Cedex
  01 40 15 68 74

➡ **Où en est ma commande, mon abonnement ?**

✆ 01 40 15 69 96
(de 9h à 12h30 et de 14h à 16h30)

➡ **Une information, un renseignement ?**

✆ 01 40 15 67 50
(de 9h30 à 12h30 et de 14h à 17h)
Fax : 01 40 15 68 00

✉ La Documentation française
Service Relations clients
124 rue Henri Barbusse
93308 Aubervilliers Cedex France

Bulletin d'abonnement et bon de commande

Je m'abonne à *Retraite et Société*
un an, 3 numéros

☐ France métropolitaine (TTC) **48 €**   ☐ Union européenne (TTC) **50,90 €**

☐ Dom-Tom (HT, avion éco) **53 €**   ☐ Autres pays (HT, avion éco) **57,10 €**

☐ Supplément envoi par avion prioritaire 10,70 €
pour les pays hors d'Europe

Je commande le(s) numéros suivants de *Retraite et Société*

....

....

....

pour un montant de .... €
participation aux frais d'envoi (sauf abonnement)   + 4,95 €
Soit un total de .... €

Voici mes coordonnées   ☐ M.   ☐ Mme   ☐ Mlle

Nom : .... Prénom : ....

Profession : ....

Adresse : ....

Code postal : .... Ville : ....

Mél : ....

Ci-joint mon règlement de .... €

☐ Par chèque bancaire ou postal (à l'ordre de M. l'Agent comptable de La Documentation française)

☐ Par mandat administratif (réservé aux administrations)

☐ Par carte bancaire   N° ⎿_⎿_⎿_⎿ ⎿_⎿_⎿_⎿ ⎿_⎿_⎿_⎿ ⎿_⎿_⎿_⎿

☐ Date d'expiration : ⎿_⎿_⎿_⎿_⎿ N° de contrôle ⎿_⎿_⎿

(Indiquez les trois derniers chiffres situés au dos de votre carte bancaire, près de votre signature)

Date   Signature

Informatique et libertés : conformément à la loi du 6.1.1978, vous pouvez accéder aux informations vous concernant
et les rectifier en écrivant au Service Promotion et Action commerciale de La Documentation française. Ces
informations sont nécessaires au traitement de votre commande et peuvent être transmises à des tiers sauf si vous
cochez ici ☐

Dépôt légal : Février 2009
IMPRIMÉ EN FRANCE

Achevé d'imprimer le 9 février 2009
sur les presses de l'Imprimerie de la Cnav
75951 Paris cedex 19